CB067036

VERTIGEM DO CHÃO

CEZAR TRIDAPALLI

MOINHOS

© Editora Moinhos, 2019.
© Cezar Tridapalli, 2019.

Edição:
Camila Araujo & Nathan Matos

Assistente Editorial:
Sérgio Ricardo

Revisão, Diagramação e Projeto Gráfico:
LiteraturaBr Editorial

Capa:
Sérgio Ricardo

Dados Internacionais de Catalogação na Publicação (CIP) de acordo com ISBD

T824v
Tridapalli, Cezar
Vertigem do chão / Cezar Tridapalli.
Belo Horizonte, MG : Moinhos, 2019.
308 p. ; 14cm x 21cm.
ISBN: 978-65-5026-037-8
1. Literatura brasileira. 2. Romance. I. Título.
2019-1795
        CDD 869.89923
        CDU 821.134.3(81)-31

Elaborado por Odilio Hilario Moreira Junior — CRB-8/9949

Índice para catálogo sistemático:
1. Literatura brasileira : Romance 869.89923
2. Literatura brasileira : Romance 821.134.3(81)-31

Todos os direitos desta edição reservados à Editora Moinhos
www.editoramoinhos.com.br
contato@editoramoinhos.com.br
Facebook.com/EditoraMoinhos
Twitter.com/EditoraMoinhos
Instagram.com/EditoraMoinhos

*Para Candice Didonet,
Ronie Rodrigues
e Camie van der Brug*

"I'm not going to ride on a magic carpet!" he hissed.
"I'm afraid of grounds." "You mean heights," said Conina.
"And stop being silly."
"I know what I mean! It's the grounds that kill you!"

"Eu não vou montar em um tapete mágico!", ele sussurrou.
"Tenho medo do chão".
"Você quer dizer de altura", disse Conina.
"E pare de ser bobo."
"Eu sei o que quero dizer! É o chão que nos mata!"
(Terry Pratchett)

"Wie wat vindt heeft slecht gezocht"
"Quem encontra algo procurou mal"
(Rutger Kopland)

O holandês Stefan Bisschop e o brasileiro Leonel da Silva estão sentados no banco em frente ao chafariz de águas desmaiadas da praça Santos Andrade, no centro de Curitiba. A distância entre eles não pode ser medida em centímetros. É de seis meses, Stefan adiantado no tempo. O banco é o mesmo, mas o de Leonel está inteiro, o de Stefan sem uma das ripas do encosto. As dores percorrem um Stefan febril. As gengivas mal cicatrizadas querem vencer a competição das partes que mais lhe doem. Leonel olha para a chuva que vai se armando, o vento a fazer o trabalho dos garis, ajuntando em redemoinho folhas das árvores, papéis de bala, pacotes de biscoito, besouros vivos e mortos enredados em tufos de cabelos que caem dos passantes – um mundo particular, esse dos cabelos que caem. O vento junta tudo em ordem traiçoeira para, em seguida, espalhar outra vez. O que um deus uniu o homem não separa, mas o que o gari reuniu o vento leva, rejunta e disjunta. Era sinal certo, a tempestade de verão se aproximava, teria pouco tempo para ficar ali, a não ser que quisesse encharcar os ossos, lavar alguma alma e pegar, talvez e apesar do calor, um resfriado. Já Stefan usava cachecol e blusas pesadas, a tipoia escondida pela jaqueta de mangas largas. Um Leonel de camiseta e bermuda mirava a escadaria da Universidade Federal e via estudantes vasculhando com gestos pequenos e ágeis suas caixinhas de Pandora eletrônicas. Um dos jovens teve o boné arrancado pelo vento, que trouxe para Leonel o som de risadas. A troça, o boné voador, o vento-zumbido que embaralhava além dos lixos também as vozes, as vozes dos estudantes com seus chapéus voadores e as vozes internas de um Leonel que estava tão nublado quanto o céu sobre a praça. Como fugir da tempestade particular era uma pergunta ainda no escuro. Remoía o temporal das nuvens íntimas, que não trazia ventos de limpar o céu nem divertimento de chapeleiros malucos. Leonel andava chato, na beira do abismo do insuportável. Os chatos não rolam, não se movem, disse-lhe Cícero dias antes enquanto alongavam o corpo sentados com a planta dos pés colada uma à outra, os cotovelos tocando o chão. Do chão de *petit-pavé* da Santos Andrade, Stefan ergueu os olhos e eles pararam antes de chegar ao Teatro Guaíra. O que lhe dava algum conforto era a máscara de bronze, agora ele sabia, dedicada a uma tal Lala Schneider. Stefan não a via de frente, só o convexo. Olhar uma máscara pelo seu oco e reconfortar-se parecia, mais que estranho, perturbador. Ajeitou o cachecol, o frio sempre achava brechas. Schneider, se outrora despertaria a rivalidade costumeira com os alemães, agora dava um aconchego auditivo. *Wilhelmus van Nassouwe, ben ik, van Duitsen bloed*, William de Nassau eu sou, de sangue alemão. A irritação de antes, ao ser provocado sobre o sangue alemão já nos primeiros versos do hino da Holanda, tinha agora um gosto de bandeira branca. O sobrenome alemão o acariciava, amenizou a dor das gengivas, do corpo todo, deu guarida contra a obsessão brasileira por inundar-se de vogais, sempre tão pronunciadas, longas, que roubavam espaço com sons ilógicos e primitivos. Vivam os sete a um. Eles eram a vitória das consoantes. Repetiu Schneider como um mantra capaz de trazer calmaria para as trovoadas. Que espetáculo o encontro entre um s, um c, um h e um n, num schn que lembrava silêncio, que se calassem, que se exilassem, que se fuzilassem as vogais, ou que fossem confinadas, que não viessem, minoria, esculhambar a ordem. Eram apenas cinco, deixassem-nas prestando serviços menores. *Begrijp je wat ik zeg?* Talvez tudo fosse consequência da febre. Eram dois sujeitos no mesmo espaço, um exposto ao verão, boas fatias do corpo à mostra, outro invernal, mãos carentes de luva. Se Leonel olhava para a panturrilha definida, Stefan a intuía, impossível esquecê-la, as fisgadas rascando o tecido da calça. Que tinha um corpo, pensou um. Eu sou um corpo, pensou o outro. Em breve chegariam aos trinta anos e a maioria dos manuais dizia: começariam a perder massa muscular e ganhar gordura. Os quarenta centímetros da panturrilha de Stefan se transformariam em quê? Os oitenta centímetros enxutos da circunferência abdominal de Leonel? Tantos anos de cuidado com o corpo para que o corpo os levasse aonde mesmo? Quem eram na ordem do dia, no estado das coisas, na hierarquia do mundo? Chegavam para cravar bandeira no ponto mais alto sem outra alternativa que não fosse descer. Leonel adivinhou o corpo do avô, que definhava em Castro. Tão mais forte que os cavalos que domava e agora sem forças para sustentar as próprias rédeas. Lembrou-se da carta que escrevera a si próprio aos vinte anos – a confirmação do autocentramento? – e que intitulou *Manifesto secreto contra a mediocridade*: uma leitura íntima. Onde a teria guardado? Stefan simulou um chute a gol, mesmo sentado. Movimento mínimo, quase apenas mental, mas a dor doeu mais. A bola que quase chutara seis meses antes reapareceu, quicando. Outra vez: quase. Era um sujeito de quase. *Bijna*. Tanto tempo maldizendo o pé pronado – anos fortalecendo o músculo vasto medial oblíquo para estabilizar a patela na região medial da coxa – e agora tem na cabeça a imagem da radiografia, os ossos tortos. Como era feliz quando só o pé pronado o fazia infeliz. Qualquer passo e a patela roça sem a sensualidade das cartilagens o fêmur trincado. A imagem de Desimond se interpôs entre ele e o corpo craquelado, viu aquele sorriso de tique nervoso. Teria sido Desimond a gerar o primeiro sopro que virou tormenta? Se não ele, quem? Não raro Leonel se via saindo do corpo, como se os olhos saltassem das órbitas e subissem em árvores. Enxergar-se de fora. Era possível que tantos mecanismos estivessem ativos nele a um só tempo, e nas pessoas que passavam, no menino que corria atrás do boné? Ações e reações trabalhando – agrupamentos humanos, Serra Pelada, fluxo de pessoas, carros, formigas sob folhas, abelhas tateando o interior das colmeias – para eu estar aqui especulando sobre o que queremos ou podemos fazer com o corpo. Via os sistemas musculoesqueléticos sob as roupas de quem passava. Nos jovens, os sistemas se fortaleciam, nos velhos a decadência franca, a míngua. Era o avô ou a avó quem tinha osteoporose? Ele começaria a minguar. Minguar em país de minguados, ignorantes que aproveitaram o espasmo da prosperidade para se entulhar de bugigangas e se enterrar com mais conforto na burrice. Esforço, estudo, provação para chegar ao lugar de onde nunca saíra: o anonimato. A mediocridade que tentou expurgar em uma carta de quase dez anos. Um corpo fim e um corpo meio, que carrega e é carregado pela abstração da mente. Que palavra, a mente. Que associação inédita, mesmo tão clara, com a mentira. A mente fabricando verdades era uma ironia das mais finas. As verdades que se gestavam na mente de Stefan e de Leonel eram semelhantes e opostas a um só tempo. Voltar para casa: a sombra pesada no horizonte de Stefan, sair de casa: a clareira no céu de Leonel. Vento e movimento.

O brasileiro Leonel da Silva e o holandês Stefan Bisschop pisam na mesma porção de gramado do Parque Oog in Al, em Utrecht, unidos novamente pelo espaço e separados pelos mesmos seis meses, agora Leonel habitando o futuro. O lugar é pouco atrativo porque a região da Muntbrug passa por reformas e com o tempo úmido tudo fica lamacento. Não dava para ver o encontro das águas domesticadas do Leidsche Rijn com o Merwedekanaal. Como Leonel podia ainda estar sem fôlego pela deambulação sem eira nem beira de noites atrás? Abrigara-se no Oog in Al porque precisava de distância, nada de Oudegracht, bastasse de Wilhelminapark. Como um policial holandês poderia ter chamado sua atenção se a voz que ouvira falava português? *Hei, você, o que está fazendo aí na rua desse jeito?* A voz, até o timbre, alugou a memória de Leonel. Fadilah fizera bem em poupá-lo de mais notícias ruins, mas agora ele já sabia: a pancadaria em Curitiba repercutiu em jornais do mundo todo e no início ele achou que partidários do governo e da oposição tinham finalmente se engalfinhado. Stefan, vendo que a bola vinha em sua direção, teve vontade de chutá-la com força. As pernas aquecidas, prontas para começar a correr, faziam-no pensar que a bola chegaria até o Geldmuseum, quebrando-lhe os vidros. Ele não chutou nada, bastou a fantasia. Devolveu a bola para as crianças que ignoravam o frio. Stefan estava envolto em águas tão turvas como as do canal, menos tranquilas. Amadurecer devia ser mesmo um aprendizado para decantar tristezas. Leonel lamentou o fato de ser impossível encontrar um pedaço de grama não enlameado pelas chuvas de verão. Mesmo assim as temperaturas altas – os vinte e cinco graus que faziam Fadilah rir – deixavam alvoroçados parques e ruas. Tirou da mochila uma camiseta de ensaios e estendeu-a sobre a grama, tudo sem pensar, só o gesto o mandava prevenir-se da orvalheira pegajosa. A criança mais nova tinha olhos fixos na bola, a mais velha encarou Stefan, da boca o vapor em baforadas. Leonel olhava o Oog in Al, um parque periférico e malcuidado para os padrões holandeses. Viu uns velhos passeando, a postura ereta e a independência física, os torsos esticados como se um fio invisível saísse das colunas, perfurasse o crânio e os guindasse ao céu. O ar de superioridade europeia vinha da capacidade – ou seria um defeito – de mexer somente as partes necessárias do corpo. Por isso a cabeça se movia como em um desenho animado mal feito, contraposta à rigidez do corpo esquecido. Até a dança era assim, bastava ver como se moviam Gijs e Anne-Marije. Stefan olhou mais uma vez as duas crianças, que agora corriam pelo gramado. A mais velha atiçava a menor, aproximando dela a bola que Stefan acabara de devolver, multicolorida, contraste com o inverno cinza que fazia os holandeses correrem para calefações e cachecóis. As árvores, ao contrário das pessoas, se despiam no frio e as poucas flores exibiam a demência do descenso explícito. Passou pela cabeça de Stefan, tentando assimilar os quase trinta anos, que descer nem sempre era a parte mais fácil da corrida. Acostumado à planície eterna do país, subir e descer eram para ele novidade e susto. Leonel achou que se os cegos aprendem a apurar os sentidos que lhes restam, o brasileiro desenvolveu expressões com o corpo para compensar a ausência das palavras. Por isso ri de tudo, abraça quem vê pela frente, chacoalha-se para contar uma história e muitas vezes resolve no braço o abandono do verbo. Que hipótese perversa e plausível, pensou. Aquilo se aplicaria aos imigrantes muçulmanos? Onde Hicham se escondera? Em que lugar assombraria as pessoas com seu corpo-estátua? As crianças não brincam mais. Ou: tudo começa como brincadeira e vira perversão, que, Stefan pensa bem, não deixa de ser um brinquedo. A menina aproxima a bola do menino menor e a retira antes que ele consiga pegá-la. Uma transferência de sorrisos. Enquanto o pequeno ri ela se mantém indiferente. O sorriso dela só vem quando o menino dá os primeiros gemidos de ansiedade, depois exasperação. Quanto mais sofrimento na vida, menor o sofrimento na hora da morte, costumava dizer o oude Bisschop. E não ria. Do exercício da perversidade Stefan saltou para o cansaço de viver em um país sempre tão próximo da bola inalcançável. Estar perto dela era pior. Se Stefan a tivesse chutado para longe, fora do alcance dos olhos, o menino não seria torturado por quase tocar o inatingível. A organização holandesa, o modo como as pessoas se moviam, não só na dança, mas na rotina diária, a autonomia, a mobilidade, tudo havia se transformado em náusea. As curvas, a sinuosidade e a circularidade tinham qualidades diferentes em corpos alinhados e retilíneos. Gonçalo, com a macaqueação contemporânea (*opa, falou de macaco, Leonel da Silva, da selva?*) e o discurso de autoria e liberdade, não fazia mais do que se esforçar na imitação do corpo holandês, numa mimese confusa. Leonel maldisse a ordem, asséptica demais, artificial demais, que não sabia sujar mãos em lama. Sentiu saudades do rio Belém, antes tivesse nadado nele e nas suas merdas familiares. Desprezou a arrogância do Oudegracht, com sua calma desdenhosa, da gente incapaz de se contaminar e dizendo-se liberal e acolhedora. Ele esquecia a amizade com Anne-Marije, deixava na penumbra o amor por Gijs. Estava tomado pela força da generalização, o sarcasmo saía apertado da garganta, o prazer salivante da maldição que enterra a todos na mesma vala. Estava claro que a barbárie podia morar nas águas bovinas que rastejavam pelos canais. Tinha vontade de revolvê-las, de dizer reajam, revoluteiem, extravasem as margens (*vai querer atacar de revolucionário? O inferno sempre nos outros?*). Leonel sentiu a umidade do chão chegar até as nádegas. Ficou em pé, fundilhos molhados, lembrou-se das roupas encharcadas pelas águas do Oudegracht, e então o calafrio sem consideração pelo sol que desfilava no céu sem nuvens. O oude Bisschop veria ainda outro lado bom na tortura da criança menor: não cresceria achando que desejos se realizavam. As palpitações repentinas retornavam, como se Leonel tivesse acabado de reviver a perseguição. *Hei, você, o que está fazendo aí na rua desse jeito?* Acompanhando a parábola da bola no chute que não deu, Stefan se viu ali parado correndo atrás do cometa de plástico colorido. Que se danassem as metáforas sobre felicidade. A bola-cometa era o clarão da epifania. Hora de amadurecer. Foi então que ganhou força a ideia de deixar a Holanda. Do quarto escuro as palavras trancadas por Leonel, voltar ao Brasil.

I

No verão de Curitiba, no inverno de Utrecht, Leonel e Stefan, agora sincrônicos mas separados por dez mil quilômetros, iluminaram-se pela ideia de se arrancar do chão que os prendia. O clique da mudança estalou ao mesmo tempo, sem associação sobrenatural, só uma cadeia de raciocínios conforme a areia vaza da ampulheta. Estavam ultrapassando a época em que existir cumpriria suas promessas. Que entidade era a vida, quem ela pensava que era para prometer tanta coisa? Os quase trinta anos já permitiriam ver no retrovisor o tempo dos sucessos. Não enxergavam, contudo, evento algum lá atrás que não fossem pontos obscuros, acontecimentos turvos. O horizonte era sempre futuro? Um projeto é um projétil, é atirar e atingir. A bola que Stefan não chutou fez sua trajetória. Ele já a viu, é inútil escondê-la. Por Leonel passou correndo a lembrança do curso de inglês cambaio: depois do *grow up* vinha o *grow old*. A língua estrangeira piscou ao acaso, talvez intuísse as mudanças.

Cícero provocava outra vez. Depois do último gracejo, quando disse que Leonel estava cada dia mais chato e que chatos não se moviam, agora dizia que ele viraria aqueles alemães de dar medo, Mary Wigman e afins, saídos de algum filme expressionista. Seria Leonel o Nosferatu? Cícero costumava dizer que o sarcasmo atiçava a criatividade, lera numa pesquisa, era sério. Os discípulos de Nosferatu sobreviviam até hoje e ensaiavam bem ali pertinho, ele ainda aproveitou o mote para exercitar a fofoca. Enquanto ouvia, Leonel ligava o intelectualismo de Cícero à capacidade de se transformar em um babaca. Ser cúmplice do mexerico e alimentá-lo era fácil e, vá lá, prazeroso quando o alvo estava distante. Mas com os meses de convívio e intimidade, tornar-se o objeto das palavras ferinas fazia crescer uns ressentimentos que Leonel ia recolhendo. Reagia pouco, sorriso enviesado. Cícero continuou, o que nasceria se Mary Wigman tivesse um filho com Fritz Lang e tal. Nina e Clarice faziam o aquecimento massageando as plantas dos pés uma da outra, alheias às papagaiadas eruditas de Cícero, expressão inventada por Leonel, jocosa até uns dias atrás e que, sem mudar uma vírgula, chegava agora como exemplo redondo de como conhecimento e inteligência podiam compor um imbecil. O antigo recurso: desprezo pelo outro como meio de engrandecer a si mesmo, apequenado de algum modo. Leonel, ainda que chato, começou a rolar no chão do estúdio, uma sala alugada em um prédio antigo da Santos Andrade, e deixou o som dos seus ossos, batucando no assoalho revestido de linóleo, abafar a voz do namorado. Em pouco tempo, a maldade estava esmaecida pela respiração, enfim o prazer do movimento, a distensão saudável das articulações, inspira, alonga, sente o quadril. A endorfina veio com o suor, vinte minutos de corrida e o corpo estava em prontidão. Depois do aquecimento e do alongamento breves – alongar-se antes de correr era algo cada dia mais controverso –, Stefan apertou o passo pelas ruas de Utrecht. Vinha de uma corrida sem intensidade e um dia de intervalo, sabia que era hora de forçar. A primeira gota de suor despontou chamando outras e outras, a invasão do rosto no assomo repentino, como se gritassem atacar, e começassem a correria a partir da testa, das têmporas, juntando-se no exército que fazia do nariz trampolim. De lá despencariam, a queda livre. Quando brotavam do peito, das costas, dos vales das virilhas e nádegas, eram absorvidas pelos tecidos inteligentes que arrancavam à força o suor do corpo, necessário mas inconveniente. Stefan suava muito. A hidratação era contínua mesmo no frio, ainda que tivesse de arcar com os desconfortos da micção em intervalos menores. Nas dez milhas inglesas da Dam tot Damloop, se não tivesse parado para mijar teria chegado entre os cem primeiros. Expulsava mais do que suor quando corria. Entendia bem como um corpo funcionava, a liberação da beta-endorfina fazia-o agradecer ao deus que se lembrou de criar a glândula pituitária. Divertiu-se: o ser barbudo, de cabeça superdesenvolvida, criando do barro aquele um centímetro de glândula secretora na base do cérebro, programando-a para liberar moléculas feitas de trinta e um aminoácidos benditos toda vez que um exercício físico fosse feito por mais de trinta minutos. Stefan, se suscetível às tristezas, podia comemorar por ter um corpo que se rendia sem resistência aos efeitos entusiasmantes da endorfina. Não sabia que entusiasmo significava colocar um deus dentro de si. Se soubesse, teria dado mais corda às divagações sobre pituitárias de barro. As passadas se esticavam, o corpo se expandia para uma dimensão de sonho, ainda mais valiosa pelo contraste com os meses encolhido, prostrado, logo ele, sempre leve e até bobo, conforme os pais e Machiel sempre diziam. Se a morte nunca é fácil, o modo como Machiel se fora suplantava a ideia da morte natural. Foi intransitiva e intransigente demais. Stefan jamais quis ver o assassino pessoalmente, mas olhava para Ahmed na única foto estampada no *Algemeen Dagblad*. Estava ficando cada vez mais comum expor a imagem de réus nos jornais. Baixou a imagem do rosto de Ahmed no computador, corrigiu imperfeições em programas de edição, carregando na nitidez e no contraste para então fazer-lhe perguntas e terminar, em voz baixa, gemendo na frente dos olhos negros, do nariz grande, a pele parda, barba por fazer. O pomo de Adão saliente, o gesto inútil da mão direita penteando os cabelos tão curtos para trás. E os olhos. Olhos de buraco negro que sugavam Stefan para dentro das órbitas. A foto não trazia o corpo inteiro, propunha o exercício de adivinhá-lo. Ou de supô-lo, o que não é a mesma coisa. A mão, ainda sem algemas, tirava o cabelo nenhum do rosto para ficar mais visível ao fotógrafo? Quanto mais tivesse os olhos abertos, mais o veriam? Olhava direto para a lente, orgulhoso, na imagem que dizia sou eu, estou aqui, minha função é esta e a justiça dos homens é risível. Foi o que disse mais tarde, no depoimento. E então se calou. Horas antes, a mão da foto havia esfaqueado Machiel, outro corpo forte mas que sucumbia a uma faca no ataque pelas costas, a garganta talhada, chafariz vermelho.

O chafariz da Santos Andrade não funcionava, era uma miniatura vista do estúdio. A força das águas lavava tudo. Serviço mal feito, a praça cheia de galhos prostrados, o granizo apedrejava as folhas mortas, sujando o *petit-pavê*. Ninguém andava nas ruas, nenhum guarda-chuva suportaria. Água, ventania e trovoadas abafaram Cícero, ossos e respirações. Eram quatro corpos estupefatos que olhavam para fora – as pedras batiam no vidro e Clarice achou fofa a bolinha de gelo que pegou no limiar da janela, segurando-a como quem protege uma borboleta. Cícero parecia satisfeito com a purgação pelo método do escárnio. Quando voltaram ao ensaio, propôs um exercício de improvisação que aproveitasse a tempestade, costurando-a com os medos de cada um. Que dançassem o medo aproveitando as linhas da chuva. Os bailarinos começaram com saltos e quedas esparramadas, a expiração soprada com força fazia coro ao som da chuva que lavava os prédios do Centro, transbordavam o tanque do chafariz, extravasavam os bueiros, curvavam as árvores. Leonel havia parado com os saltos e se prendia ao chão do estúdio, movendo-se o mais que podia sem, contudo, mexer as plantas dos pés. O corpo todo trabalhando contra os pés. A proposta de improvisação correu por uma linha de diagonais, desde os tornozelos, joelhos, quadris, cóccix, vértebras, braços, cabeça buscando o chão, tudo querendo vir abaixo, horizontalidade que os pés teimavam em negar. Fisgara o conceito baseado na oposição e o desenvolvia com afinco. Enquanto os outros seguiam verticalidades óbvias – com o canto do olho ele os observava, eram movimentos evidentes demais, quase infantis, abusando dos saltos e das quedas, o que é o que é: cai de pé e corre deitada? –, Leonel levava até o limite a oposição entre as forças da instabilidade e da fixidez. Dança é relação entre o móvel e o imóvel assim como a música depende do silêncio. O movimento arrasta o conforto, forçando-o até vergá-lo. O corpo aquecido tornava cada articulação um elástico cuja expansão, confortável e prazerosa nos membros superiores, encontrava resistência e dor à medida que se aproximava do chão. Os tornozelos sentiam os efeitos de um corpo que, acima deles, se agitava na oposição com os pés, raízes insistentes. Estes movimentos poderiam ser célula dramática para d*EU*s, espetáculo solo que Leonel começara a criar em segredo. Até que os pés cederam, desequilibrados em busca de um pedaço novo de chão. Correr é alternar equilíbrio e desequilíbrio, um pé brevemente plantado lança o corpo para o voo enquanto o outro se joga para frente em busca de sustentação. Treinar a passada dava preguiça, mas Stefan sabia ser importante para promover o alinhamento da coluna e percorrer maior distância com menor esforço. A mecânica do movimento e sua dinâmica. Que cravar os pés no chão pode, na busca pela estabilidade radical, fazer o corpo cair, pensou Stefan, em Utrecht, pensou, em Curitiba, Leonel.

Preparava-se para experimentar novamente a oposição quando Cícero interrompeu o exercício. Era hora do ensaio, faltava a apresentação em Curitiba para que os quatro bailarinos encerrassem seu projeto, um edital de circulação da Funarte. Aprovados seis meses antes, os bailarinos viajaram para sete cidades do país. A InCompanhiaIn de Dança apresentava uma releitura farsesca de O *quebra nozes* chamada A *quebra cocos*, e atualizava o clássico balé de repertório para os códigos da dança moderna e contemporânea, extirpando as pontas e meias-pontas e inserindo movimentos quebrados e desgraciosos – Cícero usou o termo estética da desgraça em entrevista a um jornal e ele acabou servindo como jargão. O espetáculo usava projeções de vídeos que interagiam com os bailarinos ao vivo. Imagens de quebradeiras de coco do Norte e Nordeste brasileiros davam o tom para que os bailarinos se movessem estilizando o gestual das mulheres, expandindo-os e recriando-os. Elogiado no sul, ignorado no eixo Rio-São Paulo e criticado no Nordeste, o espetáculo rendeu ao menos um cachê suficiente para Leonel começar a ver como real a ideia de deixar o Brasil. Pelo que Stefan vira na TV à época da Copa do Mundo, o Brasil crescia. E gostava de esportes, havia realizado a Copa, os Jogos Olímpicos. Parecia subir uma gangorra que tinha a Europa na outra ponta, caquética, velha senhora anacrônica cuja economia eram músculos enfraquecidos. A Holanda era a morte dos sonhos, a casa onde moravam todos os fantasmas. As construções tortas que se fingiam de certas assobiavam para disfarçar a embriaguez e escoravam-se na burocracia obsessivo-compulsiva. A organização não passava de um TOC que só encantava turistas mal avisados. Stefan já corria havia quase uma hora e não tinha intenção de parar. Seu Polar Beat marcava doze quilômetros. Quando ia devagar – não era a intenção, mas acabou fazendo de novo um treino leve, melhor para tomar decisões –, podia seguir o dia todo, parava só por impaciência. Certa vez chegou a quatro horas e meia. Agora faria o Oog in Al até Máximapark e voltaria, seguindo para o Voorveldse Polder e retornando ainda outra vez. Vinte e quatro quilômetros, pouco mais de meia maratona, ritmo tranquilo. Evitava o Ondiep, Machiel falava tanto sobre esse bairro cujas casas, conjuntos habitacionais construídos antes da Guerra, viviam com as cortinas fechadas e onde, comentava-se, houve até assassinato. Fingia compensar a falta de intensidade do treino alongando o tempo e a distância. Sabia não ser a mesma coisa. Ainda que a excitação costume ofuscar a nitidez das avaliações, Stefan cogitou o Brasil com um carinho sorridente. Contrastou-o com a severidade das análises que faziam de seu país, uma velha liberal e fechada que, por essa contradição, era esquizofrênica, dividida entre a permissividade e a inabilidade para lidar com quem se derramava para dentro do seu território, não mais o mar, mas os pobres e fanáticos que chegavam escudados pela tolerância holandesa e em seguida eliminavam com seus dogmas a mesma tolerância que os favorecia. Era o que dizia o oude Bisschop, e Stefan mimetizava. Se Machiel fora vitimado de um jeito tão covarde, talvez ele pudesse ser o próximo, exagerava. O oude Bisschop repetia e repetia, não era a falta de riqueza que causava o fundamentalismo, mas a falta de inteligência, a Holanda era o país que mais oferecia direitos e bem-estar aos imigrantes, sobretudo marroquinos islâmicos que, como agradecimento por se beneficiarem de leis iluministas, se achavam livres para dizer que a única lei válida era a do Alcorão. E que o livro permitia somente uma interpretação, a literal. Mais de um milhão de muçulmanos vivendo em um país de dezesseis milhões não era pouca coisa, dava para fazer um bom estrago. A Holanda havia se metido a mandar tropas para o Afeganistão e para o Iraque, que ninguém fosse ingênuo de achar que não haveria represálias, tudo estava ligado, se a Europa sofria para unificar um mercado comum que mal se juntou e já começava a se despedaçar, os islâmicos se uniam em torno da religião como moscas no chorume, bastando seguir um livro como quem lê a bula de um remédio ou o manual de instruções de uma batedeira. Não era uma simples e livre circulação de deuses que estava em questão. O deus era disputado dentro de facções existentes no seio da própria religião, e sunitas, xiitas, wahabitas, khareghitas, drusas, hanifitas, ibaditas, ismaelitas, sefardins, cada uma disputava e queria para si o tal deus. Nada de livre circulação, era o monopólio da ignorância o que disputavam. E o ocidente precisava reagir. Olhava para baixo e via o quadríceps trabalhando sob a bermuda de compressão. No contato com o asfalto, seu Asics amortecia parte do impacto e deixava o remanescente para as articulações, tendões, musculaturas. Voltou a considerar o Brasil, a convergência dos maiores eventos esportivos do mundo, a felicidade do povo, danças, praias, calor. Era, o raciocínio insistia em reaparecer, o antípoda da Holanda e a idealização cumpria o papel de transformar a realidade em nuvem desfiada. Seedorf não dizia sempre o quanto fora feliz lá? Não tinha casado com uma brasileira? Mas Seedorf não era holandês, era surinamês, diria Machiel. Stefan estava preso às informações que lhe chegavam das propagandas, ignorava crises econômicas. O país estava parado, à mercê de um governo cercado de corruptos e de um congresso ainda pior, ignorante como o povo que o elegeu, era a avaliação que Leonel fazia, querendo dar razão para as escolhas. Quando a cabeça trabalhava contra algo, qualquer poeira era estopim e tudo vinha do avesso. Stefan desprezou o quinto lugar da Holanda no quadro de medalhas das Olimpíadas de Inverno de Sochi, um quinto lugar por si medíocre, mas ainda enganador, pois somente a patinação de velocidade havia dado medalhas ao país. Enquanto o mundo se curvava ao futebol e as Olimpíadas reconheciam a nobreza do atletismo de verdade, seu país só sabia patinar.

Contar a Stefan sobre o assassinato de Machiel foi especialmente difícil. Uma vida feita de terras do nunca mostrou de repente as garrinhas pontudas de gavião levando Sininho e Peter Pan pela jugular pingando sangue. No espetáculo de luzes da Disney Magic Kingdom, em Orlando, dois amigos de Leonel, bailarinos também formados pela Faculdade de Artes do Paraná, ganhavam um dinheiro fazendo personagens coadjuvantes de Peter Pan e Sininho. O que antes divertia Leonel – costumava dizer que ficaria feliz sendo o Pateta – agora era advertência para o destino. Estava no meio termo da carreira, e meio termo lembrava mediocridade, tinha se desvencilhado das formatações do balé clássico, mas caíra em novas fórmulas que não aprofundavam mais a pesquisa do movimento. Os projetos aprovados, sinal de reconhecimento no disputado porque estreito cenário da dança brasileira, pareciam ter forjado nele um operário, transformado a criação em monotonia, com pouco espaço para a pesquisa individual. Faltava somente um cartão-ponto a ser batido diariamente na rotina de ensaios. Trabalhavam a improvisação somente como aquecimento para a atividade principal, coreografada, e não como investigação do corpo. Cícero, que assinava os espetáculos como diretor e coreógrafo, pescava elementos da improvisação e dispunha-os a seu critério, sem espaço para que o bailarino fosse também autor, mais do que intérprete-marionete de criações alheias. No início, Leonel deslumbrava-se. Para quem vinha de uma tradição de dança folclórica e depois clássica, desconstruir movimento quebrando seus códigos era transgressor. Mas precisava ir além. Flertava com a performance, ensaiava sozinho na sala de casa, assistia em vídeos a toda sorte de artistas europeus de vanguarda, desde o princípio do século XX até as vídeo-danças contemporâneas, com seus vários recursos de tecnologia. Bebia disso e queria avançar na pesquisa de seu espetáculo solo. d*EU*s. Buscava soluções dramatúrgicas para o corpo. O corpo e só o corpo traria as respostas ou, antes, as perguntas criativas para o que ensaiava depois de se despedir do grupo. Cada vez menos aceitava a companhia de Cícero. Era d*EU*s sendo perscrutado em uma sala de três por quatro metros de uma casa espremida, junto com a do vizinho, pelos edifícios no centro de Curitiba.

A reinvenção da vida previa impasses. Leonel captou isso quando hesitou entre sair com o grupo e ir para casa ensaiar no silêncio. E abrir mapas para ler os territórios do mundo. Stefan sentiu uma fisgada leve na musculatura anterior da coxa, talvez um aviso do corpo, bastava de corrida. Mais uns poucos quilômetros até voltar ao Oog in Al, onde deixara a bicicleta, e quem sabe não ia para casa girar o globo e sonhar outras distâncias?

Leonel disse vou para casa, Nina e Clarice despediram-se, se não haveria happy hour iriam ao cinema. Leonel não queria a presença de Cícero. Viu nele a imagem difusa da frustração, a arrogância do intelectual de província, e província já lembrando pacatez. Precisava era conquistar uma autonomia na dança que não comportava mais a ideia de um coreógrafo ditando como ele deveria se mover. E mover-se tinha o sentido duplo, corpo que dança e que vai aonde quer. Queria ir para longe dali, daquele estúdio, das pessoas que se em certo momento foram importantes agora o prendiam. Tiraram meio corpo da lama, impediam o afogamento. Mas impediam também a saída completa.

A chuva havia parado.

O prazer de entender o corpo na dança como a um só tempo objeto e sujeito fez Leonel pensar no trajeto. Trajetividade é movimento e ele devia mover a vida, a biológica e aquela meio imaterial, abstrata, mas que não pode prescindir do corpo. Pode maltratá-lo, mas não prescindir dele. Fingiu que ia ao banheiro, queria despedir-se de Cícero ali mesmo sem que precisassem descer juntos as escadas. Um beijo morno e palavras sem peso, preciso ir ao banheiro, pode deixar que eu fecho tudo, tchau, nos vemos no fim de semana, e Leonel estava sozinho, sem os falatórios e comandos militares do namorado coreógrafo, diretor. Que artista precisa ser dirigido? Para quem tem raiva, insanidades são argumentos certeiros. Não podia explicar um bailarino contentando-se em ter a vida paralisada. Era claro que precisava sair de Curitiba. O zumbido da mudança, imperceptível dias atrás, começou a fazer barulho no banco da Santos Andrade, antes do ensaio. Transformou-se em moscas volantes, já alcançadas pela visão periférica. Quando desceu o degrau que separava o prédio e a rua, recebeu o vento no rosto e viu uma árvore arrancada desde a raiz pela tempestade. O corpo galhoso jazia inteiro sobre o banco em que Leonel esperara, momento antes, o ensaio. Teria caído em minha cabeça, mas descartou a hipótese dramática em seguida, ninguém ficaria ali tomando chuva de pedra nas costas. Ao ver a árvore, as raízes pareciam braços pedindo socorro, Leonel apressou o passo para casa, a poucos metros dali.

    Queria deitar e alinhar o corpo. E não podia ser no estúdio habitado por energias insalubres, o chão de casa é que era o lugar de pegar impulso para o voo. O jeito contido nunca impedira as tempestades interiores. Não haveria tempestade em Utrecht, mas as nuvens se avolumaram e confundiram o GPS. Se algo podia estragar o humor de Stefan durante uma corrida era o sinal do GPS perdido. Caía por terra a exatidão das distâncias e com ela o *pace* com que correra os quase vinte e quatro quilômetros. Culpou o excesso de árvores e seu trabalho conjunto com as nuvens, que desorientavam os aplicativos, o treino, o rumo, a vida. Era um ser perdido sob o céu cinzento. Utrecht cinza se parecia ainda mais com uma cidade abandonada na Idade Média, que dormiu muito e perdeu a hora, coberta pela cor fria que encardia as paredes da Domtoren e suas calçadas úmidas.

Fazia o desaquecimento. Trotava por cima da Muntbrug e preparava-se para encerrar a atividade perto de onde começara. E onde começara também a supor linhas novas para o seu horizonte depois de assistir à crueldade infantil e de pensar sobre quase felicidades. Fez a curva à direita logo após cruzar a ponte. Estava no Kanaalweg, passaria em breve a Vleutensche Wetering e já dobraria à esquerda, chegando à rua do parque e parando na Theeschenkerij De Tuinkamer, onde deixara sua bicicleta, uma *opafiets* de pelo menos quarenta anos. De lá, pedalaria para casa, o globo esperando para girar. Todos os lugares que não fossem Holanda sorriam promessas. Quando fez a curva para a rua final, viu, lá na frente, outro corredor. Ocupavam a mesma faixa da pista estreita. Stefan tinha mania de organizar pequenos jogos e fazer escolhas baseadas neles. Se encontrasse três carros vermelhos em sequência, compraria uma Giant, para pedalar com decência. Se a mãe estivesse cozinhando batatas para o almoço, daria a Machiel a camisa preta, ele ficava tão bem de preto. Se o pai passasse o jantar sem falar dos imigrantes, se Ruud mudasse a série da musculação esta semana, se. Não chegavam a uma obsessão, mas, diluídos no tempo, os joguinhos o ajudavam a tomar decisões tolas que muitas vezes nem se cumpriam. Era este um exemplo que fazia pessoas próximas chamarem-no de bobinho, cabeça de vento, *warhoofd*. Mesmo a leveza, porém, não o impedia de começar a sentir o peso do mundo, a pressão nas têmporas. Stefan mediu o corredor que vinha em sua direção. Ainda estava longe: se o corredor desviasse, sairia da Holanda, se Stefan fosse obrigado a dar passagem, ficaria. O corredor tinha uma passada elegante e Stefan, esquecendo a fisgada na coxa, voltou ao ritmo de corrida. Importante mostrar que não era um iniciante esbaforido que começou a correr ontem e se arrastava pelo parque. Esticou as costas, ergueu os joelhos, olhou para o iPhone grudado no antebraço esquerdo, já desativado. O corredor se deixava ver mais: era imigrante. Parecia um desses maratonistas pardos, um pouco menos magro, músculos mais desenvolvidos, torneados, a beleza que fascinava Stefan pelo exotismo, o negro dos olhos – a foto do assassino de Machiel veio em *flash*, Ahmed –, a pele homogênea na textura e na cor, diferente dos brancos musculosos que conhecera, pontuados por erupções vermelhas, microvulcões de cravos e espinhas. As costas de Machiel, com a proporção e a sinuosidade que seduziam Stefan, tinham semeadas a esmo as pequenas protrusões, e eram lembrança vívida da imperfeição que incomodava os sentidos, a visão e o tato, o paladar. O pardo e o negro teriam os mesmos problemas disfarçados pela cor da pele? Embora os muito pretos passassem dos limites de Stefan – tinham passado do ponto, queimado a fornada –, pareciam tão lisinhos (*se continuaria a achar o corredor bonito se ele puxasse os cabelos para trás e arregalasse os olhos. Qual o efeito exato dos buracos negros, a ciência se perguntava*). Se o corredor desviasse, adeus, Holanda, seu filho poderia partir, seria capaz de enfrentar e afastar obstáculos. Se Stefan desviasse, a Holanda pregaria para sempre em seu solo os pés e as mãos do filho legítimo, estaria provada a covardia, restaria para sempre na terra do quase. Colocava no jogo besta a mudança brusca de destino. Quando Stefan subiu os olhos, viu os olhos que o encaravam. Eram os mesmos de Ahmed (*se ele achava mesmo*). Stefan procurou as mãos do corredor, quem sabe uma faca? Mas elas apenas pendulavam, penduradas nos braços compridos. Aproximavam-se, nenhum deles insinuava ceder ao outro a linha do trajeto, até que Stefan decidiu que a brincadeira era boba. Fez-se simpático, cedendo à dureza do, marroquino?, turco?, ah, tão iguais, maxilares cerrados, narinas abertas. Se fosse um jogo do sério, estava prestes a perder. Fazia cara de tolo quando simulava uma gentileza que era fraqueza de caráter, busca por empatia. Stefan queria viajar, sair desse lugar onde corredores abusados de outros cantos do mundo não davam passagem a ele – da terra que venceu os mares, nascido, criado em Utrecht, cidade de Marco van Basten, Dick Bruna e Sylvia Kristel – e pisavam seu caminho. Imigrantes corriam e pedalavam pouco pelas ruas. Iriam ocupar esse espaço também? Era Machiel quem falava assim, Stefan nunca sabia bem o que pensar. Sabia ficar perplexo, mas não o que pensar, não era capaz de uma elaboração por onde pudesse escoar o susto.

Derrotado, deu uma passada abrindo a perna direita, desviando pela lateral para não bater. A três passos dele, o corredor fez o mesmo com a perna esquerda, gesto espelhado. No desvio mútuo, o choque. Encontro desconjuntado de peitos, braços, coxas. A fração do segundo encostou as barbas, asperezas íntimas, e Stefan tentou ajudá-lo, sorriu para ele e brigou consigo mesmo, idiota. Ouviu o *crazy* mastigado por um corpo que se desvencilhava grosseiramente do enrosco e repelia qualquer toque. Stefan não conseguiu sustentar o olhar (*se era medo de ser tragado*).

Alguém jogava pelo empate?

Stefan sabia: o próprio chão era chão impróprio, os pés sem plantas, só asas. Os pés nos pedais da *opafiets* moveram as engrenagens para casa. Para, de casa, planejar sair dela. Olhando o teto – esse firmamento particular –, ossos alinhados no chão, Leonel encarou o céu privado e tentou transpassá-lo. Sabia que acima existia um céu comum, infinito à espera de escolhas. O corpo, chão, fingia-se estático, mas as viagens de rotação e as translações do planeta não o deixavam parar, o globo da vida era o globo da morte no picadeiro, vertigem que Leonel sentiu ali, deitado. Se fora do corpo havia movimento, dentro também, avenida de veias e artérias por onde a vida fluía, peristaltismos, sístoles e diástoles, dois quilos de bactérias trabalhando duro.

No vaivém sem lastro, as correntezas acumularam enfim a ideia fixa de sair, buscar outros céus. O vento das imagens ia depositando grãos de poeira que se compactavam e formavam rocha, cristais que se sedimentavam para não sair mais: a decisão de cair fora de um sistema que já não era capaz de fazê-lo crescer.

O coração se espalhava pela cabeça, nuca, têmporas. Afastou braços e pernas, posição de estrela, palpitavam também as costas da mão que tocavam o piso de madeira. Inspirou fundo pelo nariz, expirou pela boca, a ventania dentro, ar que entra, vasculha, sai. Rotação, translação, planeta. Mapas e territórios. Levantou-se bruscamente e se sentiu tonto, obrigado a procurar uma cadeira, esperar a reorganização do corpo. Não cabia mais naquele tipo de dança, não cabia mais na cidade, não mais no Brasil, artistas mendigando projetos sem continuidade, fundações culturais ainda sem entender a importância do processo, da pesquisa longa para a construção de uma linguagem. Tudo conspirava para o estrangulamento criativo, os artistas ficavam à solta, precisavam inventar bicos, a criação tratada como hobby para desocupados. O que se via era uma massa se acotovelando no salve-se quem puder, com uma dança formatada por estereótipos ou querendo rompê-los imitando o modelo europeu, sempre a Europa, sempre a vanguarda. Vivo em um país que mendiga, a pobreza escancarada no semáforo, sua violência ainda física – usou *ainda* por imaginar que a violência física fosse mais primitiva que as outras, que estivesse ligada às feras, à pré-história que insistia em habitar o Brasil. Leonel ia se convencendo, tinha de buscar a bebida na fonte, mas não para imitar. O Brasil complexo por ser raso e profundo não sairia mais do seu corpo, era um encosto definitivo, sequer cogitava exorcizá-lo. Ao mesmo tempo, assistira a tantos vídeos da Nova Dança holandesa, mesmo à *Nederlands Dans Theater*, ou ao grupo da *Dansimprovisatie Utrecht*, com quem até já se correspondera. De Utrecht conhecera Gonçalo Leal e Anne-Marije Elsenaar quando o casal de bailarinos, ele português, ela holandesa, passou por Curitiba para ministrar curso de improvisação – que nem foi grande coisa – na Casa Hoffmann, nos tempos em que a Hoffmann era referência de pesquisa em dança.

A conversa girou em torno dos poucos e-mails à *Dansimprovisatie Utrecht* perguntando sobre cursos, valores. Gonçalo explicou que não era da *Dansimprovisatie*, mas morava em Utrecht, a trinta minutos de Amsterdam, e dançava com Anne-Marije em um grupo independente formado pelo casal e mais um bailarino cujo nome Leonel não conseguia agora lembrar. Segundo o português, seu grupo era mais radical, mais ligado à performance e à pesquisa profunda de linguagem. Radical a ponto de cortar mesmo as raízes da tradição, Leonel lembra-se de tê-lo ouvido dizer. Falaram da Europa, da Holanda, de Utrecht, aquela cidade que era uma espécie de Amsterdam menor e mais velha. Era disso que Leonel se lembrava. Anne-Marije era simpática, mas não falava português, assim como o inglês bambo de Leonel, somado à sua concisão ansiosa, não facilitava a comunicação. Limitaram-se a sorrir um para o outro, ainda que Gonçalo achasse curiosa a mania brasileira de dar sorrisinhos para tudo. Disse que era contagioso e Anne-Marije parecia ser a primeira vítima infeliz dessa felicidade sem objeto.

A força de algum hábito adolescente fez Leonel levantar-se da cadeira e pinçar entre livros um atlas escolar. Abriu o mapa-múndi, não conseguiu achar a Holanda. Irritou-se com a ignorância. Tinha certeza de que olhava para a Europa, ali a Península Ibérica, achou fácil o Portugal de Gonçalo, Espanha – tão perto da África, Marrocos grudado –, França, Inglaterra, tudo, menos a Holanda. Onde ficava o Eldorado dos bailarinos? Abandonou o mapa-múndi e procurou exclusivamente a Europa, a imagem ampliada. As páginas estavam manchadas pelas digitais do Leonel menino. Todos os países surgiram outra vez, maiores, no mesmo lugar, mas Holanda nenhuma. Irritou-se mais. Até achar Amsterdam, capital dos Países Baixos. Uma referência longínqua convenceu-o de que Holanda e Países Baixos eram a mesma coisa ou não faria diferença se tratadas como a mesma coisa. A empolgação fez sumir a raiva, podia fruir o prazer da observação. Olhar o ponto amarelo de contornos irregulares, onde o mundo da Dança acontecia de modo sério, intenso, real, era quase a experiência de já estar lá. Stefan girou o globo e fechou os olhos, espetando o dedo no planeta que rotacionava, tonto. Onde o dedo parasse, o lugar para onde iria. O dedo raspou a superfície atritando oceanos e continentes. Tsunamis e terremotos no dedo todo-poderoso. Parou na Tailândia. Gostou da coincidência, duas vezes no mesmo dia lembrar-se de Sylvia

Kristel. Na época em que assistiu a *Emmanuelle*, o filme já tinha mais de vinte anos e ele não atentava para as relações entre o senhor europeu e o criado tailandês, mesmo estando o primeiro em terras asiáticas. Gostava de se ver em Emmanuelle, vibrava com a luta entre dois tailandeses distribuindo chutes e socos loucos em busca da premiação, Emmanuelle agachando-se para dar o corpo de presente ao vencedor, aquilo estava lá, na memória dele e do seu computador, fonte fiel das lembranças. Tudo visto e revisto dezenas de vezes. Não sabia como o Stefan adolescente entendia os diálogos, sobretudo os do velho vetusto que sem qualquer sensualidade ensinava o erotismo à menina. Importava o prazer das cenas, as da luta final, principalmente.

Apesar de ter o dedo parado na Tailândia, não cogitou levar a brincadeira a sério. Não quis entender aquilo como sinal de nada, não queria a Tailândia. Depois de simular uma escolha casual, o dedo pousou no Brasil, na imensidão verde conhecida dos holandeses pelo futebol – não acreditava na decadência da seleção – e pelo samba, florestas e macacos espalhados por ruas e praias. Caipirinha. A Copa do Mundo ajudou pouco a mudar a visão prévia do país e as Olimpíadas estavam concentradas em uma cidade. No entanto, Stefan foi tocado por imagens da televisão que mostravam arranha-céus. Não entendia como o país funcionava, nem mesmo noções de distância eram dominadas por um holandês que vivia em um país do tamanho do estado do Rio de Janeiro. Pela TV, viu o gol de Van Persie em Salvador, o sufoco contra a Austrália em Porto Alegre, o hino cantado à capela pela torcida do Chile em São Paulo – que não impediu Vlaar de ser o gigante que não deu chances ao ataque chileno –, a virada contra o

México em Fortaleza. O ponto máximo foi o banho de cerveja quente que tomou no Stairway da Mariaplaats, quando, aos gritos de Krul, Krul, Krul – o goleiro havia entrado só para a disputa de pênaltis –, a Holanda bateu a Costa Rica outra vez em Salvador.

Depois disso, o mundo em ruínas, a morte de Machiel, que não o acompanhava nos jogos, e a derrota para a Argentina, que Stefan não viu. Ter vencido uma disputa boba de terceiro lugar, com os brasileiros já nocauteados, não foi prêmio de consolação.

Se gostava de esporte e o Brasil era feito de misturas cuja convivência se dava sem tensão – a Holanda era assim até ter de conviver com elas –, se gostava de praias, de pessoas alegres, por que não viver em um país que acabara de sediar a Copa do Mundo e as Olimpíadas, que se desenvolvia, que subia a montanha enquanto a Europa descia, demente?

Fechou o livro, parou o globo. Leonel e Stefan, agora unidos pelo Google Maps, olhavam a forma irregular dos continentes divididos por fronteiras tênues. Os olhos e os dedos sobrevoavam um mundo sem vistos ou alfândega. Stefan digitou Brazilië, Leonel Holanda, ignorando os Países Baixos. No *zoom-out*, alternaram o olhar entre o ponto onde estavam e o lugar para onde cogitavam ir. Stefan girou a cadeira e olhou na direção do Brasil. Leonel fez o mesmo, saindo da tela, o território imaginado além da parede. Lá estava o Brasil, lá a Holanda. Os olhos se bateram na metade do caminho, no Oceano Atlântico, às costas do Marrocos. Mas eles não se viram, havia apenas parede, esse horizonte que confina e conforta. Stefan viveu a perplexidade dos homens que julgavam ser a Terra plana, abismo no fim de tudo, de onde cairiam para sempre. Leonel evocou o retorno das Grandes Navegações. Era preciso impor-se o desafio, vontade e coragem de estabelecer outra ordem. E o caos é outra ordem. Chega dessa latitude, chega dessa platitude, de arquitetura e alma esquadrinhadas. Chega do medievalismo carimbado em cada tijolo. Da gente ignorante, rica e pobre, dessa cidade pré-letrada e pós-moderna, um buraco em cada passo na calçada. Chega de terror, um louco com faca na mão em toda a sombra, a árvore que pode cair na cabeça, o imigrante doido que corre em sua direção, os passos coreografados e marcados.

Stefan leu quase toda a Wikipédia sobre o Brasil, seu sistema político, economia e cultura. Se antes os jogos, as redes sociais e os esportes costumavam ser o seu universo digital, migrar para sites de jornalismo, turismo e política representou um novo grito de terra à vista. Lia as notícias mas tinha ideias pré-concebidas que queria ver reafirmadas, o filtro do desejo desequilibrava as balanças. Separou as informações que mais convinham: o Brasil era um país emergente e influente na geopolítica mundial, isso parecia bom. Tornava-se cada vez mais conhecido por atrair grandes eventos esportivos, via sua miséria histórica diminuir, o aumento da classe média. Encontrou jornais e revistas, mas a tradução automática do Google confundia mais que esclarecia. Pessoas bonitas, limpas e bem vestidas no centro das cidades desmentiam os estereótipos da pobreza. Na época da Copa e dos Jogos Olímpicos, interessava-lhe mais o desempenho da Holanda. Nada como o olhar atento, que julgava ter agora, para entender um povo. Estava claro que se tratava de um país que sabia o que queria, unido e alegre. Envergonhou-se pela Holanda, tão pequena e dividida. Descobriu notícias sobre a colonização holandesa na América do Sul e sobre o sul do Brasil, desenvolvido e europeizado. Às vezes distraía-se adivinhando o sentido das traduções que o Google dava. Havia um lugar chamado Paraná, perto de São Paulo – e quem nunca ouvira falar de São Paulo? –, cuja cidade maior, Curitiba, evocava para si os títulos de social, ecológica, de planejamento urbano exemplar. Outras cidades menores, como Castro, Carambeí, Arapoti, todas próximas, eram colonização holandesa. O Paraná era ainda a terra das Cataratas do Iguaçu, todo ano um mundo de turistas europeus convergia para lá. Logo a brincadeira o deixou cansado e ele se limitou a ver Curitiba apenas por imagens. Selecionou fotos de céu azul e árvores coloridas, ônibus compridos e prédios, parques e calçadões. Pareceu-lhe bom entrar devagar no Brasil, conhecer a terra sem precisar afundar tanto os pés, entrar no mar molhando somente as canelas. Curitiba não era o Brasil de verdade, ou nem parecia o Brasil, como até afirmara um jornalista espanhol durante a Copa. Curitiba ficava no canto só olhando o movimento, o que eram aqueles provincianos querendo dançar a realidade das quebradeiras de coco? Discordava de Cícero, que não aceitava as críticas da imprensa nordestina sobre *A quebra cocos*. Cícero falou mal dos nordestinos, povo atrasado, que ficava querendo o quê? Frevo e maracatu, *axé music*? Não sairia do sul para ir lá reproduzir passos que os nativos faziam melhor do que ninguém. Não teria sentido, mas era difícil entrar na cabeça conservadora – porque não parecia mas nordestino era conservador – a ideia de que arte não era reprodução, mas recriação. Para saírem pelados no carnaval até eram liberais, mas na hora de pensar queriam uma dança do século dezoito? Ouvindo em retrospectiva o desabafo histérico do namorado, Leonel notou de novo o discurso esclarecido reproduzindo aquilo que criticava: estereótipos. Praia, futebol, calor, música, prostituição e pobreza, Stefan lê sobre Pernambuco, a Holanda presente no estado até hoje, sujeitos de olhos claros e pele esturricada pelo sol. Seria uma possibilidade. Talvez para mais tarde. *Brazil is not for beginners*, leu também, a frase atribuída a Tom Jobim. Já ouvira falar de Tom Jobim, *Girl from Ipanema*. Pipilou a canção, içada de algum poço da memória. Algo lhe dizia que Curitiba era um bom lugar para principiantes em Brazilië. Brazil. Brasil. As informações atravessadas formaram um mapa agradável. Podia crescer junto com o país, a Educação Física ajudaria a transpor barreiras da língua, todos têm corpos e precisam cuidar bem dele. Viu um corpo desmistificado, cordial – *hartelijk* – e sem a pluralidade forçada da Holanda. Curitiba – como pronunciaria essa palavra com vogais e consoantes em fila organizada? – era perto de São Paulo, a locomotiva brasileira, perto do mar, tinha tradição europeia, colonização holandesa próxima. Brasileiros corriam? Devia haver uma academia onde pudesse trabalhar, ou correriam todos na rua, na praia, pés descalços na terra? Não, as imagens não mostravam isso. Tinha vinte e duas abas abertas no navegador, entre blogs, Polícia Federal, consulados, Facebook e conversas com Gonçalo e Anne-Marije. Em inglês, português e inadvertidamente em holandês, foi tropeçando nas palavras, confundindo-se nos termos, na série ininterrupta de *EEA members*, *MVV Visa*, *Vreemdelingenpolitie* – que o Google traduziu como Polícia Aliens –, *Schengen Area*, exame de integração civil, *Naturalisatiedienst*, *Ministerie van Veiligheid*, *Gemeentelijke basisadministratie persoonsgegevens*, *Employment law & benefits*. Levaria meses para conseguir um visto de residência, legalizar alguma coisa via Itamaraty e no consulado da Holanda no Brasil, com tradução juramentada reconhecida nos Países Baixos para o inglês, francês, alemão, holandês, tudo parecendo grego. Leonel seria capaz de desistir, não fossem os incentivos de Anne-Marije. Que Leonel resolvesse as coisas lá mesmo com um visto de estudante pela universidade, um emprego, um casamento. Chegaria como turista e teria muito tempo para se arranjar. Foi o que quis entender. Bons ventos. Uma aba aberta e Stefan leu o que queria: *Considering that you as a tourist are allowed to stay legally in Brazil for six months, this time can be enough for you to find a job opportunity and do networking in the country. Once you have the formal job offer, you can apply for a temporary visa in Brazil and then, to the work permit.* Como era fácil, a burocracia holandesa parecia levar uma surra da objetividade. Gostou do Brasil. A internet era espetacular.

Uma vaidade expansiva veio à tona quando se sentiram cidadãos do mundo, internacionais. Tinham raízes aéreas e enfrentavam de modo maduro os conflitos entre o estar no mundo e ocupar um espaço nele, Leonel pensou, Stefan intuiu, sem transformar em discurso o que, contudo, atravessava-lhe o corpo.

Três caixas de diálogo abertas.

Gonçalo, Anne-Marije e Cícero estavam on-line no Facebook, Leonel manejava-os. A Holanda é um país especial e nosso grupo é muito bom, *that's great come to us*, acho que precisamos conversar / Imagino mesmo que seja, *I would like a lot*, agora não posso / Mas o ritmo aqui é profissional, *let's dance together*, o que você tanto faz de diferente nesses últimos dias? / Estou disposto a contribuir e entrar no ritmo de vocês, *it's all I want*, limpando a casa / Eu posso tentar um emprego para ti enquanto fazes umas aulas e aprendes conosco, *I love brazilian dancers and it will be great to develop a research together*, duas semanas limpando a casa? / Já é um começo, *research is my favorite word lol*, não enche / Acredito que tu precisas fazer uma adaptação não dá para chegar e entrar no mesmo ritmo, *Gijs will be happy when he knows about a new fellow we have a lot to learn from you*, não acredito que vai terminar pelo Facebook / Sei que preciso me adaptar não se preocupe quanto a isso, *I think we have a lot to teach each other*, por que não? / Mas extracomunitários não têm grandes empregos por aqui, *have you already heard about Viewpoints technique Anne Bogart and Tina Landau?*, puta que pariu já arrumou outro é? / Vou trabalhando no que aparecer importa é dançar, *I heard about but nothing deeply studied*, não fale merda / Tenho uns companheiros donos de *coffeeshop* que empregam imigrantes, *Last year we had a great time studying dance and architecture with Michael Schumacher and I thought about Casa Hoffmann and Largo da Ordem maybe you'll know him he lives in Amsterdam*, tem que ser muito filho da puta para já ficar arrumando outro foi quando e onde assistiu você quebrando cocos e ficaram se olhando durante o espetáculo seu merda? / Trabalhar num café é interessante se os horários forem bons e eu puder fazer aulas com vocês, *Dance context and environment are great fields of research I'd like to explore these links in my work* dEUs, meu Deus não seja vulgar não tem nada disso e mesmo que tivesse / Acredito que estejas a brincar conheces um *coffeeshop* meu caro? *Could you imagine a work in progress mixing Viewpoints and environment and architecture?* Assuma sua vagabunda dançando com foco fixo em outro mas que beleza que exemplo de caráter estou indo aí quero ouvir você me dizer isso tudo na cara / Sim conheço *coffeeshop* claro nunca estive em nenhum é proibido no Brasil mas sei do que se trata se for um trabalho legal nos dois sentidos que mal há?, *It's so exciting I think dEUs has something to do with this idea but the title doesn't make sense in another language but portuguese,* não seja imbecil pare já com isso estou indo dormir conversamos quando você estiver mais calmo pra eu não me decepcionar de vez com você / Se quiser vir para Utrecht venha e boa sorte brasileiro, *brazilian body is special for us different from ours when you arrive here you explain this title ok?,* estou indo aí / Obrigado por tudo desde já, *I hope I can contribute also because I'm sure I will learn a lot,* estou cansado vou dormir boa noite.

Estava mais ofegante do que quando terminara a corrida no Oog in Al. Eram a ansiedade e a excitação que faziam o coração pular. Só o exercício aplacava a taquicardia injustificada, justificava-a com os motivos certos, os físicos. Eram as passadas que o reorganizavam, tiravam o peso no peito e devolviam a leveza. O suor espetava a bolha do isolamento e ele caía de volta no mundo. O assassinato havia espalhado rastilhos pelo corpo que eram faiscados sem aviso, mastigando e devolvendo o trauma como se o passado fosse outra vez presente. O soco no estômago vinha de dentro, o desvario e o desmaio, a tontura e a garganta estrangulada. O que experimentara da morte era reencenado a qualquer hora com reprises intermináveis. Stefan não quis ver Machiel e só na imaginação ele ergueu o manto plástico com que a polícia de Utrecht cobriu o corpo: cabeça decepada, olhos vidrados, língua para fora, inchaço. Por isso era capaz de correr horas, em círculos, linha reta, espirais atrás do próprio rabo. Sempre uma fuga, por mais que retornasse à casa, aos móveis e ambientes das lembranças. Sair da Holanda equivalia a quebrar, cauteloso, um ovo por dentro. Seria apoiado pelos pais, que fariam alguma recomendação, uma ou outra objeção sem vontade sincera de impedi-lo. Comemorariam em segredo a viagem do filho para a idade da razão. Buscaria trabalho, embora soubesse que a segurança financeira, se tudo desse errado, estava garantida. Aventura ancorada. Um pulo no abismo, mas com elásticos grossos presos ao corpo para evitar os choques. Faria um *bungee jump* da vida. Se o horizonte terminasse em abismo e não na eterna planície a que estava acostumado, seria resgatado em segurança. Era bom pensar por si mesmo, por que tinha demorado tanto? Não havia mais dúvidas, só receio e excitação unidos para fazer um tecido diferente do ordinário. Que se danassem Cícero e mesmo Nina e Clarice, até elas pagariam a conta da fúria leonina, da infelicidade em avalanche de que fugia como se fosse doença contagiosa. O futuro era o único lugar possível para a fuga, não havia outras saídas, não existia passado idílico. Lá, só a dor das descobertas abafadas, Leonel, tenha modos, Leonel, aprenda a ser homem, você vai aprender na marra, então, tome isso e mais isso. A cicatriz da infância na coxa direita, rasgada por uma cerca de arame farpado, era lembrança perpétua da violação. Nos poucos encontros com Cícero antes da partida para Utrecht e do final do namoro, ainda teve de suportar insultos que falavam de frigidez, falta de entrega, sensualidade de um muro áspero, o jeito idiota de ver o corpo como um templo de não-me-toques. Não iria a lugar nenhum como bailarino se não soubesse se libertar, bailarino contemporâneo tem de fazer bom sexo, Leonel, é regra. Tinha de deixar receptivos os poros de todos os buracos do corpo. Cícero gritava em frente ao Teatro Guaíra, o público se acotovelando na fila para algum show, a máscara de bronze de Lala Schneider risonha olhava a cena. Mas não era simples entregar o corpo ao desejo do outro, apenas do outro. Que corpo poderia alhear-se de si mesmo?

Passado e presente esgotados, era cravando os olhos na direção de Utrecht que ouvia as bobagens do agora ex-namorado, isso tudo é passageiro, nem parece que está existindo. Cícero, querido, passe lá em casa amanhã à noite? Vamos conversar tudo o que temos de conversar.

Não tinha mais nada para conversar. Viajaria na manhã do dia seguinte. Abriu malas e mochila, portas de guarda-roupas, desistiu de uma gaveta emperrada. Cabia-lhe transferir o que se guardava imóvel dentro de casa para a mobilidade das bagagens, ir de um lugar a outro, simples, tudo muito simples, sem motivos para nervosismo, respire fundo, tome água, a Holanda também é planeta Terra, você não vai a Marte. É um chão, cruzamento de latitudes e longitudes localizáveis.

Que regador, que tesouras se colocam nas malas para que raízes sejam ou não cortadas? Stefan jogou para dentro uns pares de tênis, óculos de natação, relógio e frequencímetro. Devia haver bicicleta para comprar em *Curitchiba*, estava feliz por ter descoberto a pronúncia da cidade em um vídeo perdido no youtube. *Curitchiba*, e repetiu algumas vezes, com gosto de música: *Curitchiba*. Pegou roupas leves, o calor brasileiro dispensaria capotes, blusas pesadas. O computador. Levaria Machiel consigo (e Ahmed aparecia, dizia *que também iria junto,* na voz inventada, o olho arregalado como na foto, a cabeça falante dentro da cabeça mal-assombrada de Stefan). Fotos de Machiel fariam bem. Não queria matar o passado mesmo que fosse estranho deixá-lo vivo na figura de um morto. A viagem é a um só tempo porta de saída e de entrada (*quanta tolice, o tempo é que é assim, não a viagem*), pensou Leonel, retrucado por um Cícero assombração. Se não podia se desprender do corpo que era, podia ser ao menos outro de si mesmo.

Migrar era exilar-se, apartar-se do espaço-raiz. Tinham, se quisessem, a opção de permanecer ou, se partissem, a de voltar. Mas existia um exílio sem volta e sem parada, compulsivo e compulsório: do tempo. Nem furar com as raízes o presente, nem meia-volta-volver, só futuro a ser desenhado pela contingência, que brincava de dar poder às vontades do refugiado, esse nômade sem escolha.

Apesar do passado e do presente áridos, não podia desejar que o tempo corresse depressa demais. Queria ser reconhecido no mundo da dança e da performance até os trinta anos baixos. A insatisfação constante de ser si mesmo buscava extirpar de si a selva e o Silva, também a cicatriz na coxa direita, que avançava nádega adentro e o obrigava a rir sem jeito para os amores raros. Estripulias de criança, sorria, envergonhado como se lhe faltasse um dente. Para quem vai dar outros passos, deixar na mala os tênis velhos e companheiros ou comprar novos? O modelo mais recente da Asics piscava sedução na vitrine, mas as memórias ficavam encalacradas nos objetos e lá se foram três pares de tênis, o velho para não cortar de vez o passado e dar sorte, o novo para abrir caminhos novos, e o tênis-fetiche, que ganhara de Machiel, importante pisar bem. Havia começado com os tamancos das danças folclóricas, trocou-os pelas sapatilhas e agora dançava descalço. Só restavam os pés, como trocar os pés (*ora, não seja ridículo*, na voz de Cícero a lufada do desdém)? O viajante, como o bailarino, coloca o corpo à disposição do espaço. O movimento também morava no centro da vida de Stefan, embora para ele significasse trabalho de sístoles e diástoles que melhoravam a absorção de oxigênio, passadas que o arrastavam para longe. A inquietude de cachorrinho saltitante talvez voltasse agora que o assassinato de Machiel se distanciava. Os tremores repentinos, os sustos sem ameaças visíveis, as disparadas do coração, tudo parecia diminuir, era apenas o intervalo da programação normal e as corridas ajudavam demais. Corria só para estar em outro lugar, qualquer outro lugar, que fosse a outra ponta do Stadsbuitengracht. Às vezes queria ir muito rápido para que a pele se desgrudasse dele, ossos e órgãos também pelo caminho, restando um estado puro que, no entanto, era nada. O que queria? Uma alma correndo pelo Lepelenburg? Não era o que as religiões prometiam? Mas antes elas obrigavam a carregar um corpo que dava curtos-circuitos e fazia o coração disparar, causava tremores, suores, para o terror e para o prazer. Quem sucumbisse aos terrores do corpo ou ao prazer que suas partes sensíveis sugeriam devia morrer, não, Ahmed? Uma faca na garganta de quem não entendeu que o corpo era armadilha, teste para separar os infiéis daqueles que mereciam deitar a matéria à margem para usufruir a alma pura e correr – com que pernas? – nos parques do paraíso.

O oude Bisschop fumava e na voz perdida em calmaria falava de novo sobre os imigrantes islâmicos, infelizmente se aproveitavam da tradição de tolerância holandesa, saíam fugidos de seus países e traziam de lá regras religiosas sem sentido. Bisschop é o sobrenome de Stefan, e seu pai é o oude Bisschop, o velho Bispo, na ironia com que os amigos o batizaram. Tinha ideias liberais e era conservador. Militava, a seu modo, pela conservação dos costumes de tolerância holandeses e pela valorização da diversidade. Educou em suas doutrinas o menino que viu crescer, Geert Wilders, líder do Partido para a Liberdade, o *Partij voor de Vrijheid*, PVV, que extrapolou as lições de Bisschop e ganhou destaque com bandeiras em defesa dos animais – só da boca para fora – em detrimento dos imigrantes, *marokkanen* que queriam transformar a Holanda no Holandistão. Foi o velho Bisschop quem, em conversa privada, dissera Holandistão a Geert Wilders. Menos de uma semana depois viu o rapaz usar o termo nos jornais, sem citar a fonte, o que o pai de Stefan achou bom. Muitas frases de efeito usadas por Wilders vinham das conversas com Bisschop, que, manso, dava leveza para questões pesadas. Defender o direito dos animais e não dos imigrantes era um jeito de marcar posição, diria confuso Wilders, justificando-se ao oude Bisschop, sem saber se o velho falava sério. Que imigrantes islâmicos estavam abaixo dos animais em matéria de uso da razão e era preciso criar uma escala de irracionalidade, dissera na época. Bisschop fazia humor sem rir, não era fácil decifrá-lo. Stefan cresceu ouvindo esse mesmo tom usado para assuntos sérios e troças. Se havia diferença entre uma coisa e outra, perguntava com a fisionomia gravemente interessada, realimentando a dúvida. Valorizava a tolerância e por isso pregava o sumiço de qualquer traço islâmico e de seus disseminadores, imigrantes que por trás do olhar de cão sem dono traziam junto verdades lunáticas. Era impossível convencer os fanáticos, inconformados porque a vida não tinha reticências. Era certo, dava preguiça construir um destino, uma vida, uma civilização que lá na frente iria sumir. Mas era um jeito de passar o tempo, de entreter as formiguinhas e desviar a atenção da morte. Enquanto o lá na frente não chegava, que deixassem as pessoas passarem seu tempo jogando dominó ou mudando o mundo, desde que não enchessem o saco de ninguém. Respeitava quem se deprimia com a falta de sentido, mas não quem respondia a ela com uma ideia pior, grandiloquente e megalomaníaca, de um deus.

Era preciso ser intolerante com a intolerância, disse a Wilders pouco antes da viagem de Stefan, mas recomendou-lhe não usar publicamente a frase de efeito, era fraca. Ironizava-o? Que a Holanda continuasse a ser a terra da corrida de ciclistas nus, do desfile de gays assistido pelas famílias e suas crianças, fosse o país que carnavalizava a família real, não a que processava um cartunista por ter feito sátira a uma religião tão absurda como qualquer outra. O pudor matava a tolerância, o humor reprimido deixava o mundo perigoso. Era a favor dos direitos dos homossexuais, pelo direito de cada um dar o que bem quisesse, dizia, cru e ilustrado, mesmo que em casa nunca tivesse falado a respeito com Stefan. O silêncio dizia o suficiente para selar acordos.

O zíper das malas estava fechado. Adeus, Holanda, era limpar os musgos da pele e sair daquele fundo-de-lago mais baixo que o nível do mar, úmido, cinzento e cheio de gente, mais ferro nos corações que nas bicicletas. *Utrecht is the beating heart of the Netherlands, a city with an unparalleled vitality*, lia Leonel no guia da cidade. Tentava verificar o nível do seu inglês, a confiança estufava o peito quando lia ou escrevia, mas murchava em seguida prevendo o encontro real, o contato de seus olhos brasileiros com olhos estrangeiros, a exigência compulsória de ouvir e de falar. O *beating heart* era algo como o coração pulsante, soube fácil, mas jamais lhe ocorreria usá-lo. O que mais *unparalleled* poderia significar do que sem paralelos, sem igual? Então Utrecht era o coração pulsante da Holanda, uma cidade com vitalidade sem paralelos. Repetiu a frase em inglês para ver se entrava no acervo, continuava duvidando, pensou na pronúncia de *unparalleled*, alguém numa conversa informal atirando nele a palavra à queima roupa e Leonel dobrando os joelhos, caindo de bruços, abatido. Sentou-se sobre a mala e olhou a casa. Tudo era silêncio.

Chovia muito no Aeroporto Afonso Pena, em Curitiba, e na Utrecht Centraal. Fáceis as comparações com dilúvios bíblicos e recomeços. A chuva pacificadora de poeiras suspensas. Depois, a promessa do sol entre as nuvens, arco-íris e a folha de oliveira trazida no bico de uma pomba. Leonel checava o volume nos bolsos, passaporte, telefone, carteira, cartão de embarque, e o despacho da bagagem, certeza, moça, só pego a mala em Amsterdam? Não era iniciante em aeroportos, mas como tranquilizar-se na iminência de cruzar um oceano? O detector de metais apitava e despia, *striptease* sem sedução, o senhor – senhor? – tem de tirar a carteira, talvez ela tenha moedas, vai, volta, celular no bolso?, volta, vai, não, não tenho relógio, o cinto, o senhor está usando cinto, a travessia pelo portal do desnudamento, as calças sem cinto caíam, emagrecera ainda mais nos últimos dias, o que fazer dessa espera que ainda me levará ao Aeroporto de Guarulhos para esperar mais e mais, já avisado pelo celular de que o voo atrasaria? Desde a decisão de ir embora, a documentação, a arrumação da bagagem, a tentativa de alugar a casa onde morava – um dinheiro que viria todo mês, sempre em boa hora –, o desvencilhamento dos laços, mais nós que laços, fez tudo sem contar a ninguém. Ligou para os avós em Castro antes de sair arrastando a mala e com a mochila estourando nas costas. Quis ouvir a voz dos velhos, saudade que não sabia de que chão brotava. A voz do avô fazia Leonel imaginar o corpo tremelicando. Talvez gostasse de saber que o neto se mudava para a Holanda, talvez se emocionasse até demais, perigoso, naquela idade, com a sua história. Sem dar o tom sentimental da despedida, tratou o telefonema como ligação ocasional. Fazia anos que não os via. Como um cego, agarrava-se à voz, os rostos apenas sugeridos por lembranças da adolescência. Teve de ouvir do avô reclamações prosaicas e discussões paralelas com a avó, que discordava de tudo. Desde criança Leonel ouvia-o reclamar. Quase trinta anos depois, continuava a dizer a mesma coisa, o coração não batia bem. A cabeça também não, gritou a velha. Dessa vez, porém, o avô tinha uma novidade: contou que o pai de Leonel fizera cirurgia de hemorroidas e agora estava com um cu de anjo. Na voz distante e alvoroçada, a avó o mandava se calar, não falasse bobagens, desde quando anjos tinham cu se nem sexo tinham? Que sempre apareciam uns pintinhos no meio das pernas dos anjos, o avô dizia, mas aquilo era nas pinturas, porque os anjos de verdade ninguém sabia, ninguém nunca tinha visto, a avó rebatia. De onde os pintores tiravam a ideia do pintinho se não sabiam como eram os anjos de verdade? Como o avô era burro, dizia ela. Leonel, tua avó diz que anjo é que nem Deus, que vê tudo, mas que a gente não vê. Leonel guardou a ideia de ver sem ser visto. Queria entender no corpo a relação entre bailarino e público, o eu e o deus nessa história toda. Além do trabalho no corpo, mudar a relação de quem vê o corpo. Foi assim que a conversa teve fim, sem sentimentalismos: Leonel pensando em d*EU*s e os avós discutindo o cu dos anjos.

O aeroporto de Curitiba ampliado e renovado não era o prenúncio de uma cidade enfim aberta e cosmopolita? Era

Curitiba o problema? A mudança do que circunda seria capaz de mudar em que medida o corpo circundado? Os olhos miravam um jornal de *Curitchiba*. Stefan flutuava pelos trilhos que o levavam até Schiphol, aeroporto de Amsterdam. A paisagem sempre igual não chamava atenção, o que havia para ser visto? O que havia nessa Holanda em que tudo estava domesticado, dos animais às margens dos rios, às pessoas? Ergueu os olhos e viu meninos marroquinos, as cabeças raspadas deixavam um tufo de cabelo no cocuruto. Não percebiam a emulação de um quipá? Não eram antissemitas? Até o bruto Ahmed, cabelo feio. Custaria tão pouco ajeitá-lo, deixar crescerem as laterais, aparar com tesoura, desbastar os fios grossos, tirar o volume, ficaria tão bom. Os cabelos lembravam a versão medonha do Ronaldo na Copa de 2006, o chumaço no rosto redondo. Seriam os brasileiros assim, como os islâmicos? Tranquilizou-se voltando para o jornal. Fuçava com avidez links aleatórios da edição do dia, de arquivos antigos, não importava.

De manhã, a Santos Andrade parece um berçário de barbados. Ali ressonam dezenas de homens em suas mantas, as camas feitas com capricho na noite anterior, cada uma debaixo de uma árvore, na grama curta. Tantos corpos imóveis lembram uma cena de batalha, uma trégua ditada pela exaustão geral, e nem poderia ser diferente. Em Curitiba, quase toda praça é de guerra.

Não entendeu nada, passou pelo primeiro parágrafo sem pretensão de desvendamentos. Sobrevoou a arquitetura do alfabeto – graças à Copa do Mundo, aprendeu que o Brasil não falava espanhol. Depois tentou, só de brincadeira, penetrar algum sentido. Observava o texto como pintura, seu arranjo interno de letras familiares, o alfabeto comum e as combinações improváveis, letras tão reconhecíveis sopradas por um vento que as fazia atravessar o oceano e pousar embaralhadas nas terras de lá, onde em breve pisaria. Cotejou-as com a ilustração. Nada. Não conseguiu ligar nenhuma palavra à imagem da árvore sob a qual havia um homem barbudo, ambos assistidos por uma lua cheia. História de lobisomem? Queria subir na árvore? O que conseguia entender além de *Curitiba*?

Sentado no outro lado do corredor, um sujeito velho e gordo esparramava-se no banco, arfante. Devia ter corrido havia pouco. A camisa curta, na jaqueta aberta, escapava para fora das calças. Embaixo do umbigo via-se a tatuagem pequena de um homem forte em pose de halterofilista, braços abertos ostentando os bíceps. Uma tatuagem antiga, feita nos tempos em que sentia ter a força de mil homens. O desenho assemelhava-se às estátuas barrocas que suportavam o peso das catedrais. Ali, o peso da barriga. Stefan não viu estátuas barrocas, mas o tempo que envelhecia o que tocava. Fechou os olhos para lembrar com mais clareza a tatuagem que Machiel carregava no ombro direito: maçã mordida de onde saía uma serpente. Hoje um verme já tinha comido a maçã, a serpente, tudo. E estava morto. Do que morriam os vermes, quem os comia?

O voo de Curitiba a São Paulo durou os mesmos quarenta minutos que o trem levou de Utrecht ao Schiphol. Stefan via seu reflexo na tela agora apagada do computador. Leonel agarrava-se ao guia de Utrecht. Ao final do voo rápido, para distrair-se dos incômodos da aterrissagem, folheou desatento a revista da companhia aérea. Celebridades brasileiras falavam de superstições que juravam infalíveis. Um anúncio publicitário ainda lembrava o novo ano e perguntava: o calendário mudou, mas e você?

O passeio sem rumo pelo aeroporto de Guarulhos até permitia pequenas distrações, obstruía parcialmente as ansiedades. Pessoas cruzavam seu caminho, via os livros expostos, conferia o preço do café, dos sanduíches. Mas ideias fixas não tinham esse nome à toa. Sempre mostrou submissão frente a desconhecidos, qualquer palavra um espavento. Agora, o temor adicional da língua estrangeira – na ala internacional os idiomas já se misturavam –, a tentativa de imitar os viajados (*você vai dar vexame*), que caminhavam desenvoltos pelos corredores, sem vergonha de exibir o tédio.

Corpos à deriva se distendiam sobre bancos geminados. Por que o voo atrasaria tanto? As telas de partidas e chegadas colocavam o KL0792 para a madrugada. Aproveitou um dos espaços e deitou-se, barriga para cima. Era-lhe grotesca a ideia de dormir de bruços, como alguns faziam, desguarnecidos de intimidade, bundas de todos os tipos apontadas para a lua. Descansou olhando o teto alto, duvidava de que conseguiria dormir. Para sentir-se seguro, entregue-se à monotonia. *Monotoon*. É uma forma de meditação, quando o corpo só vê o nada. Mas, Stefan sabia, era no fastio que podiam também surgir os tremores e as taquicardias, as epifanias do desconcerto. No aeroporto, contudo, os ataques não o assaltaram. Só o aborrecimento na sua forma mais tradicional. Em casa, quando a pasmaceira era invencível, masturbava-se. Buscava fazer o coração correr por meios legítimos, pela matemática do corpo e seu silogismo transparente, não pelo esgar súbito e sem causa. Pensou como seria se ele se masturbasse ali, naquele

Schiphol de tantas luzes em meio aos anônimos companheiros de tédio. Depois de juntar pequena multidão e antes de algum policial aparecer, sorriria, apontaria para uma câmera de vigilância e diria tratar-se de um programa de TV. De pegadinhas. Todos ririam também, aliviados, e o cumprimentariam, com a mão oposta, naturalmente. Ou: assim que fosse observado pela primeira pessoa, outra a poucos metros começaria a se masturbar também, outra ainda ali perto faria o mesmo e, em efeito cascata, centenas de pessoas no aeroporto estariam fazendo o gesto, coreografia inédita de um *flash mob* erótico. *Eye of the tiger* daria a trilha sonora. Na chamada para o embarque é que voltou o olhar fixo para o futuro móvel, olhar duro em um futuro mole, moldável, mas escorregadio.

Pensou em aeroportos e aviões como o espaço do não mais e do ainda não. Entre-lugar em que os elos do tempo se esfiapavam. Melhor: as mãos entrelaçadas do tempo se distendiam e se despediam. Suspensão e suspeição. Eram o espaço do tempo (*quanta baboseira cabe em você, Leonel?*). Lembrou-se das aulas de História da Dança, comparou a viagem à ruptura de Isadora Duncan, quase riu da imaginação sem bússola e fechou os olhos.

Ao contrário do que imaginara, cochilou. Foi acordado por um alvoroço de passageiros correndo em direção às grandes paredes de vidro. Um avião tivera de fazer um pouso forçado, diziam, que a turbina se assemelhava a um fósforo riscado no céu escuro, um pássaro desavisado fora colhido por um dos propulsores. Agora podiam servir carne assada aos passageiros, ouviu alguém dizer. Leonel estava novamente de olhos fechados e, pelo som nenhum das risadas, supôs que o piadista não teve sucesso. Se logo em seguida ou muito tempo depois o Leonel sonolento não sabia avaliar, mas a mesma voz insistia dizendo que também poderiam servir espetinho de cachorro. Um cão tinha invadido uma das pistas e o aeroporto ficou momentaneamente parado. O voo sairia quase pela manhã e o sujeito ao lado continuava na luta por fazer alguém rir. Tinha dormido mal depois de uma conversa inesperada com a mãe, já não bastava o desassossego da viagem, Ingrid precisava se confessar ao próprio filho? Ao filho do bispo? O que Stefan podia fazer com as revelações apressadas de uma mãe subitamente desconhecida, que viu nele um recipiente anódino onde transbordar?

O destino de Stefan enfurnava-se dentro do voo KL0791. O de Leonel, no KL0792. A cápsula os arremessaria para mais de dez mil quilômetros de onde aprenderam a pensar conforme a língua que os foi lambendo. Atou o cinto da poltrona apertada e a felicidade que morava no lá-longe o esperava, só faltava ele para a felicidade ser feliz (*que fixação por essa ideia barata*). Cícero zumbia nos ouvidos de Leonel. Ahmed repousava no notebook de Stefan. Tinha algumas páginas salvas, off-line, para olhar durante o voo. Uma delas mostrava um mapa de academias em Curitiba. Seriam tão boas quanto a sua *Wellness & Healthclub*, no Oudegracht? E repetia o bordão: *Newstyle! Betaalbaar sporten in echte luxe.* Stefan escreveria para Ruud falando sobre as academias em Curitiba. Com o conhecimento que tinha, quem sabe não revolucionaria o modo de treinar no Brasil? O que sabia aquele país sobre treinamento muscular, fortalecimento, aptidão cardiovascular, relação das porcentagens do batimento cardíaco com a perda de gordura e o aumento da capacidade coração-pulmão? Revisou técnicas, treinamentos cruzados, sessões de fortalecimento de braços e pernas, costas e abdômen, o abdômen como centro de equilíbrio do corpo. Fortalecido, evitava lesões, dores nas costas e nos joelhos. Simulava movimentos como um pianista ensaiando no teclado imaginário. Se as academias não tivessem máquinas, conhecia formas de fortalecimento com bolas e elásticos. Se não tivessem bolas e elásticos, deveriam ao menos ter um chão, isso não era privilégio de um ou outro país. O chão, até onde aprendera, era o que definia um território. Por fim, imaginou as academias como galpões, halteres feitos com latas de tinta preenchidas com água, areia ou concreto. Já tinha visto isso uma vez em algum vídeo no Youtube.

Pegou os dois jornais oferecidos, um holandês, outro francês. Nas palavras do país onde moraria, fez sobrevoo de águia à procura de uma presa. Caça-palavras cruel. Um ou outro nome próprio, quem sabe? Alguma aproximação com o inglês? O inglês que tirava o sono, Anne-Marije dizia para não se preocupar com a língua, todos falavam inglês enquanto ele aprendesse holandês devagarinho. Leonel falava um inglês atravessado, e ainda era capaz de confundir coisas básicas. Às vezes sequer o s da terceira pessoa no presente saía, tão fácil para o ritmo lento da escrita. Mais fácil que o português e seus verbos tão irregulares quanto o corpo brasileiro. Como chegar dizendo que seu inglês, combinado à personalidade insegura, era um tatibitate de palavras encaramujadas que se perdiam no caminho entre o exame desajeitado do cérebro e o escorregador estropiado que as levava até a língua? O que pensar então da língua holandesa, que se escancarava no jornal ali à sua frente? Era essa a língua que o avô mascava enquanto Leonel se escondia da fúria paterna em Castro? Abriu o jornal francês, mais divertido o jogo das palavras, ao menos davam pistas, *Plusieurs blessés lors d'une fusillade dans le camp de migrants de Gran-*

de-Synthe. Parou na manchete. Foco, era preciso foco. Havia dito a Anne-Marije que conhecia o *Viewpoints* e então teve de ir atrás. Conseguiu comprar na Amazon o livro da própria Anne Bogart e da Tina Landau, *a practical guide to Viewpoints and Composition*. Aproveitava para treinar o inglês e aprender mais sobre *Viewpoints*, uma arte não hierárquica, todos os membros atores e autores, nada de passar mensagenzinha ao público – não havia nada mais irritante do que a pergunta o que você quis dizer com essa dança? –, não ao virtuosismo técnico e sim às questões suscitadas e resolvidas no próprio corpo, que demandava decisões internas, estruturas, regras e problematizações intrínsecas. Então *Viewpoints* era isso? Mas isso é que eu pesquiso e faço e proponho o tempo inteiro. Leonel e Anne Bogart estavam falando do mesmo ponto de vista e ele até simulou o sentido literal da expressão: Anne Bogart sentada no seu colo (*era para ser engraçado?*), na mesma poltrona, vendo o mesmo monitor desligado à frente e centenas de corpos preparados para alçar voo.

Atenção, tripulação, a decolagem autorizada, cintos de segurança no frio da insegurança. Procedimentos em caso de pouso forçado na água, o gesto indiferente das comissárias e dos viajantes frequentes.

O voo de Leonel saiu de madrugada, quase dia, o horizonte já anunciava o clarão. As luzes minúsculas, espaçadas e coloridas da pista de decolagem indicaram o caminho. As rodas do Boeing 777-300 deixaram de atritar o asfalto calejado e resignado por, sendo chão, dar suporte a mais um voo.

Sob os pés, não havia mais nada que os ligasse à terra.

Suspensas, as raízes se ressentiam do mundo.

Os olhos grudados à órbita das janelinhas miravam o lado de fora do KL0792, essa abstração nomeada de voo, projétil de lata alemão, Boeing de uma empresa aérea chamada KLM, *Royal Dutch Airlines, Koninklijke Luchtvaart Maatschappij*. Fui me enfiar em algo chamado *Koninklijke? Luchtvaart? Maatschappij?*, pensou folheando a revista da empresa. As projeções futuras esbarravam-se umas nas outras, aproveitando-se do breu que restava, a cabeça e o avião seguiam aos solavancos, ninho de sobressaltos. Quantas vezes ouvira alguém em êxtase dizer que estava nas nuvens? Nas nuvens havia anjos invisíveis que ninguém sabia se tinham cu.

Stefan fazia o voo diurno que deixou Amsterdam às nove e cinquenta e cinco. O tecido amarfanhado das nuvens a seus pés lembrava-o de que se movia. Refeito do abalo – a comissária havia perguntado se se sentia seguro para manejar a saída de emergência –, olhou por entre uma fresta de nuvens o território europeu e suas florestas ocasionais, manchas pequenas espalhadas acolá e aqui, desconfortáveis, espremidas, fora de lugar. A Europa vista de cima por um Stefan que sempre viveu lá embaixo: cada palmo palmilhado, os quadrinhos das pequenas propriedades, células irrigadas pelas veias dos rios e estradas. Leonel olhou para baixo, o pouco de luz ainda não permitia enxergar o verde espalhado, cortado só de vez em quando pela aglomeração de pessoas que resolveram erguer uma cidade, um povoado.

Na Copa do Mundo, a FIFA havia feito vídeos oficiais de todas as sedes. Stefan lamentou não tê-los revisto antes de partir. Que se acalmasse, teria tempo. O *Viewpoints* era mais que uma técnica de dança, era um jeito de entender a arte. De entender a vida, sem hierarquias arbitrárias, não pensava Stefan. Ele enxergava nos quadrados lá embaixo jeitos que o homem dera de cercar a terra e garantir a posse, fazendo na infância da humanidade o que se repetia na infância do homem, crianças que corriam para o balanço gritando cheguei primeiro, essa terra é minha, pegue a do lado. E o segundo pegava. E um terceiro pegou outra parte. E tudo crescendo, reticências ampliando os números até a pergunta evidente, e quando não houvesse mais chão ou balanço para todos? Não era o caso da Holanda, diria o oude Bisschop – e ainda faria um comentário sobre os *playgrounds* do país, deixando de novo os interlocutores sem saber se ele não havia entendido a comparação ou fazia outra de suas brincadeiras sem riso. Ele também diria algo como não conseguiremos resolver os problemas do mundo, conseguimos resolver os nossos, fizemos uma Holanda liberal e democrática. No último discurso antes de Stefan partir, disse que os imigrantes podiam copiar os exemplos – a Holanda não cobrava nada – em vez de invadir os espaços e pegar na marra o que ficou pronto com estudo e trabalho, arte e engenho. E alguma guerra. Matavam-se em seus territórios, veneravam um deus que inibia o progresso e depois queriam vida nova no espaço dos outros? O equilíbrio na distribuição da terra se dava com controle de filhos, mas reproduzindo-se feito coelhos se espalhavam em um mundo que não tinha mais espaço. Eram trezentos e trinta milhões de muçulmanos vivendo em países não muçulmanos. Um quarto do total. E dizia mais: se o Partido para a Liberdade não convencesse as pessoas a derrotar os esquerdistas, se não houvesse uma aliança anti-imigração em toda a Europa, em poucos anos o continente estaria tomado por bárbaros que só não limpariam a bunda com os valores seculares e os contratos sociais porque não limpavam a bunda. Depois de Rotterdam, agora Londres tinha um prefeito muçulmano. Não demorariam a fazer um presidente. A horda islâmica acabaria com a tolerância, a liberdade, o humanismo.

E quando os fieizinhos de Maomé descobrissem quanta terra tinha no Brasil? Seria o *Brazilistan*. Adeus, caipirinhas e bundas de fora. Embora mulatas de burca pudessem alimentar bons fetiches.

Falou tudo comendo com elegância torradas com chá de hibisco. Depois, as malas no chão da cozinha e os afagos.

Mal o avião subira e Stefan já recorria a lembranças? Leonel esteve enterrado nelas durante o voo que o engolira no Brasil para cuspi-lo de volta em outro continente. Parecia preso a um elástico poderoso. À medida que se afastava da origem era puxado de volta com mais força, na forma das recordações. Ceder ao tensionamento e voltar ou resistir e seguir até rompê-lo? Tornou à infância para espiá-la de longe. Estava com o sabor da voz pausada do avô, tantos anos e ainda com sotaque. Se pudesse prever o futuro, teria pedido que lhe ensinasse a língua. Ao contrário do neto, o avô andava mais falador depois de velho. Mais de vinte anos atrás, silencioso diante do mundo. Ensaiava afeto nos cabelos do menino quando ele corria de um lado para o outro no terreno grande, em Castro. Mãos desacostumadas ao carinho davam tapinhas na cabeça arredia. Já maior, desconfiava que o avô era triste por Leonel ter herdado o sobrenome do pai, conhecido em toda a parte por Preto Silva. Não era preto, mas na cidade de colonização holandesa, com imigrantes que cultivavam leite e não café, o mulato era ovelha das mais negras. A futura mãe de Leonel desde muito cedo cultivava sonhos secretos com a força bruta do Preto Silva, que bebia sempre e ainda assim trabalhava mais que os cavalos que lhe deveriam fazer os serviços. Sem paciência com a lentidão dos animais, afastava-os com raiva, castigando-os, e puxava ele mesmo os fardos pesados de feno, sacos de batata e milho. Xingava os bichos, só serviam para acasalar, mas o instinto da reprodução se abatia era sobre ele depois que bebia. Queria treinar a todo o custo o povoamento da Terra. A futura mãe de Leonel, que já andava desafiando o tradicionalismo dos pais, encontrou-o bêbado depois de um dia de trabalho. A conversa antes de tudo se consumar foi rápida, girou em torno da capacidade do Preto Silva de arrancar uma plantação inteira de cenouras mais rápido que um time inteiro de holandeses, que ele chamava de branquelos e molengas. Suspiro breve da mulher, a imagem das cenouras pairando e estava feita a comunhão dos corpos, atrás do estábulo, testemunhada por cavalos que pastavam sem interesse ou constrangimento. O escândalo na família e na cidade obrigou a mãe a fugir. Voltou um ano depois, queixo erguido e provocação desenhada nas sobrancelhas, escondendo bem o desespero. Apresentou Leonel da Silva aos avós, que não sabiam o que dizer, o que fazer, se escorraçavam a filha ou se acolhiam os olhos perdidos daquele menino bonito. Se era preto, como podia ser bonito?, confundia-se o avô. Quer um café?, foi o que a avó conseguiu dizer de melhor para a filha. Até parece que sou uma visita, mãe. Eu vim para ficar. Para resolver sem mostrar fragilidade, o avô ordenou: então comece lavando aquela louça.

O avô não sabia que a hospedagem incluía o Preto Silva. Também não sabia se era pior ter a filha mãe solteira ou casada com um preto. Aceitou-o, não sob o mesmo teto. Obrigou-se a construir uma meia-água nos fundos do terreno. Resmungava lamentoso por ter de tirar espaço dos animais para colocar um preto no lugar. Preto Silva deixava o sogro trabalhar na construção por consideração à mulher, mas secretamente dizia que ele só atrapalhava, era mole para carregar tijolo e não fazia massa de cimento boa. As paredes fora do prumo. Deixasse com o Preto Silva e a casa estaria pronta em muito menos tempo. E perfeita. Tinha certeza de que a cachaça brasileira firmava o pulso. Preto Silva não sabia das fachadas cambaias de Amsterdam nem da maconha legalizada dos *coffeeshops*. Seria prato cheio para confirmar as teorias de que a holandesada bebia e fumava alguma coisa errada.

Foi nesse espaço entre a casa do avô, na frente do terreno, e a casa dos pais, nos fundos, que Leonel passou a infância, com galinhas, porcos, amigos, vacas e cachorros. Foi feliz até o ponto em que meninos e meninas são vistos sem distinção, o mesmo timbre na voz, o mesmo jeito de mostrar excitação diante das coisas. Quando viu que o filho, mesmo crescendo, continuava com os trejeitos de criança, que era igualmente afetuoso com meninos e meninas, que se maravilhava à toa com as coisas, o pai sentenciou: ou era retardado ou era gay. A esperança de estar enganado vinha dos campos de futebol. O filho tinha velocidade, pernas compridas, era habilidoso e competitivo. Marcava bem e fazia faltas fortes, cada solada na canela do adversário era um gol para o Preto. Estava se convencendo de que o filho seria homem até ouvir o pedido boiando na voz fina: queria fazer balé. A mãe se omitira. Primeira a ser consultada, escorregou no pergunte a seu pai. Torcendo para que a bebida deixasse as hastes morais do Preto mais flexíveis, o menino fez o pedido depois que ele voltava do bar. Foi o primeiro hematoma de Leonel, um chute no lado direito do quadril, o pai mancando alguns dias. A mãe, tentando conciliar as partes, colocou o filho no grupo de danças folclóricas holandesas.

Leonel odiou a ideia, mas divertiu-se depois, sobretudo ao revolver os guarda-roupas do clube e descobrir os vestidos, colocando-os em meio a muita risada e gritaria. A prima tinha as chaves, trancavam-se na sala dos figurinos. Preto Silva julgou melhor ele pegar a prima do que um polaco daqueles. Na sala, contudo, não faziam outra coisa que não fosse gargalhar.

Quem via Leonel adulto, imerso em considerações tão duras quanto a poltrona do 777-300, não imaginaria que ele tivesse sido menino espalhafatoso. Ria lembrando das risadas mas sabia que tudo era prenúncio dos desalentos. No quartinho com a prima, fazia tudo sem intuir os desejos. Sentia-se bonito e confortável com os vestidos, o vento que os saiotes pregueados deixavam entrar entre as virilhas era bom. Só um ano depois, aos doze, começou a observar o corpo. Ele existia no corpo e era no corpo que o outro existia. Foi ali que nasceu um desejo de encontrar e encostar. Se os amigos sonhavam tirar os vestidos das meninas, Leonel queria era tirar a roupa deles. Enquanto os meninos tomavam coragem para montar cavalos brabos, Leonel queria ser montaria. Descobriu sozinho um erotismo amplo que se estendia a muitas superfícies do corpo durante as carícias errantes.

Uma fúria somou-se a outra. Um dia, bebendo no bar, o Preto Silva foi escarnecido por causa do filho. O pai de Leonel satirizava os holandeses, lembrando o gol de Branco contra a Holanda, na Copa em que o Brasil acabou campeão. Com boas doses de álcool trabalhando no corpo, um holandês respondeu o gol só podia ser do Branco porque preto não ia conseguir. Aí o Preto Silva perguntou do Pelé. E os holandeses disseram que Pelé lembrava pelada, a época em que o futebol era uma pelada. O Preto Silva riu. E disse que eles não sabiam o que era uma boa pelada. Então outro holandês que até então estava quieto falou de repente o teu filho é que não sabe. O bar ficou em silêncio, o vozerio interrompido. Só a rádio AM continuou indiferente, arrepia meu corpo / quando olha pra mim // deixar meu corpo no seu / descobrir a paixão // Não dá mais pra segurar / esse desejo em mim. Como ninguém prestava atenção, o refrão insistiu, gritando, quando o amor é de dentro pra fora / a gente tem que assumir / a gente ama, se enrola / e não tá nem aí. Preto Silva continuou sem ouvir. Daria uma briga boa aquele preto nem tão alto mas taludo como dez touros contra meia dúzia de holandeses que queriam rir mas tremiam de medo. Calou-se e saiu do bar sem pagar nem pedir pendura. Foi para casa bem mais cedo que o costume. Por isso é que uma fúria se somou à outra. Chegou raivoso com o filho, que dava margem às fofocas, e surpreendeu-o fazendo coisas estranhas: passeava pelas nádegas a pequena estátua de Santo Antônio. Manuseava-a com cuidado e delicadeza, respeitoso, a estátua era frágil e para ela os pais rezavam antes de dormir.

Preto Silva não quis saber de fragilidades, quebrou a estátua na cabeça do filho e quis furá-lo aproveitando o caco que lhe sobrara na mão. O caco era pequeno, o Preto não conseguia ferir Leonel como o instinto mandava. Jogou a base mais pesada outra vez na cabeça, atingindo-o debaixo do olho, o sangue farto. Seguiram-se chutes em cima de chutes, a adrenalina impedindo o desmaio do menino envergonhado pelo flagrante. Difícil fugir, as calças enroladas na canela. Melhor seria tirá-las, mas como correr nu pelas ruas? E é assim que você vai aprender a ser homem, vai aprender na marra, e tome isso e mais isso, e outros chutes até aparecer um cabo de vassoura. O que cinco minutos antes era um passeio tranquilo pelo corpo, auscultação atenta de sinais, passou a ser crime sem perdão. O cabo da vassoura, uma potencial investigação futura, era arma para o açoite descuidado, procurava fazer mal ao corpo que buscava um bem. Enfim erguendo as calças, saiu com um pé descalço e outro com a tira do chinelo enroscada entre dedos errados. Não sabia se corria assim ou tentava se desvencilhar, meio pulando, até que alcançou o céu aberto e distanciou-se, pulou cercas e rasgou fundo a coxa direita no arame farpado. Leonel encerrava assim seu clima de felicidade furtiva. A vida era domesticar o corpo e dançar conforme a música que alguém escolheria para ele.

O delegado não foi contestado pela decisão de liberar o Preto Silva depois de colher um depoimento feito de poucas palavras. Considerava-se um humanista, e por isso entendia as razões do homem. Delegado de uma cidade pequena também precisava conhecer a cabeça das pessoas, sua natureza. Tinha de ser compreensivo, pretos também têm sentimentos, finalizou, erguendo o queixo e confirmando o espírito grandioso e compassivo.

A mãe se mudou com Leonel para Curitiba, a casa de uma tia velha era grande, ela andava tão sozinha. O Preto continuou no terreno dos fundos mesmo sem trocar palavras com o sogro, voto de silêncios mútuos. A mãe foi guerreira, mas tempos depois não resistiu à saudade, ao jeito de ser agarrada com força. Leonel ficou com a tia-avó, cuidou dela até morrer e herdou a casa em que morava, no centro de Curitiba, e que agora alugaria. Nunca mais voltou a Castro, a única ligação era o fio do telefone. Um câncer no útero levou a mãe e Leonel ficou preso à infância pelos avós. Admirou-os por não engrossarem o coro dos tantos que deram razão ao Preto. O silêncio, que podia nascer da covardia, foi visto como uma posição diante da barbárie. Só anos depois, mais velhos e conscientes de que iriam parar no mesmo buraco, os avós e o Preto Silva passaram a conversar e conviver. Dava quase para chamar de amizade. Leonel reteve apenas uma imagem de Castro, a construção do monumento *De immigrant*, que nunca chegou a ver concluído. Era um moinho de vento que empurraria o menino para longe de lá, e que também lhe parecia, memórias confundidas, um moedor de carne.

Começou a estudar dança em Curitiba, os avós se olhavam, para que aprender algo que já fazia tão bem desde os onze, doze anos? Tinha o corpo esguio, herança da mãe, perfeito para o balé que tanto estudou e treinou e ensaiou repetindo sequências intermináveis. Porque haviam dito que era a base de todas as danças. Agora pesquisava formas de desaprendizado, os movimentos clássicos tão automáticos nas mãos e pés esticados precisavam ser lavados do corpo por quebras literais e simbólicas, dos quadris e costas até o modo linear do pensamento. A clareza clássica não cabia em Leonel, não queria estar no mundo como funcionário do movimento alheio, não podia mais viver da imitação de modelos. A dança precisava refletir os desconcertos do mundo e da luz que gerava a clareza preferia a sombra. Desde que estudara História da Arte, já no primeiro ano de faculdade na FAP, tremia diante do *chiaroscuro*. Caravaggio e companhia, o contraste dos encontros.

Voltou ao presente sentindo prazer pela cirurgia de hemorroidas do pai. Então alguém o havia tocado lá. A mão bruta nada podia, o corpo robusto entregue, de bunda para cima, à mercê da medicina. Uma equipe inteira, orgia, iluminando com todas as luzes um buraco redondo e recôndito, *chiaroscuro*, fonte de tanto sofrimento entre pai e filho. Em volta do cu, esse umbigo tímido, giravam símbolos e culturas. Um claro escuro, um escuro evidente.

Covardes, domesticadas na procissão triste e oprimidas por margens de concreto, assim eram as águas dos canais que levavam os rios holandeses pelos caminhos que os homens mandassem. A fúria das águas se perdera e Stefan partia em busca de alguma? Uma fúria para aprender a conviver com os furiosos do mundo? Os furiosos bárbaros, desses que enfiavam facas em gargantas e não deixavam as paredes conduzirem o fluxo? Um país que se fez tendo o mar como inimigo – ou ele ou nós, gritaram os Países Baixos –, vencida a guerra, herdara quais despojos?

Tinha o espírito inquieto, mas não furioso. Algumas corridas entre as árvores do Zocherpark até, quase três quilômetros depois, chegar à Wilhelmsplantsoen pela Sterrenburg, em vai e volta inumerável, confirmavam isso. A fúria precisava de peso e ele era leveza. Stefan olhava ora o monitor, ora as luzes acima da poltrona, o aviso de apertar cintos que se apagava e se acendia conforme as turbulências, as migalhas de pão caídas na camiseta depois do almoço. Levantou-se muitas vezes para ir ao banheiro, ficar em pé, alongar os tornozelos, as partes posteriores e anteriores da coxa, as costas, pescoço, ombros, punhos. Uma venda de produtos do *freeshop* começou, o carrinho precisava passar pelo corredor estreito e Stefan se recolheu. O assento junto à janela obrigava os vizinhos a se levantar ou a fazer o movimento de juntar as pernas e dobrá-las para o lado, vivendo segundos constrangedores por terem as partes de um estranho a tão poucos centímetros dos olhos, da boca.

Tirou os tênis, depois as meias, mexia nos dedos do pé. Para Stefan, Ingrid vivera à espera, pendurada em um cabide existencial até se tornar mãe. Recolocou as meias, não os tênis. Um deles estava no colo. Boa decisão tê-los comprado, as linhas, a combinação de cores, gel em fina camada ajudando o conforto e o *design*, e a voz da mãe, tantas vezes conselheira, agora falava da própria vida. Os cadarços, como entravam nas costuras, cada furinho um charme, o jeito de se cruzarem, o desenho do solado, o cheiro de novo e a mãe falando que apesar de uma ideia sem pé nem cabeça ir atrás de algo novo poderia ser bom, que às vezes as pessoas se acomodavam e esqueciam que a vida passava – a conversa tomava rumo ambivalente, Stefan sabia que servia para ele, mas que Ingrid sugeria falar dela, a espuma dentro do tecido poroso, as costuras e a etiqueta *Made in Bangladesh*, os muçulmanos se matando naquelas terras deles e querendo fugir carregando suas regras estúpidas, o oude Bisschop invadia o espaço aéreo de Stefan. Mas ele falou demais a vida inteira, deixasse a mãe falar, que as pessoas se acomodavam e a vida passava, os amores eram deixados para trás em troca da escolha mais confortável, as engrenagens não podiam mais ser desencaixadas, a vida dentro de caixinhas que as próprias pessoas achavam que escolhiam, mas que eram escolhidas pela covardia, Stefan olhava o tamanho dos pés, os tênis enormes que desviavam a atenção das ruminâncias, ficasse quieto, prestasse atenção no que a mãe falava, o tênis esquerdo no colo ocupando todo o espaço da coxa, *Made in Bangladesh*, devia ser legal Bangladesh ou a Indonésia, vinham de lá tantos produtos que usava, as marcas mais desejadas do mundo. Onde era lá? Nomes bons de falar, *Bangladesh, Indonesië*. Por que fugiam? Não dava para viver como se só houvesse amanhã, Ingrid ainda conseguiu dizer nos ouvidos do filho.

Pouco antes de Stefan nascer, Ingrid fizera um curso de espanhol em Salamanca. Eram as férias que antecediam seu último ano na universidade. Lá conheceu uma marroquina por quem ficou apaixonada e com medo, era a primeira vez que sentia aquilo, não era possível, não podia ser melhor ir para a cama com uma mulher como Fadilah do que com os homens que experimentara até então. Mesmo crescida no meio acolhedor da diversidade, tudo caminhava sobre os trilhos da vida convencional. Ela seguia a curva de comportamento dos pais e avós. Mas foi conhecer Fadilah e isso jogou-a com força em outra órbita. O curso de Psicologia não a ajudava em nada, apenas a catalogar modos de ser e agir, não a lidar com a tormenta e o prazer que foram dar as mãos dentro dela. Foi na Espanha e não em Utrecht que conheceu Henk Bisschop. Achou-o charmoso, com senso de humor inteligente, cheio de achados inacreditáveis. Ela sabia que ele a estava cortejando. Mas via Fadilah quase todos os dias e as duas preencheram vivamente os meses passados lá. Também pesavam as experiências mornas com os flertes anteriores. E Fadilah era tão leve e intensa, como conseguia? Mas era uma mulher. Marroquina, muçulmana. Dias depois, outra complicação: Fadilah receberia a visita do ex-marido que a deixara fugir para a Espanha. Mordendo-se de ciúmes, Ingrid fingiu compreensão enquanto Fadilah argumentava que Nabil era homem bom e merecia reencontrá-la para uma conversa. O que fazer com o ciúme represado? Talvez desse uma chance a mais aos homens, podia ter dado azar antes, as estreias no amor eram sempre complicadas.

Coube a Henk Bisschop – que anos depois viraria o grande e velho Bispo – a oportunidade de mostrar a Ingrid que homens eram bons e que fantasiar com uma marroquina muçulmana não passava de idealização escapista para uma fase confusa. Talvez Henk fosse a âncora a trazê-la de volta para o eixo da tradição. Encontrou-se com ele nos momentos em que, sabia, Fadilah conversava com Nabil. A traição funcionava como vingança preventiva, para garantir igualdades.

Não foi ruim, as anatomias conversaram bem, disse uma Ingrid que ria junto com a fala. Mas não foi algo decisivo, que a fizesse desistir dos desejos. Henk até fez papel de âncora, puxando-a para a terra – ou para o fundo do mar –, mas Fadilah, com a força da leveza, continuava a deixá-la nas nuvens. A escolha decisiva – que incluía mudar para a Espanha ou voltar para a Holanda – não se deu por afeto ou amor. As conveniências falaram mais alto do que, acostumou-se a ver assim, os delírios juvenis. O medo anunciou a chegada da vida adulta, os pés foram forçados a aceitar os trilhos. E da Espanha trouxe um souvenir dentro da barriga, a gravidez que não dava mais chance às dúvidas. Veio com Henk e deixou sem olhar para trás uma Fadilah chorosa dentro de seu *hijab*, o véu que separa os homens de seu deus. Prematuro, Stefan nasceu oito meses depois.

 A infância foi longa e a vida tinha raio curto, as dificuldades do mundo eram rumores longínquos. Mesmo a convivência estranha entre os pais lhe era distante, as ideias do velho Bispo, tão coerentes em sua correnteza, arrastavam os torvelinhos errantes e de voz minguada que era a cabeça de Ingrid. O menino tinha a sua rotina de brincadeiras, ia à escola, encontrava comida pronta, o banho, os cabelos lambidos e o pijama, contos de fadas com princesas esperando os cavaleiros que as resgatariam para a vida feliz. Para sempre. O menino crescia e encarnava os contos de fadas com polos invertidos, ele vestindo a pele e os tecidos das princesas. Calçava também os sapatinhos de cristal de *Assepoester*. Assimilou a sombra provedora do pai, o afeto da mãe e eles sedimentaram um modelo: para sempre a criança a ser protegida e a poder brincar. Brincar, brincar de estudar, brincar de trabalhar. Fazia-o com competência, foi bom aluno, trabalhou uns meses na academia de Ruud, mais um hobby do que trabalho de que dependesse. A segurança da família ele também buscou no namorado. E não sofreu por isso, não viveu os conflitos profundos da descoberta que o levava a ser diferente do bando. Tudo foi simples, seguiu a direção dos desejos, o apoio da mãe, o silêncio do pai, que perguntou à mulher por que diabos precisaria dizer alguma coisa. Por acaso deveria dizer algo se o filho revelasse que não lhe agradavam os sorvetes de mirtilo, apenas os de cereja?

E a vida seguiu sem pedras nem buracos até o primeiro desmoronamento, já avalanche, surgido sem que pudesse entendê-lo. Outro mundo que não parava de chegar multiplicava-se para dividir espaço. Eram pessoas diferentes, isso era tudo que Stefan conseguia ver. Apaixonou-se por um Machiel que gritava alto nas ruas, mão direita ritmada para cima, a esquerda empunhando o megafone. Seu canhoto adorável falava meio gritando, até engraçado, quase ridículo. E assim o seguiu muitas vezes pelo Oudegracht até a Stadhuis. Machiel falava de liberdade cerceada, direitos conquistados, secularismo. Falava parecido com o oude Bisschop no teor, mas a forma sempre exclamativa não abria frestas para os sentidos duplos. Mesmo o humor vinha numa gargalhada que assustava. Stefan logo se enchia de tédio com os discursos e queria puxar o namorado pela blusa, que fossem para casa ver um filme. A casa era a de Machiel. Stefan triste porque Ingrid recomendara não levá-lo para conhecer Henk. Que esperassem, sempre dizia. Deveria sondar o marido, tentar ler nele as variáveis possíveis e prováveis. Como diziam coisas parecidas, mas de maneiras tão distintas, era preciso pesar como o pai reagiria ao ter Machiel à sua frente. Stefan tinha certeza de que se entenderiam, eram preocupados com essas coisas de liberdades e direitos. Para impressionar, falava de Geert Wilders, que o político estava sempre na sua casa buscando aconselhamentos com o pai.

Machiel pretendia pegar para si as bandeiras de Pim Fortuyn e, numa costura forçada, de Theo van Gogh. Comparava a luta a uma corrida de bastão: tombava um, outro empunhava a causa e continuava. Stefan ria, achava melodramático. Embora tivesse ouvido falar nos casos de Fortuyn e Van Gogh, não sabia direito quem eram. Na época até as poças de água mostraram os noticiários cobrindo o assassinato de ambos. Dois dias antes do ataque às Torres Gêmeas em Nova Iorque, o cineasta, em seu programa *Theo van Gogh's Zondag*, havia entrevistado Pim Fortuyn. Anos depois os dois seriam mortos. Mal parava de repercutir a morte de Fortuyn em 2002 e em 2004 era a vez de Theo van Gogh tombar. E recrudescia o terror que fazia muçulmanos serem xingados nas ruas, receberem escarradas no rosto. Stefan tentava acompanhar as notícias, ligar as coisas, mas o raciocínio se perdia. Desde o início pedia para Machiel ser didático, que falasse devagar, explicasse de uma vez por todas. Confundia-o a tolerância dos holandeses que queriam proibir de viverem ali as mulheres com manto em volta do rosto e os homens pardos. E os holandeses acabavam mortos por isso – e pela intolerância dos homens pardos com os holandeses que ficavam denunciando o jeito como eles tratavam as mulheres e os gays. Fortuyn era gay dos mais libertinos da direita holandesa, mas acabou morto não por um radical islâmico e sim por Volkert van der Graaf, ativista dos direitos dos animais, causa também defendida por Wilders, que causou a polêmica ao tornar pública a ironia do *oude Bisschop* e colocar os direitos dos animais acima dos direitos dos imigrantes. Fortuyn reclamava que os estranhos de manto e pele parda não queriam se integrar à cultura holandesa, mas roubar território e impor uma lei religiosa acima de qualquer lei humana, assim como roubar o dinheiro das vovós holandesas na saída dos bancos. Mas foi morto por um ecologista holandês porque defendia o uso da pele dos animais, desesperava-se Stefan, tentando seguir o fio frágil do raciocínio. Ficava tonto. Na época dos assassinatos, é verdade que não estava atrás de uma compreensão política. Via nas revistas de fofoca as fotos da casa de Fortuyn em Rotterdam e as tantas imagens de homens nus penduradas pelas paredes da sua Casa di Pietro. Machiel dizia que não interessava a maneira como havia morrido, que isso não podia fazê-lo desviar das suas ideias, elas estavam vivas. Machiel traía a frustração de ter feito dezoito anos cheio de vontade de votar em Fortuyn e, pouco antes das eleições, ver o ídolo no chão, cravejado por seis tiros. Se Fortuyn não foi assassinado pelos loucos islâmicos, Theodorus van Gogh foi, lembrava Machiel. Sobrinho-bisneto do pintor, Theo van Gogh era cineasta, escritor e outro caso que emaranhava mais fios no caminho de Stefan. Após dirigir o curta *Submission*, sobre a situação das mulheres na cultura islâmica, ganhou inimigos e um deles, Mohammed Bouyeri, foi quem atirou e cortou a garganta de Van Gogh enquanto o cineasta pedalava para o trabalho, perto do Oosterpark, em Amsterdam. Stefan lembrava ter reparado no vestido do assassino, o *djellaba*, e não entendia como não gays contrários aos gays usavam um vestido para assassinar outro homem que fazia filmes sobre mulheres islâmicas que usavam mantos na cabeça.

Outra decepção transformada em ira por Machiel: quando Theo van Gogh finalizava um longa-metragem sobre Fortuyn, foi o cineasta quem teve o sangue vertendo da garganta, agora sim pelas mãos de um fanático. Se era ou não motivo suficiente para odiá-los, Machiel perguntava. Mas Stefan já estava distraído e tinha de dizer que sim, meio sem certeza. Machiel finalizava fazendo coro a Geert Wilders, sem saber que eram as palavras do oude Bisschop: a direita holandesa estava longe de ser a de um Le Pen qualquer. Acusavam-na de nazista, mas o verdadeiro *Mein Kampf* era o Alcorão. Stefan não conhecia bem os termos da comparação e suspirava, frustrado por ter de esperar para apresentar Machiel ao pai. Eles conversariam sobre tantas coisas. Machiel só não precisaria falar sobre os terroristas que usavam *GoPro* no peito e depois editavam vídeos no estilo *Call of Duty* para fazer propaganda do DAESH. Disso o pai não entenderia nada, era velho demais para saber de videogames. Tirando esse detalhe, imaginava-se servindo um café aos dois enquanto fumavam seus cigarros e falavam de suas políticas. Se Wilders aparecesse, seria a apoteose, o prenúncio do felizes para sempre.

Doze anos depois de Fortuyn, dez depois de Van Gogh, era Machiel quem caía, outra faca na garganta, atacado pelas costas. Se pudesse voltar à vida para avaliar a morte, Machiel ficaria desapontado: não passava de um mártir de província, sem reconhecimento nacional. Morreu em hora ruim, as manchetes prometiam análises da campanha da Holanda na Copa depois de perder a semifinal para os argentinos. Os heróis anti-imigração continuavam a ser Fortuyn e Wilders, um morto e outro vivo, o herói do combate à cultura religiosa islâmica continuava a ser Van Gogh. O assunto Machiel ecoou um pouco mais no *coffeeshop* de Kees, ponto de encontro do seu grupo, que prometeu endurecer a luta mas pouco fez. Machiel estava morto também na lembrança do país. Na corrida de bastão, ninguém reparou que ele correra a sua parte. O bastão se multiplicara, muitos o seguravam, bastão-bandeira. As ideias de Machiel nunca alcançaram os jornais, apenas os fanzines subterrâneos e o *coffeeshop* que frequentavam. O conflito com Ahmed não passou de disputa caseira, grupos mobilizados em quintal restrito. A morte apareceu somente no rodapé da edição local do *Algemeen Dagblad*, e as duas fotos – uma delas a que Stefan guardava – não conseguiram competir com a tristeza laranja que dominava a página, a queda na semifinal.

A viagem de Leonel era um mergulho na contramão da história. O país recebia de volta brasileiros que enfrentavam o desemprego nos Estados Unidos e na Comunidade Europeia. Embora a crise econômica sentasse com todo o peso sobre o Brasil, era preferível aninhar-se debaixo dela, sofrendo em português, xingando em português. Leonel esbarrava na correnteza do retorno. Mesmo com a instabilidade, o Brasil ainda recebia imigrantes bolivianos e haitianos. Poucos eram os europeus que pretendiam fazer vida nova a partir do trabalho. Apenas investidores excêntricos e especuladores que saíam já cheios e dinheiro de seus países em busca de uma vida mais frouxa.

Migrava para construir outro nome, era quase anônimo para si mesmo.

Tinha cultura, tinha formação, era um europeu que partia ao encontro de um povo sorridente e receptivo, carente de um conhecimento em que ele era especialista. E tinha a ginga, considerava Leonel, que poderia driblar dificuldades naquele país de cinturas-duras, talvez cabeças-duras, ruins da cabeça, doentes do pé. Considerou-se descolado e, embora contido para os padrões do estigma brasileiro, calçou os chinelos confortáveis dos clichés e acreditou ter no corpo algo do jeitinho, de quem vai atrás dos sonhos, não desiste nunca.

Céu limpo sobre a cabeça, as nuvens carregadas lá embaixo eram cortinas que se abririam, palco e plateia esperando. O frio das estreias, Leonel, o aquecimento da maratona, Stefan. Seria bom ver o Velho Mundo a onze mil metros de altura, mas as nuvens embotavam a experiência, precisava se contentar com o monitor, ainda o mapa, ainda a representação. A aeronave diminuía a velocidade, os mil quilômetros por hora arrefeciam. Mas não podia parar, nada podia parar, a terra lá embaixo girando, o mundo dentro do corpo – quem desconfiaria que cem trilhões de bactérias peregrinavam dentro dele? O céu se despedia. Mal nenhum havia em bater numa montanha de nuvens, relevos irrelevantes. Acompanhava o mergulho, a falsa promessa da maciez, do conforto, a deriva sem derivados, intransitiva, nuvens, nuvens, nuvens até avistar as luzes pontuando a terra já escura. A ansiedade antecipou tantas vezes a chegada, mas nunca imaginou que seria à noite. Enfim enxergava o chão. Tinha visto no monitor da poltrona, como espectador (*daqui a pouco vai dizer que passará de espectador para autor, não é isso? Palhaço*), a vida separada por um oceano, depois o sobrevoo pelas línguas ainda familiares, Portugal, Espanha, França, a Bélgica, último resquício de alguma compreensão antes da queda no desconhecido completo. Ligações territoriais e linguísticas se romperam, o ser da selva, Leonel da Silva, se embrenhava na aridez das palavras e se entregava ao velho continente das promessas renovadas, devolvendo-se à Europa como os homens que a mesma Europa levou à América em levas que fundaram cidades.

O desembarque no portão F8 e uma imagem de batalha naval surgiu e foi embora. Se a comissária se despedisse falando inglês ou holandês, seria feliz no Brasil. Se falasse português, teria problemas.

Bye, tot ziens, e o resultado do jogo garantiu a felicidade.

A porta se abria para que o corpo – o real, capaz de afetar outros corpos, perigoso – transpusesse as fronteiras aeroportuárias e imaginárias, passadas e presentes, feitas de coragem e outras variações do medo.

Os rituais alfandegários ainda não obrigavam a iniciativa das ações. As placas e suas setas multidesdobráveis conduziam as escolhas, a iluminação excessiva deixava claros os caminhos e disfarçavam bem as sombras. A bagagem desfilando na esteira guardava o único pedaço reconhecível do mundo. Nas filas, a vida tecia sua hierarquia segundo a cor dos passaportes. Que fosse bem-vindo, diziam as bocas da publicidade, que entrasse que o mundo era seu. Os carimbos garantiam os meses que se prolongariam talvez por anos, quiçá por toda a vida. O sobe e desce das expectativas continuavam a desenhar um gráfico de incertezas na cabeça cheia de sonhos.

No desembarque, a multidão de não viajantes esperava rostos conhecidos. Eram peles ansiosas pelo toque, por alargar os cantos da boca e mostrar os dentes, estender braços. Mais do que ver para crer, o desejo mandava tocar mãos com as mãos, apertar bochechas, encostar lábios nos lábios, talvez um pequeno excesso a querer sentir na língua a outra língua, o hálito ruim da viagem ignorado pelas saudades. Ninguém esperava Leonel. Que se não havia ninguém à espera, Stefan ensaiou um otimismo, era porque todos estavam, não podia limitar os encontros já no desembarque. Que os caminhos ficassem abertos, que o cardápio fosse infinito até que as escolhas se fizessem.

Mas o mundo de verdade resistia em aparecer, faltava a Stefan mais um voo rápido, de São Paulo à tal Curitiba perdida – que por que mesmo uma cidade tão pouco palpável, tão pouco expressiva? –, faltava a Leonel a viagem de trem de Amsterdam a Utrecht – Paris ou Bruxelas não teria sido escolha melhor? Tinha amigos dançando em Montpellier.

A língua era música estranha. Ouvidos que durante trinta anos receberam os golpes da língua materna passavam a captar outra frequência de ruídos, nasalizações espúrias, gargantas rascantes, quinas áridas, bumba meu boi. Holandeses costumavam ser fluentes em inglês desde novos. Mas e quando caíam em terras ágrafas em outra língua? Poderia se virar em inglês enquanto ia aprendendo o holandês devagarinho, a recomendação de Anne-Marije embrulhava Leonel.

Mal subiu e o céu de São Paulo já deu lugar ao de Curitiba – nublados ambos –, quarenta minutos que voaram juntos com o Boeing 737-700 da Gol. As luzes de Curitiba apareciam na noite que ia preenchendo a cidade. O nevoeiro parecia fora de lugar, talvez tivesse enroscado na barra das calças e vindo junto. Utrecht a acompanhá-lo sempre, cachorro grudento e fiel que não entendia o dono a sacudir as pernas para livrar-se do bicho. A neutralidade dos espaços se diluía como a neblina. O trem era silencioso demais, os ruídos só na cabeça. Demorou para sair dos trilhos subterrâneos, viajou no escuro adiando o encontro com a paisagem que enfim apareceu no descampado, a neve vista pela primeira vez, o branco escurecido pela noite. Por que a viagem não durava para sempre?

As rodas da aeronave tocaram Curitiba. Nenhum fiscal cobrou-lhe o bilhete do trem que abria as portas para que pisasse em Utrecht.

Não havia mais estágios, as portas para o chão do outro mundo se escancararam. Os sorrisos publicitários abençoaram outra vez os viajantes, fossem com Deus, com o cartão de crédito. A pretexto de descansar, parou sentado nas malas, desalfabetizado. Onde as setas abundantes, as esteiras a desobrigar os passos, o conforto das indicações? Atrás, na porta da Utrecht Centraal. Na nuca, na porta do Aeroporto Afonso Pena. A cada passo não dado, o som seco do presente.

De grego?

Pagar um táxi para deixar as malas no endereço do hostel, colocar bermuda, camiseta, tênis, sair correndo. Dezessete quilômetros até a praça Eufrásio Correa, o Hostel Roma logo em frente. Loucura sair correndo pela cidade desconhecida, anoiteceria no meio do caminho, mas precisava desintoxicar o corpo encarangado, sentir o sangue também correr, a temperatura boa, dezessete quilômetros podiam ser feitos em uma hora e meia, a avenida longa em linha reta. Era o Super-Homem à procura de cabine telefônica para trocar as roupas. Entrou no banheiro, as malas se reviraram e estava pronto. Olhavam para ele com o canto dos olhos curiosos. Era Stefan dentro de suas bermudas, amparado pelo GPS do celular e fones de ouvido prontos para as instruções do caminho. Com o mapa digital de Utrecht na palma da mão, Leonel era uma bolinha azul no espaço, movimentando-se devagar, faltava uma touca, as luvas atrapalhavam o manuseio do *touchscreen*. A Biltstraat não devia ser longe, que atmosfera era aquela, seriam os carros, as construções, a neve, calçadas, bicicletas, pessoas, o que tornava tudo tão estranho aos olhos? Enquanto pudesse depender da tecnologia não precisaria falar, estavam na tela os caminhos. Teria sido assim se não fosse a mulher, parda como ele, que o interpelou. Não era tarde, mas o inverno já apagara o dia e o frio varria as calçadas, vazias. Não entendeu o que ela disse e afirmou ser turista, a frase decorada. A mulher mudou para o inglês, ele pediu para repetir e repetir outra vez, ela envolta em véu, sem mostrar os cabelos, pela terceira vez a repisar a frase até que *homeless* se sobressaiu. Sem saber por quê, tirou do bolso o pequeno maço de notas trazidas do Brasil, as menores de dez euros, olhos crescidos, e na fração de segundos medrosos os dez euros mudaram de mãos, ela não atinava para o agradecimento. Um ar rarefeito de superioridade destravou-o: por que não treinar inglês com uma mendiga? Ela não o julgaria, poderia ser *sparring*, o termo inglês brotando espontaneamente animou-o, a mendigos não devemos satisfação, que ideias eram aquelas, o que estou dizendo a mim mesmo?, por que fui dar dez euros à mulher?, ela ali na frente dentro dos vestidos longos, o rosto redondo fora do véu, mas tecidos tão leves para um frio tão pesado e Leonel perguntou – hora de soltar o inglês, a vida começou – *are you hot?*, com ar de compaixão, esfregando as mãos e, surpreso, vendo-a arregalar os olhos e jogar a nota na calçada. A pergunta fora feita com inocência, queria saber se ela estava aquecida, você está quente?, é que o tecido pouco, pensei que. A mulher caminhou na quase-corrida olhando para trás em intervalos curtos. Leonel revisou os verbos, palavra a palavra, tudo fazia sentido, até invertera o sujeito. Talvez o inglês ruim fosse o dela, por isso ela precisou repetir tanto o que queria. Riu, era ela quem falava mal, só podia ser, entendeu mal a pergunta simples, e recuperei meu dinheiro, cada doido. Sentiu-se pertencendo a alguma elite intelectual, e pensar que já ia cedendo ao complexo de vira-latas. *Are you hot?*, verbo *to be*, o primeiro e mais primário dos verbos. Não tinha como errar. *Hot* era *hot*, uma das primeiras palavras do vocabulário escolar, *hot-dog*, cachorro-quente, *am I? Is he/she? Are you*, você está, ser, estar, está, ser, é. É. Você é quente? No erotismo involuntário, tinha perguntado à mulher se ela era quente. Antes de se deprimir, preocupou-se em apressar o passo (*estreia péssima do nosso autor-criador*). Não falar uma língua era parecer retardado. Quando olhou para cima, a Domtoren o encarava e um silêncio reverente se impôs.

Escapei de um apedrejamento, pensou sem saber se brincava, ignorante de tudo o que dizia respeito àquela cultura tão longínqua e exótica.

O taxista viu as roupas de Stefan e não teve dificuldades, já com as bagagens no porta-malas, de adivinhar a pretensão do estrangeiro de correr até o hotel. Passou-lhe pela cabeça dizer que era perigoso, depois voltou atrás, não se faria entender, nenhum gesto que indicasse perigo veio ao encontro, as aulas de inglês antes da Copa não tinham sido de grande valia. Quando *danger* apareceu para socorrê-lo, não adiantava mais, a palavra chegara atrasada, Stefan não caminhou muito e já trotava, o aquecimento se fazia correndo, o tempo abafado favorecia as articulações, tinha esperança de sentir o corpo encarquilhado se soltar. Entre o aeroporto e a Avenida das Torres, descida boa, calçada ruim, matagal brotando entre as pedras do calçamento. Agarrou-se à faixa amarela que margeava o asfalto, corda bamba que se rompia de vez em quando por bueiros mal nivelados. Foram dois quilômetros e meio até a Avenida das Torres, que, o mapa prometia, seria mais larga, melhor para enfim olhar a cidade até então meio invadida pelo mato, com galpões, estacionamentos e casas tão diferentes umas das outras.

As pessoas são como o mato, se enfiam de qualquer jeito em qualquer lugar, crescem sem ordem, mas livres, pensou um. Livres, mas sem ordem, pensou outro. No Brasil, uma ponte, um viaduto eram acontecimentos solenes. Na Holanda, as edificações e o asfalto pareciam ter sido incluídos no pacote da criação divina. Após o *fiat lux* – com fiação já subterrânea –, Deus criou estradas, trens e casas. Canais. E bicicletas também, mas viu que elas estavam muito sozinhas e em cima delas colocou homens e mulheres. Plantas são criações posteriores, artifícios humanos, pensou Stefan já arfante, também Leonel, admirado, a arrastar-se debaixo da Domtoren até sair na Domplein em frente à Domkerk em direção à Domstraat, tentando desvendar a profusão de *dom* apontada pelo mapa. Ali estava Leonel e o corpo que ele tinha. Não, não o corpo que ele tinha, o corpo que ele era, era esse corpo que se chamava Leonel. Não é o corpo que carrega o sujeito, é o sujeito que só é sujeito por causa do corpo e que (*já bocejei duas vezes*). E que a voz de Cícero aparecia para atrapalhar, para envergonhá-lo, deixá-lo frágil. Estava em jejum. Talvez fosse bom descansar um pouco, mas a Domtoren não parecia amigável para repousos, tudo molhado e meio escuro, apenas uma estátua grande iluminada na praça. Restava a opção de entrar em um dos tantos cafés e restaurantes, mas dizer o quê? Como abrir a boca, o que pedir, um pingado e um pastel de palmito? Ninguém caminhando nas ruas, só a lufada de fumaça no rosto, carros e caminhões e ônibus, o jejum, o enjoo, ideia idiota ir correndo. Não sabia o que havia embaixo do viaduto que pulava sobre o rio Iguaçu – e que desembocaria nas cataratas a mais de quinhentos quilômetros dali. Na margem do rio, trens enferrujados rastejavam no meio de ocupações irregulares que espremiam pessoas. Curitiba tinha mar, o de casebres que marcavam com tábuas soltas, chapas de zinco oxidadas e papelões úmidos o espaço onde um vivente entre tantos cercaria o território para o corpo. O mar cortado por um rio que se estendia pelas periferias do Boqueirão, chegava às do Sítio Cercado, à Vila Osternack – que Stefan ou Leonel nem sonhava existir, ainda menos saber que era chamada de Osternackistão. Tinha fome, mas como pedir, teria de dar gorjeta, não haveria em Utrecht um self-service?

Torcia para encontrar Gonçalo no endereço dado, imaginava-se gaguejando com Anne-Marije, com quem pelo Facebook quis parecer descolado (*bem-vindo ao mundo real, onde o corpo é afetado e precisa estar presente, quero ver o inglês de Google tradutor agora que é preciso olhar no olho*). Aguentar o tranco, a náusea, a falta de jeito com a língua no jejum de outra ordem. Mas jejum. Como a cidade era limpa, os muros não estavam pichados, e recostou-se em um poste para alongar os braços. Tirou a mochila e tocou as palmas das mãos no chão, depois cruzou-as nas costas. O mundo acontecia diante dos olhos de Leonel, o alienígena. Demorou-se ali, esquecido do frio agora sem neve, até as orelhas começarem a doer demais. O suor escorria, calor e frio, enjoo, barriga vazia e o coração acelerado. Da corrida, era claro. Um estranhamento completo de tudo, o que estava fazendo lá, que lugar era aquele, não via um rosto desde o aeroporto, filas de carros e a fumaça dos caminhões, as luzes todas que furavam a noite recém-chegada.

No viaduto sobre a Linha Verde, o horizonte se aproximou, já pôde distinguir melhor o que só podia ser o centro da cidade, a conquista da civilização. As calçadas passaram a ser ladeadas por ciclovia de asfalto vermelho. Não entendia para quem eram, ninguém a pé, bicicleta nenhuma, e uns sujeitos encapuzados – as roupas maiores que o corpo caíam e deixavam metade da bunda à mostra –, deitados em uns barrancos à direita, berraram alguma coisa. Seriam marroquinos? Um correu na direção de Stefan, mas não se aguentou sobre as pernas. Os amigos riram alto, berraram mais e Stefan seguiu, o susto imediato esmaecendo os sustos todos. Viu pequenos grupos fumando tranquilos em becos na parte baixa da avenida, por que ficavam naquela escuridão, o país não era violento? Faltava pouco, mas a parada longa fez o frio vir com tudo. Lembrou-se de algum documentário remoto, corpos congelados de alpinistas mortos eram conservados por muito tempo, não envelheciam mais. O tempo só parava para os mortos (*E?*). Que a vida corria e com ela o mundo na frente dos olhos. Isso era evidente demais, mas no além-aquém, dentro, onde a vista não alcançava, ali tudo era mais turvo.

As orelhas logo cairiam quando, uma mensagem dos céus?, pisou em uma touca no chão. Tinha recém-caído, restava seca na calçada úmida. Se a juntasse, não teria de deixar a dignidade em troca, no chão que nem era dele? Não teve a coragem. Levou as luvas às orelhas, esfregando-as apesar da dor. Logo após saltar do trem, Utrecht já o havia abraçado com mãos geladas, mas ele mergulhara em seguida no Hoog Catharijne, um centro comercial contíguo à Estação Central, aquecido e confortável, sem ligar para as toucas que acenavam das vitrines. Na saída passou pela Vredenburgplein, onde uma feira oferecia artigos diversos, mais uma vez cachecóis e toucas, dessa vez dividindo espaço com comidas holandesas, *vietnamese specialiteiten*, *surinamese snacks*. Uma feira-livre, bem livre, de sapatos a trouxinhas de repolho. Mas o frio ainda não havia se instalado nos ossos. Agora estava longe, perto do destino (*não venha fazer uma longa reflexão sobre o destino*), a casa na Biltstraat, pela qual passeara tantas vezes com o Google Street View.

Viajar é também alienar-se, errar. Os grupos que fumavam na escuridão viajavam quando o GPS se confundiu e deixou Stefan solto no mundo, sem que o fio invisível que o ligava ao satélite pudesse titereá-lo. Bastava manter a calma, ele tinha mentalmente o mapa do trajeto, quase ao final da Avenida das Torres, virar à esquerda, mas nessa ou naquela? Era outra rua lá na frente? A errância diminuiu a intensidade e a confiança das passadas. O que a qualquer curitibano seria fácil decidir – não ir reto, não cair debaixo do viaduto da ferrovia – tornava-se aleatório para alguém cujas raízes farejavam a terra pela primeira vez. Seguir reto significava encontrar nativos viajantes entorpecidos vendo outras paisagens. Dar de cara com os fantasmas e os fantasmas eram os seres mais perigosos. A cidade já não os via, mas quem chegava ainda tinha de ser treinado para reconhecê-los como sombra e risco. Stefan não seguiu, resolveu ir atrás de torcedores que caminhavam com camisas vermelhas e azuis. Virou à esquerda na Engenheiros Rebouças e o GPS, talvez encorajado pelo pequeno grupo, reapareceu na tela, as ruas correspondendo aos mapas, o corpo à sua representação, e enfim o holandês localizava precisamente a cidade onde escolhera se perder.

Estava perto, enjoos e jejuns eram incômodos remotos depois de vagar sem ligação com a terra, com o ar. Não era fácil estar à solta. Daquele ponto da Conselheiro Laurindo até a avenida Sete de Setembro apenas um quarteirão, duzentos metros, se tanto. Do final da Domstraat até a Voorstraat, os mesmos duzentos metros, as rodinhas da mala barata batiam no chão de bloquetes encaixados. Leonel temia que o barulho, semelhante a rajadas de metralhadora (*é a mulher que você ofendeu. Está vindo atrás de você, cuidado, se abaixe*), incomodasse as poucas pessoas, vontade de pedir desculpas. E sorria sem jeito para quem passava e não o via. Era a garoa virando neve? Cruzou a Janskerkhof sem admirar-lhe a beleza, preocupado demais com os nomes das coisas, confundíveis, de memorização difícil. Depois da Jansalgumacoisa, queria certificar-se de que alcançaria a Boothstraat que o levaria à Voorstraat, bastando segui-la até que se transformasse em Wittevrouwenstraat que, por sua vez, após passar pela Wittevrouwenbrug, receberia o nome de Biltstraat. Biltstraat era o porto seguro (*claro*), seu primeiro ufa. Sair do chão saltando e tornando ao solo era experiência corriqueira na dança. Muito diferente era ter o chão tirado dos pés, a ausência de prontidão do corpo, o corpo-susto. Os enforcados em cadafalso conheciam a experiência, mas não tinham tempo de contá-la. Por que Leonel comemoraria a chegada? Ora, explicava a si mesmo, para enfim viver a escolha (*ser livre, estar solto, à solta, blablablá*), o que, claro, implicava tomar decisões e suportar as dificuldades, vamos lá, o pânico de agora ainda será contado aos jornais, entre risadas (*hahaha, não tem graça nenhuma*), nas entrevistas – em inglês ou já em holandês (*não pense em idioma, pense em idiota. Você é idiota*) –, será material de trabalhos futuros, importante a apreensão desses medos, do conhecimento que nasce do corpo vibrátil que sente e incorpora (*corpo que incorpora, Leonel?*) a experiência. Se eu quis viver como se só houvesse amanhã, o amanhã chegou (*virou publicitário medíocre também?*). Ora, que Cícero calasse aquela boca.

Estava a poucos passos da Biltstraat. A paisagem do trajeto entrava nele filtrada pela inquietação. A insegurança fazia-o agarrar-se ao mundo conhecido, criava ilusões, esperanças sem sentido, suposições: a França não teria sido melhor, Curitiba não iria mudar a forma de fazer os editais, a Lei Rouanet não seria aperfeiçoada? Talvez o Brasil melhorasse, e se a crise fosse mesmo passageira? Não era mesmo necessária a tormenta para que o cenário ficasse limpo de uma vez? À beira do futuro que havia pouco era miragem e idealização, Leonel começava agora a compor miragem e idealização do que acabara de deixar para trás. Seu último não-lugar, o último espaço sem exigir dele um rosto, um corpo-presença, depois de três aeroportos, havia sido a Utrecht Centraal. Agora era novamente sujeito que precisava fazer a vida andar. O corpo deve ser autor na dança e na vida, repetia como mantra. Os trilhos que unem também separam, margeiam o rio e dividem os casebres. No final da Avenida das Torres, onde quase se perdeu, os trilhos se encontravam com o rio Belém. Fantasmas de ponta a ponta. Depois de quase ser atingido pela garrafa jogada por um bêbado que ele não viu, depois de escapar de um assalto certo, estava na praça Eufrásio Correia, em frente ao hostel.

Recuperava o ar e ganhava tempo, girava o tronco – estava mais cansado que o normal, a viagem, as esperas, o estômago. Ao menos se hidratara bem, as garrafinhas de água Thonon distribuídas pela KLM medravam dos poros, a sudorese era saudável, o coração chutava o peito, comer e descansar. A bagagem esperava por ele no saguão (*que não se esquecesse de quem viera junto*). Na Biltstraat, a porta da casa verde de três andares estava a um metro do nariz. A organização das edificações era conhecida, comércio no térreo e habitações em cima. Leonel não contava que o número indicado por Gonçalo estivesse fixado em uma posição ambivalente, entre uma imobiliária e uma agência de turismo. Arriscaria, não podia demorar-se em contemplações, o frio descobria as fissuras mínimas e forçava passagem pelas fibras do tecido. Talvez devesse ter pegado aquela touca no chão negociando só uma parte da dignidade.

As portas estavam fechadas, o dedo na campainha com o mesmo som de cigarra. Uma voz do outro lado do interfone disse algo que Stefan não entendeu, Leonel tampouco. Alguém no mundo que não fossem carimbos, pedintes, fantasmas ou portas com sensores daria a eles a garantia de que existiam. Interpelados pela pergunta-ruído, fariam sair algum fio de voz, som minimamente articulado que desencadeasse ação. Mover-se para o mundo girar. A palavra era a senha para que outro sujeito ainda sem rosto – que estava tocando a vida desde muito antes de Leonel ou Stefan decidir viajar – fosse levado a parar o que estava fazendo e dar uma resposta como abrir a porta, perguntar mais alguma coisa, jogar um balde de água sobre suas cabeças, qualquer coisa, por mais idiota que fosse, só porque cada um, sem saber o que dizer, disse seu nome e uns gaguejos sem continuação:

— Leonel, eu sou... *I am.*

— Stefan, *Ik ben... I am.*

(*Você não pode ir adiante. Que não podia dizer quem era porque não sabia quem era,* talvez Ahmed tenha dito, ou Cícero).

A língua tropeça na língua, cai no primeiro passo. Faz-se um silêncio de hesitações, silêncio de palavras-quase e de um passado ubíquo que sempre vai restar no horizonte de cada um.

II

A porta aberta deixou ver uma escada muito inclinada, com degraus que comportavam a metade de um pé. O piso antigo de madeira grossa recebeu os passos de Leonel e as tábuas gemeram. O rapaz estava de costas, o corpo querendo se virar para atender Stefan, mas uma teimosia dos olhos grudava-o à televisão, alguma cena importante, um casal que se agredia e depois de trocar olhares se beijava. Stefan ensaiou o melhor modo de encarar o recepcionista, mas acabou fixado pelo beijo, longo, com lágrimas que riscavam o rosto dos atores. A mulher com um manto cobrindo os cabelos acariciava uma menina que chorava, a cabeça também coberta. Leonel adivinhou a doçura das palavras, árabes, pela musicalidade da voz. Quando os créditos subiram na tela, ele inteiro se voltou para Stefan, um sorriso vesgo de desculpas, sabe como é, último capítulo. Os olhos foram os últimos a chegar e se surpreenderam, Stefan também chorava. Não sabia que programa era, quem eram os atores, mas era um beijo. Na recepção de um hostel dois desconhecidos choravam.

Stefan soltou frases simples, mostrou passaporte e papéis da reserva. Isabelle, você fala inglês, atende o gringo?, perguntou o chorão à garota tatuada que passava com pressa, já se desculpando, não dava, tinha compromisso, estou atrasada, fico devendo essa, eles ficaram juntos no final, né? Saiu, rindo-se toda. Ao ouvir a mudança de tom e de língua, da familiaridade árabe para o inglês desacostumado, a menina desgrudou a cabeça enterrada entre as coxas da mulher e olhou-o com surpresa. As lágrimas deram meia-volta. As perguntas não faziam sentido imediato, Leonel precisava reconstruí-las, colhendo os sons amontoados para desembaraçá-los depois. Era outra chance de destravar, as frases simples ficavam à disposição, *Basic one*, verbo *to be*, *presentations*. Só conseguiu dizer: Gonçalo. O rapaz estendeu a chave e começou a falar um português câmara-lenta, como se falar devagar bastasse. Que deveria tê-lo chamado de *domoor* lentamente para ver se entenderia: *d-o-m-o-o-r*, Stefan pensou. *Idioot*.

Leonel compreendeu as perguntas e demorou uma piscada de tempo para sacar que ela falava espanhol, se ele era o rapaz brasileiro, se tinha acabado de chegar, devia estar cansado, e pedia à menina para dizer *hola*. Gonçalo estava no banheiro. Se Zineb já tinha ouvido falar do Brasil, ela perguntou alternando o olhar enquanto arrancava o véu e estendia-lhe a mão, *hola*, era Fadilah. Zineb acompanhava o gestual das apresentações com olhos indecisos. Secadas as lágrimas, Stefan seguiu para o quarto que seria seu até se acostumar à cidade. Um casal saiu conversando sem notar-lhe a presença. Outro hóspede passou atrás dele e disse algo. Se era saudação, pedido de licença ou censura por bloquear a passagem, não soube. Para não ficar no silêncio, sussurrou um *hi* escondido no pigarro e entrou ligeiro.

Gonçalo apareceu na sala terminando de fechar o zíper e enxugando as mãos na calça, já vi que estão a se entender, fizeste boa viagem, conseguiste pegar o trem, o Brasil não tem disso, não é? Fadilah, este é Leonel, Leonel, esta é Fadilah e essa menina azeda é Zineb, que anda a chorar por bobagens – fica tranquilo, quando falo rápido Fadilah não entende. Vocês terão tempo de conversar, logo Hicham chegará, ajeita-te aí, preciso sair, amanhã a vida começa, prepara-te, brasileiro.

As malas tombaram exaustas na cama. Abriu as cortinas e viu a praça iluminada, um prédio imponente à esquerda, ônibus semeando e colhendo pessoas. A luz amarelada dos postes aumentava o calor. A neve caía mais forte e as bicicletas escasseavam, estava tarde, as casas na Biltstraat eram coloridas. Rebeldes, fugiam ao padrão dos tijolinhos à vista.

O menino nascido a mais de dez mil quilômetros ocupava aqueles metros quadrados inéditos, encostava a cabeça na janela e via o mundo funcionar. Poucos clichês são mais melancólicos do que, sozinho, alguém pousar a cabeça no vidro de uma janela.

A mochila desmaiada na cadeira esperava ser aberta para trazer o conforto das coisas conhecidas. No espelho do quarto, um homem assustado. Estava nas mãos de uma árabe. Acabava de chorar por um beijo na TV.

Gonçalo nada dissera a respeito de morar com árabes que usavam mantos cobrindo a cabeça. Aquela mulher não deveria estar ali, mas muito longe, sob um sol que castigava ruínas, entre explosões e escombros, chorando a morte de crianças em algum massacre, rodeada por homens com turbantes empunhando metralhadoras, pedras, paus, em algum lugar quente e empoeirado do mundo. Tudo enquanto outras notícias passavam rápidas na parte de baixo da tela, com a logomarca da CNN a que tanto Leonel assistiu para treinar inglês (*e que não adiantou nada*).

Não quis sair do quarto, podia aguentar sem comida até Gonçalo aparecer pela manhã. Acharia o banheiro no meio da noite, todos dormindo. Hicham, quem era Hicham? A casa não mostrou os detalhes para um olhar que pouco via, Leonel um animal arisco com atenção para as sobrevivências, era correr ou lutar, a contemplação que esperasse. Deitou-se, fechou os olhos. Voltou ao mundo quando ouviu um baque seco na janela, uma pedra atingira a vidraça. Olhou para fora e viu três sujeitos esmolambados, como os que vira no trajeto do aeroporto ao hostel, os fantasmas. Gritavam, pediam dinheiro, precisavam encher um cachimbo. Teve vontade de fumar e sentiu a primeira saudade, o *coffeeshop* de Kees a amortecer o pânico, mesmo que quase nunca fumasse e só acompanhasse Machiel. Tão violenta quanto o pânico eram a ansiedade e suas intimidações, os escudos inúteis porque os ataques vinham de dentro (*se ele era um cavalo de troia*). Precisava cuidar do corpo, comer bem, correr bem. Os fantasmas voltavam as costas para a janela, com uns muxoxos desenhados pelos gestos, quando foram parados por uma viatura. Não houve conversa, palavra nenhuma. Chaves de braço, manobras de imobilização, a revista rápida fisgando algo dos bolsos esfrangalhados. Uns chutes depois e os policiais se foram, deixando em silêncio os três malucos. Sentaram no gramado da praça, do poste pingava uma bolha de luz amarela, Stefan se encolheu. Ouviu a batida na porta, quem àquela hora? Quanto tempo dormira? Limpou alguma saliva pressentida nos cantos da boca (*se não fala inglês acordado, imagine dormindo*), o hálito ruim, esperou, talvez quem batia fosse embora. Nova batida, um pouco mais forte, ainda assim delicada, meu deus, e se for um homem-bomba?

Era Zineb, ainda mais assustada que Leonel, quem trazia sopa, um pedaço de pão e outro de bolo. O que uma criança fazia acordada tão tarde? A travessa funda vinha apoiada em um prato, com colher e um guardanapo entre as duas louças. Leonel pegou a sopa das mãos de Zineb, disse obrigado, depois *thank you*, depois *gracias* (*o troglodita poliglota*), enquanto o movimento de depositar o prato no criado-mudo lhe dava tempo de decidir: voltar para acariciar a cabeça de Zineb? Poderia tocar seu manto? Se por descuido o dedo enroscasse, se desvelasse um fio de cabelo, entrariam barbudos de armas na mão? Quando se virou, ela não estava mais lá. Aproveitou para trancar a porta (*que eles vão estourar com as metralhadoras, buuuuu*). Com os cabelos molhados, o corpo desprendido das células velhas, era um sujeito renovado e com fome. Quis vagar um pouco que fosse, aproveitar o tempo quente, os fantasmas haviam sumido. Disse que estava faminto, repetiu a palavra esfregando a mão direita na barriga enquanto a esquerda abria e fechava os dedos na altura da boca. *Hungry*. O rapaz acompanhou Stefan até o lado de fora e apontou a porta do Shopping Estação, uma edificação reconstruída a partir de uma antiga estação ferroviária. Stefan caminhou pela Sete de Setembro, atravessou-a estranhando as paradas de ônibus – pôde vê-las de perto – e o movimento ainda grande dos carros rodando ou parados nas faixas dos ciclistas. Seguiu a avenida até alcançar a porta, animou-se como criança quando viu as lojas, mesmo já fechadas, mostrando vitrines repletas de produtos reconhecíveis, Adidas, Nike, Asics, tudo estava lá. A sopa era boa, não importava se pelo tamanho da fome ou pelo exotismo do sabor, e sugeria ingredientes desconhecidos (*vísceras humanas*). Pessoas comuns, amigos que saíam do trabalho, jovens vestidos com roupas tipicamente ocidentais bebiam suas cervejas. Nenhuma mulher usava manto. Desde que chegara, havia falado com o taxista e o atendente do hostel. Nas ruas, somente seus fantasmas. Jovens bebendo e conversando o tranquilizaram, ali viviam pessoas normais, concluiu mais ingênuo que arrogante. Abocanhou o último pedaço de pão amassado com força no resto da sopa. Só um banho, só faltava um banho para ver a vida com mais vontade outra vez. Era quase capaz de ir para a sala enfrentar de peito aberto (*as metralhadoras?*) os companheiros de morada.

A casa ficou em silêncio, parecia finalmente dormir, a madrugada engolira a noite e pela primeira vez experimentou a normalidade. As normas de cada um davam o tamanho do mundo, o cosmopolitismo das teorias sucumbia sem resistência ao ninho confortável da experiência restrita da província.

The best burger in the world, dizia o slogan da hamburgueria curitibana. Se antes não tinha percebido a impaciência dos atendentes – fizera o pedido poucos minutos antes do fechamento –, não seria depois da mordida que notaria algo. Não podia saber o que cada funcionário teria de passar para chegar em casa. Fechar o caixa, limpar tudo para a equipe da manhã seguinte, pegar ônibus até os limites da cidade, para lá da cidade, para as regiões metropolitanas, e chegar já no outro dia. A única resistência ao prazer veio do excesso de carboidrato, gordura e proteína depois de um dia inteiro de nutrição pobre. Lembrou-se das vitrines, as principais marcas esportivas estavam lá, e pediu um caneco de chope. Escrito no guardanapo, em caligrafia cuidadosa, a letra feia dizia que ele era bem-vindo. E que apreciasse a *harira*. Ainda dizia, em espanhol, que estava à disposição e sabia como era difícil chegar a um lugar novo. Tão misturado quanto lentilha, grão de bico e especiarias era o que sentia Leonel, ferido no orgulho, a inaptidão notada por uma árabe (*o senhor Leonel mostra que as garras do preconceito, quando provocadas, arranham*), afinal ele era um artista e, mais que isso, um intelectual da dança, das artes performativas. Talvez até Zineb estivesse rindo dele (*ela eu não sei, mas eu estou*). Ao mesmo tempo aconchegou-se nas palavras que ofereciam abrigo, um colo. Limpou a boca nas costas da mão e guardou o bilhete. Meses depois – semanas, quem sabe? – poderia relê-lo e enfim vingar-se e agradecer, assim, a um só tempo. A metade final do chope não ajudou a umedecer as entranhas, batia em piso impermeável e subia. Era o último cliente. Pagou e foi para o hostel, tomou a benzodiazepina e tentou dormir. O comprimido forçava o corpo insone a se entregar, mãos ao alto, rendendo-o à força. O remédio confundia instâncias. Ouviu burburinhos vindos da sala, passos no corredor, pés parados em frente à porta. Alguém falava. Esperou novo silêncio, saiu do quarto, toalha de banho, xampu e sabonete equilibrando-se nas mãos. Manteve as luzes apagadas e foi se acostumando à escuridão (*vai, vai se acostumando*), tentando adivinhar a porta do banheiro, conhecendo pelo viés dos mistérios o espaço que o recolhia. Na sala, pratos espalhados, garfos de plástico, um pedaço desmoronado de bolo e copos usados. Talvez fosse aniversário de Zineb. Pisou algo mole. Era Fadilah quem se encolhia em um canto, sobre um colchão fino. Abrigada em seu corpo, conformada à silhueta, estava Zineb.

Ahmed parecia revigorado. Mesmo que a foto estivesse trancada no arquivo de um notebook desligado, ele aparecia em sonho, no sono cheio de buracos, mão e olhos ameaçadores, mas ameaçadores por quê? (*se tinha medo de que mãos e olhos pudessem causar algum mal. Com que mal sonhava? Um mal físico? Que não tivesse medo, os sonhos serviam para deitar os pudores à margem. Que mesmo os piores pesadelos podiam ser libertadores. Não queria dizer de que mal físico tinha medo? Que a mão assassina era forte, não? Que os olhos eram capazes de puxar com tanta força, um cabo de guerra entre um gigante e uma criança. Estava longe, não podia degolar Stefan. Que só podia existir em Stefan e somente Stefan poderia fazê-lo falar).* Perdón, ela teve a bondade de se desculpar, como se atrapalhasse a passagem e não tivesse sido ele a mudar a rotina da casa. Fadilah descolou-se de Zineb e se levantou. Os cabelos soltos e, mais, desgrenhados e explícitos – uma espécie de vassoura gasta –, mostravam uma obscenidade que Leonel não conseguiu apreender. *Sorry, perdón.* Desculpe-me você, ele disse, e na voz baixa dos grandes segredos tentou explicar e fazer perguntas ao mesmo tempo, precisava tomar um banho, por que dormiam no chão?, que dormissem lá no quarto, ele dormiria ali, sou eu quem está atrapalhando, *disturbing* etc. (*você falou* atrapajando, *Leonel?*), e em resposta ouviu que não, ela não ficaria feliz deixando-o dormir no chão, Leonel retrucava, que dormiria sem problemas – ele não acreditava, trocaria a privacidade do quarto pelo chão por onde passavam todos, quem quer que fossem todos –, e a cama do quarto era grande, ele insistia desapontado, caberiam Fadilah e Zineb, Fadilah dizia não, a boa educação de Leonel mandava dizer sim e no aglomerado de não e sim Fadilah disse o que Leonel julgou não entender: que dormissem na mesma cama deixando o colchão pequeno para Zineb? Enquanto encaixava as palavras ouviu-a dizer ainda que ficasse tranquilo, ela não se interessava por homens.

Então indicou a porta do banheiro.

Se Stefan não conseguia abrir os olhos para fugir dos sonhos ruins, Leonel mantinha-os arregalados embaixo do chuveiro. A madrugada seguia seu percurso gelado, mesmo assim ouviu lá fora uma algazarra de jovens se divertindo. Se em tempos de estabilidade usaria a arruaça para as digressões e conclusões de sempre – sua juventude nunca se manifestou em bagunça nas ruas e álcool, mas em reclusão e dança –, dessa vez a gritaria foi mera paisagem sonora. Dentro de Stefan a voz de Ahmed, o eco do sonho prolongando-se até a vigília frágil, as armas ainda depostas, sem os sentidos despertos para distrair pesadelos. Sentou-se na cama, suado, Ahmed, o verão, ventiladores, elementos do mundo concreto e dos sonhos demoravam a decantar, a distinguir matizes e fronteiras. O vapor do chuveiro embaçava mais o fraseado espanhol e Leonel buscava um sentido diferente daquele a que – só podia ser piada – fora induzido: encontraria uma muçulmana lésbica e mãe – ou avó? – esperando-o na cama? O banho quente, a água boa, o conforto dos músculos, tudo passou despercebido. O gesto automático fechou o registro e abriu a cortina do box. Que estreia péssima nas línguas, perguntar a uma encapuzada se ela é quente (*você não está correndo risco de morrer por isso?*) e agora isso. Demorou-se no banheiro, a esperança líquida na água, como se pudesse lavar mais que os suores noturnos. Machiel, a foto de Ahmed, a voz inventada habitando o delírio. A morte rasgava o quadro de cenário colorido. O alprazolam e a benzodiazepina ocasionais somados à paroxetina permanente lutavam para fincar grades protetoras ao redor da lucidez, Stefan a negar, a dizer que não tinha nada, não era nada, os tremores eram nada. O que de bom faria quando o dia amanhecesse?

Sentou-se no vaso. Um espelho solto, quebrado no canto, ficava encostado à parede. Viu uma cara apalermada em cima do corpo curvado, também as dobras da barriga, impossível eliminar aquilo, era só pele e músculo, não gordura. *No me gustan los hombres.* Que ingenuidade estaria por trás que não significasse o que parecia tão claro (*você é quente?*)? *Podemos dormir en la misma cama* guardaria que outro sentido, qual a senha do wi-fi para uma busca on-line? Girou a maçaneta e saiu. Criava um dilema falso, fingia hesitar entre correr ou somente passear pela cidade quando a manhã chegasse, mas era o presente quem lhe pespegava sustos. Abriu a janela e recebeu o bafo quente da madrugada. A praça entrou no quarto. A moldura mostrava uma paisagem imóvel até surgir do fundo da tela um fantasma carregando um colchão sobre a cabeça. O colchão se dobrava com o vértice no cocuruto, fazendo-se casa, colchão-telhado sobre barba grisalha. A pele de tinta encardida lembrou as paredes de Utrecht ou os marroquinos. Sobre o colchão um cão de pelagem falhada se equilibrava. Stefan forçou a vista: o cão vestia pijamas de flanela, a língua de fora acossada pelo calor. As calças da casa caíam, ela tentava segurá-las com uma das mãos enquanto a outra mantinha estável o telhado-colchão, o chão suspenso do cão arfante. A essa hora da madrugada, a cabeça não conseguia acolher tudo (*e quando consegue?*). Entrara no banho com toalha e xampu, sabonete e a roupa do corpo. Sairia nu, a toalha enrolada e nada mais? E se alguma Hicham aparecesse no caminho (*Hicham, homem ou mulher? Façam suas apostas*)? E se tivesse acertado as traduções e Fadilah estivesse mesmo deitada na cama *dele*? E se, estando deitada, ele mesmo assim tivesse entendido apenas parte da conversa? E se Fadilah gritasse acordando a casa, dizendo o brasileiro é um maníaco?

Colocou a mesma roupa da viagem, a roupa que escolhera com cuidado e que agora era a mistura de suores do verão brasileiro com a umidade do inverno holandês. Não havia ninguém nos corredores, não havia mais colchão na sala. Pela fresta embaixo da porta, viu uma luz fraca vinda do quarto. Torcia para que ao menos Fadilah e Zineb estivessem na cama. Ele dormiria no colchão fino, resignado.

A mão na maçaneta sem coragem de girá-la. Grudou os ouvidos na porta, nenhum som (*pelo menos não roncam*). Deu meia-volta, andou mais um pouco, e se Hicham aparecesse? Quem diabos era Hicham? Mais uma maluca? Um sujeito de turbante e barba serrada, raspada no bigode, de camisola e metralhadora na mão esquerda, uma cabeça decepada na direita como quem segura um lampião no escuro? Foi até a cozinha, louças se amontoavam. Lavar tudo seria um presente de boas-vindas. Encontrou uma esponja suja e um frasco amassado de detergente, quase no fim. Tocou-os. Desistiu. Enxugou as mãos na toalha da mesa, fechou-se em si, concentrou-se nos gestos e caminhou. Bateu duas vezes na porta e entrou sem esperar resposta, devagar mas decidido. Zineb dormia no chão, Fadilah na cama, em um extremo que deixava espaço grande, convidativo para outro corpo. A luz do abajur iluminava a camisola gasta e levantada, que deixava ver a extensão inteira das coxas, das nádegas, o começo das costas. Os cabelos se esparramavam no lençol. Leonel distinguiu a tatuagem:

وَمَن يَعْمَلْ مِنَ الصَّالِحَاتِ مِن ذَكَرٍ أَوْ أُنثَى وَهُوَ مُؤْمِنٌ فَأُوْلَئِكَ يَدْخُلُونَ الْجَنَّةَ وَلاَ يُظْلَمُونَ نَقِيرًا

O medo soprou-lhe a nuca, arrepiando os braços. No corpo à mercê do sono, as garatujas diziam mais do que se pudesse lê-las. Precisava abrir as malas, faria barulho, tinha de pegar os pijamas, se despir, vestir-se. Tanto tempo sozinho dentro do quarto e não ajeitara nada, não ocupara o espaço. Sair novamente para se trocar? Uma mulher e uma criança dormiam, mas se acordassem e vissem um brasileiro desequilibrando-se ao tentar arrancar as próprias calças e tropeçar nas barras, caindo, só de cuecas, no chão (*a velhota com a bunda de fora vai achar que você quer atacá-la, será que ela é quente*)?

Não tropeçou, não caiu, não fez barulho. A troca de roupas exigiu movimentos de dança e o tecido deslizou pelo corpo, o odor da roupa de viagem deu lugar ao cheiro de algodão e, com persistência, do amaciante de roupas. A performance – sem público – relembrou-o dos motivos que o levavam àquele mundo estranho (*alegrar-se por uma troca de roupas é humilhante*). Estava dentro de pijamas novos, mangas compridas e gola arredondada, calças também compridas. Poderia colocar Zineb na cama e então se acomodaria no chão. Mas pegar aquele corpo vulnerável de criança, tocar-lhe os cabelos, a pele, os ossos? Analisava o cenário (*catatonia não é análise de cenário*). Foi o movimento de Fadilah que o fez se mexer, abalo breve. Ela abriu os olhos, fitou-o sem deixar claro a que se devia a curiosidade. Afastou-se ainda mais para o canto, que se o espaço fosse pouco agora tinha mais. Dois terços da cama ficaram para o magro Leonel enquanto Fadilah, maior, ocupava o terço restante. Tanto barulho dentro da cabeça para, ao fim, tudo ser nada. Entendera o espanhol de Fadilah, era sim um convite para que dormissem no mesmo quarto, e era até provável que ela tivesse dito que não gostava de homens. Uma pequena segurança o aqueceu tanto quanto a calefação que ignorava a neve que caía na Biltstraat.

O corpo que começava a relaxar recuou. Quatro da manhã e Fadilah estava disposta a conversar. Leonel desligou o abajur mas as luzes da rua atravessavam a cortina de tramas abertas. Deitou-se de costas, ficou olhando as sombras esmaecidas que projetavam no teto o que acontecia na rua. Ela falou de Ahmed Aboutaleb, de Ondiep e da Plantage, de Abdellatif Kechiche, de xiitas e sunitas, de afogados na travessia de Ceuta até Algeciras, dos motivos pelos quais Zineb chorava, do que conhecia do Brasil – *el imperio portugués comenzó con la conquista de Ceuta en 1415, ¿sabias?* –, do que fazia na UU, do apoio de Michael van Praag a Ali bin al-Hussein, que desistira por motivos obscuros, de Sadiq Khan. Estivesse acordado e Leonel não entenderia nada. Se tivesse certeza do que Fadilah dizia, se houvesse uma dublagem para suas palavras, permaneceria náufrago. Dormiu já nas primeiras explicações. Ela ficou falando sozinha – talvez soubesse disso a certa altura –, passando a vida a limpo até se cansar e dormir, estendendo um pouco as palavras para dentro dos sonhos. Ninguém conseguiu reparar nos gemidos de Zineb, nos pequenos espasmos no chão depois de um dia difícil. Eram três pessoas dormindo abraçadas aos seus temores, nenhuma pelúcia para confortar a solidão.

Sonhou com uma pessoa usando capuz, que nada tinha a ver com o manto islâmico. Estava mais para um enorme cone meio dobrado em cima das cabeças, mistura estranha, como se Papai Noel fosse da Ku Klux Klan. Não se lembraria de nada no dia seguinte.

O lusco-fusco preguiçoso do inverno holandês dava as caras, mas já era tarde. O dia demorava a acordar. Virado para a parede, Leonel sentiu o gosto ruim na boca – dormira sem escovar os dentes? – e a presença de Fadilah. Girou o corpo de leve para ver se era verdade, se uma estranha dormia ali, a poucos centímetros. Além de Fadilah, a cabecinha de Zineb apontava fora da coberta. Na infância, as sombras o faziam ir até a cama da mãe. Quais seriam as assombrações de Zineb? Fadilah havia dito, mas Leonel dormira. Pediria desculpas, que tentou resistir ao sono (*tentou nada*), mas a viagem, você entende, não?

Ouviu Fadilah se mexer, o despertar antecipado por movimentos lentos e o longo bocejo terminado em aiai. Zineb acordava junto com ela, ou fingia acordar só agora, esperando-a despertar para não ficar sozinha com o estrangeiro. Depois do bom dia sem cerimônias, Fadilah olhou no relógio e soltou um *puta madre* discreto mas bem entoado. Zineb estava atrasada, já perdera a manhã toda de escola. Algumas vozes ecoavam pela casa, entre as quais se pôde ouvir a de Gonçalo. Era atravessar a faixa de pedestres descascada da rua Barão do Rio Branco e embrenhar-se na praça. As pessoas caminhavam com pressa em meio aos fantasmas, cujo ritmo era outro, a pressa nenhuma, presos ao lugar. Todos os caminhos eram válidos, tudo trilha aberta. À frente, o hostel, entre duas fachadas ocas. Quase se comparou àquelas estruturas bonitas, desmoronadas por dentro. Mas não conseguiu dar consistência à abstração. O pescoço de Machiel, os olhos arregalados de Ahmed (*se temia os olhos. E o peito peludo?*)

contribuíram para colocar algum peso existencial na vida desse pássaro púbere, mas faltavam palavras para vesti-lo. Eram âncoras no peito sem saber como emergir, por quais verbos. Talvez pelo suor. Decidiu correr pela Barão do Rio Branco, algo na arquitetura das casas chamou a atenção. Começou a trotar para logo, era a ideia, correr. Confuso e ainda cansado, desanimou ao chegar na Visconde de Guarapuava, a uma quadra do hostel. Os carros e os fios elétricos entrecruzados em caos apagavam a beleza da rua. O sono ruim ainda se espreguiçava nele, os pés se enterravam no asfalto. Como se estivesse nu em um sonho, via-se de bermuda curtinha e camiseta regata no meio de trabalhadores e fantasmas. Ninguém corria na cidade? Subiu as escadas revendo na lembrança o beijo da novela. Há quanto tempo não beijava? Quando beijaria alguém outra vez? A barba de Machiel, sempre por fazer, roçava-lhe a boca, deixando vermelho o filtro da face, o vão quase anônimo entre o nariz e os lábios. Como fora feliz até perdê-lo.

Dormira mal, hesitara em sair do quarto e agora voltava para ele. Era normal, sinal do desassossego diante da vida nova (*que a vida velha é que não se deixava enganar por uma viagem*). A ansiedade usava tanta roupa. Instalava-se no corpo e desfilava, fazia suas itinerâncias com desdém pelo hospedeiro. *D-o-m-o-o-r*. Se controlasse a respiração gratuitamente ofegante, a ansiedade atacava o estômago, se dominasse o estômago, era no coração saltitante que o pânico cavalgava. Ainda descascava-lhe as mãos, erodia os lábios, atiçava-o com pontadas na cabeça. Bicho invisível a voduzá-lo.

Brigou com a vontade de se trancar no quarto, temia apagar o que a vontade de mudança prometia. O Shopping Estação poderia ser uma saída (*que trocar a solidão isolada em um quarto pela habitada e anônima não era saída. Que não se enganasse, impossível sair de um lugar sem entrar em outro*). A rua o intimidava, a ausência das paredes protetoras, o céu aberto, os carros, o excesso de fantasmas. Que iria se acostumar, dizia a si mesmo, confiando em algum poder mágico e ancestral das palavras. Enunciadas com vontade, realizariam desejos, bisão nas paredes da caverna. Lembrou-se dos letreiros em neon vermelho, eles o convidavam para mais um melhor hambúrguer do mundo. Devia ficar atento aos sinais da depressão, o terapeuta insistira. Tinha de fugir de algumas vontades (*que o que era o homem que fugia de suas vontades senão um traste infeliz? Que não era isso que se perguntava a cultura ocidental?*) porque elas não eram suas, mas de um psiquismo alterado, dizia o psiquiatra (*que então a vontade que corria dentro de Stefan não era dele? Que confirmasse: estava possuído? Que se não podia deitar em posição fetal, que se não podia comer o que quisesse, que se não conseguia refutar a voz inventada por ele próprio, então quem era ele? Um ser habitado pelo demônio?*) e Stefan cogitou um alprazolam tentando se convencer de que não podia comer tanto carboidrato com proteína, engordaria, não estava correndo com regularidade, a saliva inundava a boca, pensamentos ruins que deveriam ter ficado em Utrecht saltavam das malas a gritar surpresa, viemos com você.

A cada mordida, a calça apertava. Não podia se afundar, a primeira manhã na cidade nova era importante para criar padrões, temia puxar a meada de um fio que o amarrasse. Precisava correr, por quaisquer caminhos que fossem. Tentou ficar em paz apreciando a gula. À frente, uma livraria com o nome da cidade e o computador, que tentava acessar a rede wi-fi oferecida pelo shopping. Conectava, mas a navegação quase impossível. Queria remapear a cidade, decidir os caminhos, animar-se para o dia que precisava estrear, ao menos o trotezinho da desintoxicação. Tentou as redes sociais, o e-mail – ainda nem avisara a mãe. Nada, a navegação não acontecia, a ampulheta perdida não trazia o mundo à tela. O que fazer com um computador off-line, jogar paciência? E se arriscasse enfrentar o medo em vez de fugir dele? O namorado estava nos arquivos (*que dissesse quem mais estava ali, quem mais ocupava sua memória física*), sem dependência de wi-fi, de nuvens. Stefan abriu as fotos ignorando o perigo do vai ou racha, coragem impensada que poderia custar mais horas no quarto de uma cidade estranha. Hospitalidade, acolhimento, colo quente, tudo parecia tão real quando era irreal. Se conseguisse ver as fotos de Machiel com alegria, seria feliz no Brasil; se ficasse triste e deprimido, só seria feliz se conseguisse correr, suando bastante e vivendo um pouco mais daquela Curitiba que não se abria. Duplo clique no arquivo *Machiel_mijn_geliefde*. Era a segunda pasta das imagens. Stefan compilara tudo de Machiel ali, mil cento e quarenta e sete fotos. Na outra pasta, sem nome, apenas uma (*que era a única que não saía da cabeça*). Ver mil cento e quarenta e sete imagens levaria tempo (*se tudo isso era para disfarçar a vontade de olhar a única foto do outro arquivo*). As raras fotos posadas denunciavam um Machiel que sorria por tolerância, só a convenção dos lábios distendidos que não mostram os dentes. Nessas horas, Machiel apenas suportava o namorado, suas manias e diferenças. Stefan fotografava então situações cotidianas, em movimento.

A sequência de retratos era de uma passeata em favor de alguma liberdade. Stefan se lembrava, tinha a câmera na mão e algum panfleto embaixo do braço, o que o deixava desconfortável. Apertava o braço contra o corpo para os panfletos não caírem e tentava registrar Machiel fazendo os discursos dele em frente à prefeitura. Na foto de perfil, a Winkel van Sinkel aparecia ao fundo. Talvez os panfletos estivessem no meio das pernas, já não sabia direito, só se lembrava do incômodo na hora dos cliques. Mesmo assim as imagens pegavam a expressão de Machiel, o apego visceral, quase desesperado, pelas causas que defendia, as veias estufadas, o braço retesado em alavanca bradando com vontade. Sim, lembrou então, naquele dia distribuíra *flyers* para o show de Joost Ruyter, no Kranck – Machiel ouvia seguidas vezes, hipnotizado, o *Tunnelvisie Maastricht*, era seu descanso das brigas diárias, tinha dificuldade de deixar a vida seguir sem a sua participação. Também havia os adesivos da Midzomer Gracht Festival, que Stefan, sem muito que fazer, grudava em postes, lixeiras e caixas da rede elétrica. Os cartazes celebravam a diversidade sexual. Perdeu a conta de quantos colara, as imagens singelas e cruas de homens beijando homens, mulheres beijando mulheres. Somou isso ao beijo da novela e se acendeu nele o desejo de sugar alguma outra alma. Era no beijo que conseguia isso, era o *kus* que o deixava menos sozinho no mundo, não o *pijpbeurt* que ele fazia somente porque Machiel insistia, extravasando-se em Stefan, que se recusava a ingerir o sal doce, morno, sempre urgente e bruto. Não, corrigiu-se, não era o Midzomer Gracht Festival, não eram esses os cartazes que colava, agora tinha certeza, eram os primeiros pôsteres do que viria a ser o braço da Pegida na Holanda, o movimento alemão que nascia em 2014 contra a islamização do ocidente. A memória avivou-se porque se lembrou também de que, a pedido de Machiel, colava-os sobre as propagandas do Afa, o *Anti Fascistische Actie*, que dera para fixar cartazes como desenho de Geert Wilders cortado por faixa vermelha, divulgando a ação antifascista do afanederland.org. Na foto ampliada, Machiel falava para um público razoável de holandeses, a maioria jovem. Uma figura mais distraída – Stefan nunca havia notado – não olhava para Machiel, mas para a câmera. Stefan deu zoom, porém a foto perdeu definição. Diminuiu-a outra vez, tentou o meio termo, acreditava ter reconhecido o rosto que se dispersara da fala e olhava para a lente. Olhava para os olhos do fotógrafo, olhava para Stefan. Era Ahmed.

(*Que se não quis vê-lo no outro arquivo, ele saltara de pasta só para olhá-lo nos olhos*) Fechou o computador e saiu, abraçado por uma manhã de verão surpreendentemente fria. Misturou os frios e caminhou rápido para o hostel. O assassino já havia olhado para ele. Talvez devesse tomar mais um comprimido de *benzodiazepinen? Geneesmiddelen dienen alleen te worden toegepast wanneer het gebrek aan slaap een duidelijk negatief effect heeft op de kwaliteit van leven en wanneer andere manieren van aanpak, zoals niet-medicamenteuze adviezen, hebben gefaald*. Mas o dia mal começava. Dormir não era enfrentar. Não queria, não podia gastar o dia chapado. Tomou um Alprazolam e prometeu ir à luta.

(*Se tentaria livrar-se dele suando. Como se ele se desmanchasse a cada gota que caísse*) Só o suor eliminaria a toxidade dos dias, da comida ruim, dos comprimidos em exagero, da clausura. Vestiu calças desta vez e uma camisa de mangas no lugar da regata cavada.

Parecia um convite: mal terminou o café preto no saguão do hostel, abriu a porta e viu um corredor passar em frente. Vestido com bermuda colante preta, mostrava coxas bem desenhadas e as panturrilhas eram de quem se exercitava com frequência, indícios bons de seguir. A camisa amarelo-limão, a viseira e os fones de ouvido ajudavam a compor o visual familiar. Machiel falava para Stefan: preferia as dobras do cérebro às saliências dos músculos (*que ele tinha as saliências, lembrava da foto? Que fizesse um esforço de memória e os bíceps apareceriam ostensivos e obscenos*). Por que não ir atrás? Seria uma boa distração mandar às favas aqueles olhos enfiados na cara de louco de Ahmed, canino esquerdo à mostra, a camisa aberta de onde saltavam os pelos. Seguiria o corredor antes que ele se distanciasse, não ia rápido, mas decidido, devia saber aonde, algum parque, uma academia. Que se perdesse com ele, contava com a proteção dos mapas, talvez descobrisse um lugar onde atletas se aninhavam. Os novos companheiros precisariam ver um corpo disposto, alongado, aquecido. Contundia-se facilmente se não aquecesse, não era como os tantos que começavam direto a proposta da aula, o ensaio. Leonel sempre lá, meia hora antes fazendo circunvoluções em cada articulação. Zineb e Fadilah se vestiram ali mesmo, no quarto. A menina escondia-se atrás do corpo da mulher, olhava para baixo enquanto Fadilah tirava a camisola e deixava à mostra a tatuagem e um corpo esquecido. Parecia ter sido bonita. Por trás das dobras, intuía-se a firmeza de quem já teve mais do que um comportamento altivo, também um corpo que se sabia corpo.

Fadilah implicava com os travamentos de Zineb, que deixou escapar uma súplica, chamando-a *abuelita*. A menina resistia a tirar a roupa, insistia em ficar coberta pelo corpo maior. Mimetizava os movimentos de Fadilah, que se abaixava para pegar a camisola caída. Era uma coreografia que Leonel seguia com o canto dos olhos. Precisava de frutas, de legumes e saladas, precisava limpar o corpo, ir ao banheiro, mas se estava entupido de proteína, carboidrato e gordura ruim isso não deveria ser desculpa para não correr. Os primeiros passos foram tão sofridos que a ideia de desistir se ofereceu mais uma vez para pegá-lo no colo. Desistir seria voltar para o risco. O jovem corredor à frente parava nos semáforos, esperava os carros, o que permitia a Stefan não o perder até que estivesse aquecido. Mas isso não acontecia. Era competitivo e parecia impossível correr menos que um brasileiro. Perder corridas para alemães ficava por conta da rivalidade histórica de uma disputa entre iguais, mas perder para brasileiros tinha algo de contraintuitivo. Acelerou, o corredor parou em mais um sinal e Stefan freou também, pulinhos no mesmo lugar, marcando passo uns dez metros atrás, não queria ser visto.

Seguiram a Barão do Rio Branco, a rua se livrara dos fios elétricos enredados em profusão e tornava mais evidentes as pichações. Os hieróglifos estavam nas portas das lojas, em cima delas, em andares altos, nas placas de sinalização e até entalhadas a estilete no vidro dos ônibus, grito sem tinta, transparente, de alguém que precisava falar com força. Se havia os fantasmas, invisíveis, havia também os inaudíveis. Quando corria pelos arredores do estádio do FC Utrecht, costumava margear o Kromme Rijn e passar sob as pontes que pulavam o canal. Embaixo delas, nos vãos escuros do concreto, as pichações apareciam, constrangidas, letras tímidas se desculpando por querer dizer alguma coisa. Se dEUs estava esquecido era porque havia sido abandonado por alguém preocupado em sobreviver, arrumar papéis, pegar aviões, comunicar-se. Agora Gonçalo estava separado apenas pela porta do quarto e um corredor. Era hora da ressurreição. Relembrava os vídeos da *Dansimprovisatie Utrecht*, a proposta de residência que exploraria a fisicalidade do instinto, o conceito experienciado de corpo abandonado e a inserção desse corpo no espaço urbano. Era o que animava Leonel, seu d*EU*s pedia o espaço público, fora dos palcos, fora dos linóleos e sem a presença de uma plateia previamente alerta. A dança iria ao público, não o contrário. Ela invadiria os espaços, deixando em dúvida (*a dúvida, essa panaceia do mundo contemporâneo*) quem a encontrasse: era dança? Nos vídeos ele olhava os bailarinos com leve desdém, a pelve nada fluida da loira rastejava por algum corredor ao som de uma música sinistra (*usamos o vaivém da pelve para muitas coisas, você não é bom em pelo menos uma*). Leonel julgava-se imbatível na forma de deslizar pelos chãos e levantar-se deles. Tinha um conceito, uma pesquisa em curso, um corpo e um projeto de levar d*EU*s ao encontro dos inadvertidos (*aleluia, irmão*).

Era sair do quarto, cumprimentar quem quer que estivesse na casa e pendurar-se em Gonçalo. Lembrou-se de Amsterdam quando viu a fachada torta e azul do Colégio Saber. Parecia congelada um segundo depois do início de um desabamento. Na esquina da André de Barros, em frente à Casa de Saúde, que trazia na placa A saúde do povo é a suprema lei, o corredor desviou de um corpo dormindo no chão. Stefan contornou-o também, dividido entre assustar-se e continuar a perseguição, que devia ser atenta, tantas as pessoas, os carros, a lógica diferente de se mover pelo espaço da cidade. Esquecera de ligar frequencímetro e GPS, melhor assim, eles mostrariam dados de um gordinho destreinado, sentiria vergonha – estimou um *pace* maior de cinco, terrível perto dos quatro minutos por quilômetro que fizera entre Amsterdam e Zaandam, uma hora e quatro minutos para dezesseis quilômetros. Por enquanto, era seguir o corredor, ver para onde iria, aprender trajetos e não ser atropelado. Obstruído por um catador de papelões, não viu a fachada da Nike Factory Store. Ao cruzarem o calçadão da XV de Novembro, o primeiro contato visual. Mediram-se. A arrancada foi mais vigorosa. Stefan entendeu, havia entrado em uma disputa. Lamentou estar podre, vontade de pedir que esperasse uns cinco dias para ele ver só. Parecia ter perdido a memória dos movimentos. Era a adrenalina quem buscava compensar as faltas. Estavam na Riachuelo e a subida os levou ao Paço da Liberdade. As estátuas da fachada lembraram a Winkel van Sinkel, sempre alguém carregando algum peso. No chafariz vazio, outro fantasma dormia, acomodado no buraco. A corrida parou de respeitar as cores dos semáforos, o rapaz infiltrou-se no meio de carros e ônibus, os pequenos engarrafamentos permitiam a eles esgueirar-se pelos vãos livres. Na contramão do fluxo, um ciclista tocou o calcanhar de Stefan, descalçando o tênis do pé direito. Perdeu tempo, mas seguiu. Quando dobraram à direita para entrar na Alfredo Bufren, Leonel saiu do quarto e deu de cara com um estranho. Quando os olhos se encontraram, Stefan desviou de um pequeno grupo de manifestantes, nem vinte, com cartazes incompreensíveis que falavam sobre discussão de gênero em escolas públicas. Fariam o *desayuno* já em horário de almoço. Gonçalo estava lá e, bem ou mal, ele era cais de Leonel, seu rosto, sua língua. No outro lado da mesa pequena, já sentado, um desconhecido que se chamava Hicham.

O jovem corredor seguia em direção ao Teatro Guaíra, tinham o *petit-pavê* da Santos Andrade como pista de corrida, vitória impossível, Stefan não podia competir com o guia, não podia ultrapassar quem lhe mostrava o caminho. A reta e a vastidão da praça convidavam a aumentar o passo, mas, se superasse o rival, aonde iria? Nas corridas de rua era bom não se preocupar em saber trajetos. Ficar no encalço e confiar, mesmo que o corredor da frente também seguisse quem ia ainda mais adiante. Se não houvesse mais nada ou ninguém a seguir, para onde correr? Depois do segundo gole de chá recebeu ordens para que saíssem logo, a pressa compulsória espetando o corpo que ficou sem tempo de pensar para agir. Comeria alguma coisa? Coube a Fadilah apresentar Leonel a Hicham. Fadilah usava espanhol, inglês e árabe para ser entendida por todos. Leonel e Hicham se desdobraram em mesuras sem jeito, Gonçalo ficou mexendo no celular. No canto, Zineb olhava para Leonel, o sujeito que vinha de onde ela jamais ouvira falar. Os olhos pretos fitavam a tez parda, o marrom familiar. Fadilah chamou todos para a mesa, ironizando a suposta predisposição das mulheres para organizar tudo. Era tarde, objetara Gonçalo, sentando-se a contragosto, tinha compromissos e ainda precisava apresentar o brasileiro a Kees, levá-lo até lá, acertar as coisas. Fadilah fez cara feia. Impedido de vencer, fingiu que fazia alongamentos, começou a esticar os braços, dobrando-os por cima da cabeça e puxando-os para a nuca. Depois os distendeu e agitou as mãos, pequenas convulsões para soltar a musculatura. Mantinha a distância e esnobava o corredor, queria dizer com os gestos que estava apenas desintoxicando o corpo (*que expulsando demônios*), nada de corrida pra valer. À direita, a máscara de bronze de Lala Schneider. Carros, fantasmas, ônibus, pequenos caminhões envoltos na própria fumaça, o Teatro Guaíra, Stefan via tudo e nada, no baralhamento do primeiro contato com a cidade que conhecera por satélites distantes. Aquela cidade estava ali, era todo o seu entorno, sem escapatória, sem dar chance para digitar outro endereço, girar o globo.

Stefan era um malabarista a equilibrar o coração saindo da boca com a dissimulação, tudo estava bem, apenas uma corridinha banal. Que respirasse, respirasse e se concentrasse, à sua frente a subida que os levaria ao Alto da XV. O corredor arrancou outra vez.

Estranhou a menção a Kees. Era esse o nome do outro bailarino com quem dançavam? Tinha fome, queria ao menos tomar o chá e engolir os biscoitos que Fadilah colocava à frente deles. Atrapalhou-se, não sabia dos horários, não tinha sido avisado de ensaios, de Kees, precisava comer, ensaiar em jejum podia levá-lo à hipoglicemia, ficaria tonto nos primeiros giros, queria correr para o ensaio mas não havia preparado a mochila, onde uma garrafinha de água, uma maçã?, por que Gonçalo não o avisara no dia anterior?, gostava de arrumar tudo com cuidado, comer devagar, chegar antes para aquecer. Precisava disso. Talvez Anne-Marije compreendesse. *Warm, I do need to warm up, please,* repassou o inglês, gostou da ênfase dada pelo *do*. Usaria a frase. Talvez devesse retirar o pedido de favor, mostrava uma submissão que não cabia entre profissionais. Seja cordial, não submisso (*cuzão*), mostre que não está mendigando, mas partilhando experiências, *sharing experiences, experimentations* (*blablazations*). Já planejava a ousadia de manter em português o título de seu trabalho (*humm, abusada*), dEUs só fazia sentido na sua língua e ainda podia soar exótico (*a macumba pra turista que você tanto condenava?*), nada que uma nota explicativa no próprio programa não resolvesse (*a arte contemporânea que precisa ser explicada, de que ríamos juntos?*), por que Cícero não calava a boca, d*EU*s era brasileiro, e a brincadeira vinha outra vez para disfarçar apreensões. Há alguns anos, quando começou a puxar o ar pelo nariz e pela boca, percebeu melhora sobretudo nas subidas. O treinamento da passada também costumava dar resultados. Erguia mais as coxas, impulsionava o corpo alternando os braços de um jeito bem acentuado e projetava lá na frente o pouso silencioso dos pés, calcanhares os primeiros a tocar o solo até a planta inteira se deitar. E o asfalto se preparava para jogar o corpo no desequilíbrio outra vez, cada passo um salto no vazio e a promessa da queda segura enquanto houvesse chão. Concentrou-se nesse movimento quando subia, queria sentir-se altivo e não um réptil a tropeçar na calçada irregular e de pedras soltas.

Passaram pela reitoria da Universidade Federal, jovens fumavam em rodas divertidas mas Stefan só via panturrilhas a quinze passos de distância. Era experiente, sabia que acelerar seria um erro. O fim da ladeira era visível, que controlasse a passada, não olhasse para os lados, concentração, *concentratie*. No alto da Amintas de Barros uma casa com o branco encardido e as janelas fechadas marcava o fim da subida, a energia não desperdiçada valeria a pena.

Antes de iniciar a descida viu que o corredor fingia sentir a coxa. Sabia ser simulação, o esforço não controlado dos otários sempre cobrava o preço. Exaurido, não tinha outra saída senão simular a dor, a manquitolada discreta mas visível, a desculpa do derrotado, o fracasso como pequena morte, orgasmo do avesso. Era hora do bote, que se danasse o fato de não saber aonde ir depois de superar o líder, a adrenalina cumpria o papel de afastar a fadiga e Stefan planejava a ultrapassagem. Olharia para o lado, um sinal cortês com a cabeça. Talvez, numa pequena ousadia de humilhação, mostraria a despretensão da corrida alongando os braços quando estivesse uns dez passos à frente. Na confusão entre correr, vestir-se, aquecer, beber o chá, conseguiu se concentrar nos biscoitos de gergelim feitos por Fadilah. Precisava deixar de agir no atropelo, reflexo sem reflexão, era seu primeiro dia com essas pessoas, por que não mostrar-lhes o biscoito e dizer pelo menos um *very good,* ou mesmo lançar uma pergunta ao estranho, *what do you do here?*, quer dizer, não o que você faz aqui, tomando chá com biscoitos, mas o que você faz na Holanda? E você, Fadilah, parece que dormiu comigo (*não perca tempo com gracinhas, logo você vai se atrapalhar de novo*), o que você faz na Holanda, há quanto tempo está aqui – *how long?* –, seria a oportunidade de usar o *how long*. E, pequena Zineb, por que a carinha triste, o choro ontem? Enquanto pegava mais um biscoito e retornava do pequeno delírio, Gonçalo ficou em pé. Leonel disse que não sabia dos horários combinados, não havia preparado a mochila para o ensaio, precisaria de pelo menos meia hora, o aquecimento e o frio e tal. Que era para pegar uma blusa mais grossa e os documentos, respondeu Gonçalo. Conversariam com Kees, ele precisava de atendente e não deviam demorar, a vaga podia ser preenchida por outro. Um desafio às leis da Física: quanto mais acelerava, mais a distância crescia. Calculou trinta passos, quarenta, pouco depois um quarteirão os separava. Ao longe, pôde ver o rapaz dando a última olhadela. Viu-se ridículo erguendo indeciso o braço direito, biruta com pouco vento, na tentativa final de simular qualquer coisa parecida com um alongamento *blasé*. Maldisse a viagem, maldisse *the best hamburger in the world*. A adrenalina evaporou-se e deixou no lugar, decantado, o desânimo nos pés mal saídos do chão, cada passo arrastava mil correntes, seria a calçada de Curitiba mais dura, a gravidade mais severa? Os joelhos a bater osso com osso, o som seco dos tênis no asfalto, velocidade caindo, o peito na luta pelo ar rarefeito, o suor entrando nos olhos e o golpe final: parou, as mãos nas coxas, olhando sem ver os pés imóveis e as formigas carregando folhas na junção dos paralelepípedos, trabalho diário interrompido pelo gigante do qual caíam gotas grossas de água salgada e orgulho. Não estava lá para turismo, era sujeito responsável que sabia o que queria, que viajou milhares de quilômetros para uma vida nova, não seria um contratempo qualquer, menor, que o derrubaria. *Focus* (*fuck us*). Tinha olhos voltados para dentro, ensaiava frases o tempo todo e torcia para compreender as respostas. O português que ia a seu lado não teve a delicadeza de levá-lo pelo meio do Zocherpark, não estava preocupado em tornar o caminho mais bonito. Em vez da beleza do parque, Gonçalo preferiu conduzi-lo pela calçada estreita da Lucasbolwerk, e ser pragmático ao dobrar à direita na Nobelstraat, esbarrando na praça da Janskerk. Leonel conhecia o mapa, mas não o chão. Era uma criança de passos curtos arrastada pelo pai. As bicicletas passavam loucas, o ambiente sonoro das campainhas espocava e comparar tudo a um balé foi inevitável (*assim se formam os clichês, eles grudam como chicletes, clichês-chicletes, chiclês-clichetes*), o balé metáfora na dança das bicicletas, deixe-me em paz com meus clichês, sim, o balé das bicicletas, a dança delas. Uma dança clássica. Fosse contemporânea e seria uma bateção de ferros e ossos se amontoando na calçada, riu, satisfeito com a piada que fizera com a sua dança, aquela que alquebrava os corpos, que entortava os pés, que tirava a graça fluida dos braços e alterava o condicionamento do corpo ordenado para poder ser um corpo propositor. Cruzaram um grande canal, Leonel acreditava já tê-lo visto nas fotos, atravessaram uns becos e logo a voz de Gonçalo disse é aqui. Leonel seguiu o português pela porta de madeira e vidro, sem tempo de ler a fachada e descobrir onde punha os pés. Onde punha os pés? Calculou a distância de onde estava até o ponto de partida: míseros três quilômetros, talvez menos. Praguejou a falta de juízo, a corrida sem critérios, o mesmo entusiasmo de todos os idiotas que não sabem correr. Atrás de um par de panturrilhas bonitas, correu feito criança na escola, sacolejante. Desafiado por uma competição sem sentido, era agora um trapo velho que precisaria encarar uma recuperação lenta e dolorida. Três quilômetros ridículos. E mais a preguiça de voltar os três quilômetros ridículos, que já montava em seus ombros. Ligou os aparelhos, calculou rota, ao menos havia um caminho mais curto, e seguiu com passos de tartaruga distendida. Chegou na Padre Germano Mayer e cerca de meio quarteirão à frente viu às gargalhadas o rapaz das panturrilhas conversando em uma roda, garrafinha na mão, alguma bebida colorida. A claridade do dia escureceu ainda mais o interior do *coffeeshop*, que demorou a aparecer. Com tudo tão novo e tão rápido, viu-se objeto do destino quando o destino era quem deveria se curvar. Um emprego já no primeiro dia de Holanda? Tinha algum dinheiro de reserva, A *quebra cocos* havia rendido cachê razoável, a casa em Curitiba pingaria uma grana todo o mês assim que fosse alugada, podia ficar os meses com o visto de turista. Mesmo assim assistiu ao próprio gesto de entregar o passaporte para avaliação do tal Kees, que não olhava para ele, apenas para o documento, e dirigia-se a Gonçalo como se o português fosse o entregador de um produto, uma televisão que acabara de chegar junto com a nota fiscal. Falavam em holandês, Kees emitia sons raspados, de entonações desconhecidas. Gonçalo deixava acentuadas as curvas próprias da língua portuguesa. Talvez por isso Kees emitisse um ãhm? com frequência irritante. Por que não falavam inglês? Temiam alguma coisa (*mal sabem que você entenderia tudo errado*)? Recusaria, sim. Recusaria a oferta.

Quando saíram, uma bicicleta passou por cima do pé de Leonel. O ciclista se desequilibrou, mas esticou o corpo sem tocar o chão e seguiu, mal olhando para trás, deixando o brasileiro lá, pulando num pé só (*o saci vai à Holanda*), contorcendo-se com uma careta. Recusaria. Protegeu-se atrás de uma árvore e dissimulou a curiosidade. Na diagonal pôde observar melhor o rapaz, como esbanjava o sorriso. Não tinha dúvidas: contava aos amigos a corrida que acabara de fazer, perseguido por um bocó. *Domoor.* Que não havia outro assunto possível no mundo, concluiu. Que poderia começar no dia seguinte, que tinha levado para trabalhar lá todos os amigos que vinham atrás de uma vida melhor, disse Gonçalo. Era uma garantia, seis horas de trabalho, algo simples como vender cafés e baseados, cobrar e pronto. Leonel ficou mastigando aquele em busca de uma vida melhor. Era como se fosse um retirante, perdido na vida (*e se não é, então o que é?*). Ele dava aos gestos do rapaz uma narrativa que contava a desgraça. Desamarrou e amarrou os tênis, ainda parado. Não precisava disfarçar, era ignorado pelo grupo. Stefan notou que eles estavam em frente a uma estrutura grande, que pegava todo o quarteirão, construção envidraçada que deixava à mostra seu interior. Animal arisco mas curioso, aproximou-se.

Os aparelhos de musculação ficavam no térreo, as bicicletas ergométricas e esteiras em um mezanino. Na fachada, onde o grupo conversava, uma estátua esquisita simulava movimento, aço desbastado em camadas para dar ideia de algo veloz, um atleta talvez. Entre os pesos da hierarquia, ele era lado frágil na balança. O menino do sul do Brasil que dançava A *quebra cocos* com indisfarçável condescendência, homenagem da cultura erudita ao exotismo nordestino e sua pobreza boa de glamorizar, via o mundo de ponta-cabeça.

Mas era um artista, não um vendedor de baseado, não fazia parte da turma que topava limpar privadas sem outra intenção na vida que trabalhar para comer para trabalhar para comer. Onde havia enfiado o *Manifesto secreto contra a mediocridade*? Lembrava-se vagamente do papel e da tinta azul que imprimia nele a ideia pavorosa de ver os dias passando sem interferência, sem autoria. O pai, os avós submetiam-se aos dias, distraíam-se com dar milho às galinhas, empilhar tijolos. Ele não.

O *coffeeshop* ficava aberto das dez da manhã às onze da noite e Leonel trabalharia das dez às quatro. E os ensaios? Gonçalo perguntou por que a pressa para só então explicar que ensaiavam às seis da tarde, em geral até as dez, de terça a sexta. O sotaque português, ou a submissão diante de europeus (*ele mal é europeu. É português*), ou a excitação da mudança, ou o dever da gratidão, algo nublava a cabeça de Leonel e as nuvens o impediam de ver a má vontade de Gonçalo. Quem era aquele homem bonito a seu lado, que falava pouco, sempre sem paciência e com quem conversara só uns minutos em frente à Casa Hoffmann? Tão pouco tempo na cidade e já acumulava um vexame, perdera para um brasileiro. Entrou no terreno da academia, indeciso entre seguir e conter o ímpeto e o corpo. Por que a pressa, por que perseguir o algoz? Há outras academias na cidade, outros dias pela frente.

Mas por que esperar? Era preciso retomar os treinos, integrar-se. Mais que treinar, pediria para dar aulas. Aproximou-se do grupo. Todos exibiam nacos generosos do corpo. Descontraídos na alegria dos vinte anos baixos, riam e olhavam para outro sujeito, vestido em roupas de segurança, negro alto e muito magro, de uniforme cinza. A cor da pele chamava a atenção mesmo de Stefan, acostumado aos tons somalis na Holanda, sobretudo depois da imigração em massa nos anos noventa. A testa reluzia, a boca grande entre a risada e o constrangimento. Parecia entender o que os jovens diziam, mas esforçava-se por acompanhar o movimento dos lábios. Eles satirizavam por algum motivo o cassetete do segurança esquálido e Stefan não entendia se riam com ele ou dele. O próprio segurança não sabia. Sustentava o instrumento e o sorriso cambaleante sem que uma piada viesse socorrê-lo – diz uma só piada e serás salvo. Foi nesse palco que a voz de Stefan se meteu, vinda de um camarim remoto, falhada no início, obrigando-se a repetir a pergunta, se alguém ali conhecia o dono da academia. Recebeu um olhar de quem não acreditava no que ouvia. Como podia recusar um emprego de Kees? Kees havia empregado tanta gente, ajudado as pessoas a se estabelecer, o que seriam seis horas por dia entregando coisas em troca de dinheiro? Havia se comprometido, seria embaraçoso voltar e dizer que o brasileiro havia desistido. Leonel se desculpou, viera para dançar, tinha um dinheiro, podia se sustentar por uns meses. Depois de retruques ríspidos, Gonçalo sacou o celular, fez uma ligação. Pelo nervosismo e pelo número de vezes que precisou repetir frases em holandês, falava com Kees, tentava acalmá-lo – Leonel podia adivinhar o monte de ãhm? vindo do outro lado –, tapou o fone com a mão e cochichou sozinho, voltando depois à carga de explicações até que, exausto de tanto repetir, despediu-se, desligou. Que não quis causar nenhum problema, que o desculpasse, mas não haviam combinado nada, disse Leonel, ouvindo de Gonçalo que estava subentendido que imigrantes chegavam para trabalhar, não haviam conversado sobre isso no Facebook? Meu trabalho é a dança (*pfff*). Pfff, respondeu Gonçalo. Antes que o imigrante vivesse do que achava que sabia, ele deveria se virar com o que tinha. E calou-se. Calaram-se. O primeiro *city tour* por Utrecht havia acabado.

Gonçalo voltaria pouco antes das seis para levá-lo ao ensaio, se já tinha conversado com Fadilah sobre a organização da casa, o modo como dividiriam as despesas e a geladeira, os detalhes todos que não criam raízes na cabeça de quem busca viver de sonhos, o chão nas nuvens.

Tarde para se arrepender. Perguntar pelo dono e depois sair correndo seria disparatado, mesmo que nunca mais visse aquelas pessoas, que passasse longe da rua, voltasse para a Holanda, fosse viver numa caverna. Ter a imagem retida era ser refém, doía supor seu rosto patético preso na cabeça daqueles jovens contentes. Estava livre para ir embora, mas como apagar-se das memórias alheias (*que antes disso tratasse de apagar uma pessoa da sua memória*)?, ele, que já havia sido humilhado pela corrida medonha? Ia perguntar e dar no pé? As bochechas esquentaram. No clima cheio de melindres, meteu a mão nos bolsos, mas não tinha as chaves. Gonçalo também não, ele as tinha entregado a Fadilah havia quase um mês, desde que fora morar com Anne-Marije. O português quase quebrou a campainha socando-a várias vezes, não havia ninguém, disse que não podia fazer nada, olhou para o celular, repetiu: viria pegá-lo às cinco e meia. Nenhum convite para almoço ou conversa sobre a vida. Entre eles não haveria mais do que aridez, Anne-Marije a esperança de conforto na terra fria. Fadilah pareceu simpática, mas era imigrante, devia viver de favores, equilibrando-se. Era o que ia pela cabeça de Leonel quando se viu sozinho, sem ter como entrar, olhando para os dois lados da rua. Os espaços marcavam por onde iam os pedestres, os ciclistas, carros e ônibus. Desde a chegada era a primeira vez que observava pra valer sua cidade. Indispôs-se com Gonçalo, era certo, e não sabia que efeitos haveria, mas pelo menos podia perambular e ser recebido pelo frio com vagar e até prazer. Só faltava a touca. Calculou o tempo de comer e fazer compras no mercado que enxergava ao longe, as cestinhas e os carrinhos na calçada. Seria um modo gentil de agradecer a acolhida àquela mulher esforçada por agradar. Depois, aquecimento leve no quarto, arrumar a mochila e fazer o que deveria: encontrar os pares de profissão e propor trocas, experiências do corpo. Só balbucios. As risadas continuaram, mas inseguras, olhos se olhavam procurando ajuda. O dono. *Owner* era palavra difícil, não queriam dar o braço a torcer uns aos outros, faziam-se de entendidos, até que Stefan ouviu um *what* e um *repeat, please*. Mas poderia falar *owner* quantas vezes quisesses, na velocidade que fosse, poderia soletrar. Não adiantaria. Chegava o momento de virar o jogo, fazer o beicinho do desdém, vingando-se de quem, estava certo disso, rira dele. Na brecha da indecisão atrapalhada, o segurança aproveitou os titubeios e disse que sim, o dono da academia estava sempre por lá e era fácil conversar com ele, era aquele um de bermuda preta, óculos escuros – *the guy always wears sunglasses* –, camisa polo laranja, tênis laranja. Ali, no guichê da recepção conversando com a secretária. Os jovens consentiam sem saber com o quê enquanto assistiam à entrada de Stefan acompanhado pela magreza preta do segurança e de seu cassetete. A insegurança havia sido ultrapassada pela excitação, sempre súbita e veloz no bote: seria bom se pudesse ser professor daqueles animaizinhos. *Welkom bij de allergoedkoopste van Utrecht* era o que dizia o supermercado Jumbo, na Biltstraat. Gostou de saber que morava na Biltstraat, era bom nomear o chão que suportava os pés.

Tantas coisas por fazer, uma delas mudar o status no Facebook. Não era mais de Curitiba, era de Utrecht, não era mais da rua XV de Novembro, era da Biltstraat. Quanta surpresa causaria? Saíra do Brasil sem avisar ninguém (*covarde. Cagão*) e de repente aparecia na Holanda, um dos principais centros da dança contemporânea. Fez as compras sem pressa, eram as primeiras de tantas que viriam. Em breve aquele piso seria mais familiar que as calçadas por onde os pés tantos anos passaram tropeçando. Cada prateleira, cada nova marca e palavra estranha tinham a surpresa dos primeiros encontros. Seria sábio saboreá-las antes de virarem rotina. Era o primeiro entalhe na madeira que se engastaria até se tornar ritual, até moldar e acomodar os gestos.

Ainda não havia almoçado, preparava-se para entrar naquela Bagels & Beans simpática, na *sua* rua. Fora também atraído pelo Estafete, *de biologische eetwinkel*. Mas os preços o assustaram. A mão esquerda estava cheia de sacolas do Jumbo, comprara verduras básicas, um pacote de gergelim, frutas e um suco tão exótico quanto as palavras do rótulo, além de uma barra de chocolate belga – só um euro? –, que comia no momento em que Fadilah esperava a fila de ciclistas passar para atravessar a rua. Ela também carregava muitas sacolas. Tinha dificuldade para apanhar as chaves. Desprendido, chamou Fadilah!, estranhando o som inédito que saía da boca. Umas palavras enviesadas, uma sopa, a noite dormida na mesma cama e uns biscoitos de gergelim mastigados com prazer serviam de credenciais para uma quase amizade. *Of course*, claro, foi o que disse o rapaz de braços peludos, um dos quais sustentava o Rolex. *Of course I speak English*, e olhou Stefan com interesse, medindo-o, comparando proporções para, satisfeito, concluir que estava diante de um belo corpo, mas inferior ao seu. Era um desgosto ver corpos cambaios e flácidos, a gordura acumulada, barro bruto inchando sem as mãos de um treinador. Era muita gente gorda se mexendo menos e vivendo mais só por causa dos anti-hipertensivos. Por outro lado, os maxilares mastigavam-se quando via corpos mais bonitos, que desenvolviam proporcionalmente os músculos. Então o espelho-espelho-meu só refletia maçãs envenenadas.

Por isso gostou de ver Stefan, bonito, visivelmente rico, o corpo alongado. Via-se o corredor, não o puxador de ferro. A musculação vinha para auxiliar a corrida e não o contrário. A massa magra delineava o corpo, sem muita hipertrofia dos membros, somente a definição de seus contornos. Isso treinadores viam de longe. Stefan bateu o olho no dono da academia e também fez sua rápida avaliação: o sujeito fazia exercícios pelo corpo em si, sem metas de corrida, melhora de tempos, superação de desafios. E tomava muito suplemento. Antes de continuarem a conversa, o dono apontou o pátio ao segurança e ele se afastou. *Salaud, connard*, soltou o vigia em tom de sim, senhor. Esse vive rindo, vai entender, disse o dono à secretária. E que bom que ele havia comprado verduras porque no mercado cujo nome Leonel não entendeu as verduras não estavam boas, ela só ia lá porque gostava de ajudar o comércio que empregava as meninas islâmicas, marroquinas em geral, dizia enquanto arfava. Era difícil demais escapar do destino a que eram relegados os imigrantes, sobretudo as mulheres. E contou sobre uma exceção que confirmava a regra: conhecera Fatima nos primeiros anos de Utrecht e a tinha como fonte de pesquisa. Era uma das raras mulheres que continuavam islâmicas de véu e tudo e mergulharam no modo de vida holandês, preferindo estudar e se posicionar no mercado de trabalho para só depois cogitar casamento e filho. Um filho, talvez dois, não os quatro que em média as imigrantes tinham. Agora era publicitária e trabalhava em agência. De véu atrás de seu computador, criava campanhas para uma marca de *lingeries*. Revistas, *outdoors* e mobiliários urbanos estampavam garotas em fotos sensuais. Fatima já avisara que a nova campanha seria muito mais ousada do que colocar mulheres bonitas vestidas de calcinha e sutiã. Fazia tudo isso interrompendo o trabalho de vez em quando para segurar o *masbaha*, encostar a testa no tapetinho que trazia de casa e rezar voltada para Meca.

Os dois lances de escada eram uma escalada ao Everest, o ar escasso, o nariz sugando o que podia. Era um corpo-suporte, Leonel tornou a concluir. Apenas carregava o cérebro. Mente e corpo sem conversa, divorciados havia muito tempo. Ela estava vestida de mulher ocidental não fosse o véu repousando sobre os ombros. Mas não sobre os cabelos negros, grisalhos nas raízes. As mulheres usavam o manto para esconder os cabelos? Se usassem perucas no lugar do manto, isso equivaleria a usar um biquíni cuja estampa do tecido fossem dois seios? Sacolas em cima da mesa, Fadilah lavou as mãos, pegou panelas e pediu para Leonel cortar cebolas. O almoço sairia perto das três da tarde, a fome grande dava seu alerta: precisava estar alimentado, mas leve. Queria ir ao quarto alongar, começar o trabalho de soltar o corpo, só que tinha uma cebola roxa na mão esquerda, na outra uma faca (*na falta do queijo, você tem a faca e a cebola nas mãos. Não desperdice oportunidades*). O haitiano – como era o nome da figura? – trabalhava sem carteira assinada, mas propor isso a um europeu poderia ofendê-lo. *Hi, my name is Érico*. Teria de pagar mais do que aos treinadores brasileiros? Como avançar na proposta? O visual futurista das instalações, as modalidades inéditas, treinadores motivados e divertidos, tudo chamava e fidelizava alunos. Depois da implantação das lutas, uma nova carga de adesões trouxe mais gente à academia, que teve de colocar alunos em fila de espera e ainda montar horários especiais, os inícios de tarde como respiro para adolescentes e aposentados conseguirem erguer seus cinco quilos de carga. Criaram-se grupos coesos, de amigos que usavam o espaço como ponto de encontro, conversas e combinações para o fim de semana. A praça de alimentação, que era para ser um serviço de apoio aos atletas, virou fonte de receita, os lanches naturais, os *shakes* e vitaminas, as *wheys* e os *carbs*, o suporte nutricional, tudo contribuía para a formação de um clube que se unia tanto que às vezes era até preciso intervir em conflitos com jovens de outras academias, que já começavam a brigar pela internet.

Érico não queria perder a oportunidade de colocar um europeu autêntico em seu quadro, e não tataranetos de colonos italianos e poloneses sem-terra. Previu publicidade, aulas de musculação em inglês, uma eventual categoria *vip*, até um pequeno acréscimo de mensalidade, seu público pagaria, bastava ver o estacionamento, as SUVs que o obrigaram a repintar as faixas divisórias, alargando-as. Quem não pagaria um pouco mais para ter aulas com um holandês daqueles? Quais mulheres não gostariam de ser tocadas por aquele homem que corrigiria a postura de suas colunas, pegaria em suas cinturas enquanto erguiam a perna para fortalecer os glúteos, encaixando a pelve, contraindo o abdômen?

Combinariam uma conversa, ajeitariam o discurso, e Stefan poderia ser apresentado como estrela. Que charme não saber uma palavra de português.

Welcome, nice to meet you, e segurou forte a mão mole de Stefan, que tentou se recuperar rápido para retribuir o aperto.

¿Dormiste bien? foi a pergunta de Fadilah depois que as correrias da manhã haviam se encerrado e eles podiam finalmente falar de amenidades. Riram satisfeitos com o combinado: falariam o que desse em português, inglês, espanhol, e da mistura era impossível que não saísse algum entendimento. Leonel quase chamou-a de *dona* Fadilah. Onde teria passado a manhã? Talvez limpando uma casa. Que história

era aquela de *lingeries* e de fonte de pesquisa? Falaram do Brasil, Fadilah estivera uma vez na América, mas não na do Sul. Era para ela um continente estranho, acompanhou um pouco a Copa do Mundo e não evitou falar dos sete a um, quis saber como aquilo podia ter acontecido. Leonel não via futebol desde a infância em Castro, mal sabia o nome dos jogadores. Sabia dos cuidados que Fadilah precisava ter com as imagens da televisão. Ela difundia estereótipos e, se dependesse das transmissões, acreditaria que no Brasil só havia mulheres vestidas como pavões andando pelo centro das cidades, trabalhando nos escritórios junto com sujeitos de pandeiro na mão fazendo embaixadinhas. Se o pessoal lá era alegre assim, ela quis saber. Antes de sair, viu os jovens de antes já dentro da academia. Faziam supino com halteres – notou que o braço deveria estar mais perpendicular ao corpo para não arrebentar as costas –, abdominais – que em vez de definir barriga, ganharia uma dor lombar –, *legpress* – que com aquela angulação seria capaz de ouvir do hostel o joelho estourando –, levantamentos laterais – que com aquele pesinho e aquela velocidade conseguiria no máximo levantar voo. Seria professor de academia. Aparelhos novos – por que não tirou fotos imediatamente para mostrar a Ruud? –, a chance de treinar – *free training* – e ensinar a pirralhada a fazer as coisas direito. Pegaria dicas com Ruud. Gostou do Brasil. Onde em seu país começaria a trabalhar sem nenhuma burocracia? Nunca trabalhara pra valer na Holanda, mas ouvia o xingamento eterno aos burocratas, então devia ser verdade. Não sabia se ganharia muito ou pouco. Que importava? Sempre um oude Bisschop a enviar dinheiro. Se era bom ser livre, ainda melhor ser livre assim, com garantia nos casos de aperto. Almoçariam apenas os dois, Zineb havia ido para a

Aboe Da'oed, tinha perdido a manhã, mas chegara a tempo para o outro turno. Hicham também não comeria em casa, zanzaria pela cidade para descobrir os melhores pontos para o seu trabalho.

Ela quis saber a religião do Brasil, Leonel presumiu ser a católica e arriscou dizer que as igrejas evangélicas neopentecostais cresciam em grandes ondas e chegavam até a praia da política, sempre ameaçando o estado laico. Não teve certeza se ela entendeu. Tentou entrar em uma exegese religiosa própria (*sabe tudo sobre isso*), mas interrompeu a fala perdido no meio do raciocínio. Fadilah não sentiu falta da frase aos pedaços que ficou pendurada na língua. Por que perguntara sobre religião, assim, de repente? Que queria saber? Sobre a fé, Leonel aprendeu respostas para agradar católicos – a família do pai –, protestantes – a família da mãe – e ateus (*oh, sua família da classe artística*). Mas não para agradar islâmicos. Desconversou. Conhecia trechos básicos da Bíblia e aproveitava a formação religiosa para ser um ateu esclarecido. Artista crente era para ele um paradoxo definitivo. Capaz de afirmar como negar a Bíblia, rotulava-a esquizofrênica e bipolar (*fazia sucesso entre os artistas bêbados, lembra?*), ora mandando matar, ora beijar, ora chicotear, ora oferecer a outra face. Em último caso poderia falar mal da Bíblia para Fadilah. Para ter amigos, falar mal dos inimigos comuns sempre foi estratégia de sucesso. Daí a afirmar simpatia pelo islã ia uma distância grande. Simpatia pelo quê, se não sabia nada? Quem era o deus mesmo? Maomé ou Alá? Era Alá, Maomé era o profeta. *Inshallah* era se Deus quiser, Leonel sabia graças à novela *Caminho das Índias* (*não, acho que era* O clone, *aquela que tinha a Jade*). Isso, *Caminho das Índias* era com a Juliana Paes.

Também sabia como dizer Deus é grande, *Allahu Akbar*, vira no especial sobre o atentado à sede do Charlie Hebdo. Foi o que gritaram os irmãos Kouachi quando mataram o editor-chefe Stéphane Charbonnier (*assistimos juntos depois de uma noite em que você finalmente bebeu um pouco, eu falava Allahu Akbar no seu ouvido*). Ali estavam os conhecimentos de Leonel sobre o islã. Tentaria apagar as imagens dos barbudos do Estado Islâmico, metralhadora, bomba, ruína. Era a experiência, a vida que devia revelar a verdade, não o estereótipo. Sentiu-se inteligente. Estava vivendo a experiência com uma mulher que falava de modo mais informado e articulado do que as diaristas no Brasil. Talvez por falar em outra língua. Estava por cima e a insegurança se encolhia (*se tinha mesmo a convicção de que nada poderia atrapalhar*). Bastavam pequenos piparotes para afastar os pensamentos maus. Deu meia volta e viu Érico ainda na mesma posição, inclinado sobre a secretária. Stefan queria tirar fotos, Érico disse que havia fotos profissionais no site, mas ficasse à vontade. Claro, fotos no site. Isso quase o deixou com cara de bobo, mas ser bobo é diferente de parecer bobo, a determinação sempre disfarça um palerma. Logou-se na rede da academia, fez o *check-in* e criou álbum onde postou todo o complexo, equipamentos, esteiras ligadas à TV a cabo, piscina, sala de lutas, estacionamento com muitos carros. Compartilhou as fotos, anunciando: *mijn nieuwe werkplek. Wat vinden jullie ervan?* Por e-mail, enviou-as para Ingrid. Cogitou mandar aos pais de Machiel, mas eles poderiam ficar chateados, não tinham sido sequer avisados da viagem.

¿Luego hay más cerdos que monos en Brasil?, e deu uma risada larga, colocando garrafa de vinho branco sobre a mesa,

desculpando-se ao mesmo tempo em que encostava uma das mãos no ombro de Leonel, que ria por contágio, o riso sem a graça, não sabia o que eram *cerdos*, não sabia o que *monos* podiam ser. A interrogação dobrou-lhe a testa. Com desenvoltura, no improviso de Imagem&Ação (*lembra o quanto brincávamos disso?*), Fadilah imitou um porco e um macaco. À interrogação, uniu-se a exclamação, assustou-se com a súbita performance e com a dedução de haver menos macacos no Brasil, que volta e meia passava por experiências explícitas de racismo (*vai dizer a ela que você é Leonel da selva, Silva? Leonel, o leão leonino da selva africana? Ou o mono da selva amazônica? O mono da selva ou a mona da selva?*). À medida que se afastava, o sinal do wi-fi diminuía o alcance das ondinhas. A garrafa lançada ao mar já percorria seu caminho em busca dos amigos e da multiplicação das curtidas.

Stefan colheria as reverberações no hostel, curioso, muitos amigos não sabiam que havia partido, esperava que o chamassem de *gek* – adorava ser visto como o louquinho – e ainda diriam que só ele mesmo. A manhã que começara em desastre acabou em triunfo. Recuperou mentalmente o caminho dos arquivos no computador (*que um deles não era preciso lembrar porque nunca esquecia*) para chegar às tabelas de treino, aos esquemas de alternância de trabalho dos grupos musculares, com ênfases no aeróbico e no anaeróbico, controle de batimentos, cálculos para perda de gordura, potencial de condicionamento. Agora era um trabalhador, custava a acreditar. Seguiu até o fim da Pe. Germano Mayer, virou à direita na Presidente Affonso Camargo e tapou os ouvidos para o apito do trem que se arrastava, mais do que ele, em direção à rodoferroviária, deixando o trânsito confuso, com motociclistas subindo as calçadas. Seguir a Affonso Camargo o colocaria na Sete de Setembro, o que bastaria para chegar à esquina do hostel. Alongar e tomar um banho frio. A aplicação de gelo nos músculos já não era consenso na comunidade esportiva, mas uma água gelada serviria para fazer o corpo chegar no mesmo grau da mente excitada. Érico ainda havia prometido ajudar com visto de trabalho. Stefan até simpatizou com ele, era só ter boa vontade para apagar a má impressão do início. Quando terminou de rir e de outra vez se desculpar é que explicou que os radicais islâmicos chamavam cristãos de porcos e judeus de macacos. E que ela não resistiu à piada. Poderia ficar mais aliviado depois da explicação? Achou que sim, era uma piada simples. Reconhecia senso de humor em Fadilah e não conseguia imaginar radicais com senso de humor, eram tarados demais pelas obsessões e arregalavam os olhos para ver menos, perdiam sutilezas (*olha quem fala*). Um sujeito do Estado Islâmico contando uma piada seria a própria piada. Só lhe vinha Reinaldo Figueiredo vestido de Osama nos tempos do Casseta & Planeta. No cafofo do Osama era outra referência no seu repertório sobre o islã.

Apesar do corpo descuidado, Fadilah usava-o com movimentos largos, ampliando-os, tocando o outro, falando com as mãos. Não tinha a contenção das mulheres chorosas entre escombros de alguma cidade em sépia cheia do pó dos desertos. Falou tanto da vida na noite anterior, mas Leonel dormiu e agora tinha vergonha de repetir assuntos. Preferiu perguntar de Zineb. A partir da menina, chegaria outra vez a Fadilah, onde trabalhava, o que fazia em casa àquela hora – talvez fosse mesmo uma diarista em dia de folga, ouviam-se tantos casos de quem ia à Europa fazer pé de meia, e ganhavam melhor, tinham mais qualidade de vida. Zineb passava o dia na Aboe Da'oed, mas que era Aboe Da'oed?, era a escola básica islâmica de Utrecht, quatro quilômetros que a menina começava a ensaiar de bicicleta, quando não chovia. Tinha doze anos, Leonel chutara uns oito (*mas o que sabe você de crianças?*). Estava no último ano da educação básica e Fadilah coçava a cabeça para escolher a escola secundária.

A estratégia deu certo, a partir da rotina de Zineb, Fadilah começou a se abrir. No mesmo instante em que abriu o vinho. Falou sobre a educação da neta em escola islâmica e a transição que faria no próximo ano. *Mi nieta es mi tesis*, ela disse e viu Leonel pescando sentidos. *My granddaughter is my thesis*, repetiu. Leonel entendeu, palavra por palavra, mas continuou sem atinar. Como a neta poderia ser sua tese? Muito fácil. E mais perto também. O caminho da Affonso Camargo oferecia outra opção para a volta, a avenida larga com pista exclusiva para ônibus também era usada por ciclistas. Cruzou com receio a linha do trem, quase embaixo do viaduto sob o qual por pouco não se perdera na noite da chegada. Procurou cancelas ou portões, viu somente grades arrebentadas que não ofereciam proteção para o caso de um comboio surgir em alta velocidade. Olhou bem para os dois lados do trilho e avistou o mesmo trem de antes, serpente cansada. Tinha fome, mas não havia levado dinheiro. O Mercado Municipal não era atraente visto da Affonso Camargo. Mostrava catadores de papel e mais fantasmas dormindo no chão – tomariam *benzodiazepinen*? Plasmavam-se à irregularidade das calçadas. Os mendigos lembravam as bicicletas abandonadas de Utrecht, pneus murchos e rodas retorcidas. É que quando não conseguiu mais suportar o casamento arranjado e o desejo por mulheres que doía trancar na gaveta, pensou em sair do Marrocos e viver numa comunidade de imigrantes na Espanha. Não deixaria de ser muçulmana, acreditava, apenas viveria em um lugar onde respirar melhor fosse possível, acreditava. As cinco orações diárias, o futuro do menino, a filha de cinco anos que, grandinha, já sofria pressões e assédios, tudo apertava seu pescoço com mãos fortes, demais, talvez. Hesitou, fez uma pausa longa para dizer que não era bem assim e que o mais terrível era a culpa de não sentir culpa: não amava os filhos. E temia dizer tudo às claras ao marido. Não temia por ela, contudo. Mas por ele. Nabil era delicado, incapaz de espancar uma mulher, era mais medroso que Fadilah e a possibilidade de ser visto como um *kafir* provocava nele pesadelos quase todas as noites. Escoiceava o ar durante o sono, o suor abundante o afogava. Dormia no chão para não machucá-la nem molhar a cama. O marido ideal para qualquer mulher muçulmana. A dignidade estava assegurada, era um pai carinhoso e devoto cumpridor das obrigações religiosas. O que mais Fadilah podia querer?

Grupos menos ligados à vida espiritual e mais à violência começaram a coagir seu povoado, todos estavam inseguros. Estes grupos impunham a *sharia* como a lei geral da vida, o cerco se fechava, passavam por cima de todas as leis humanas. Ninguém sabia mais o jeito certo de praticar a fé. Quando apedrejamentos de mulheres se tornaram mais comuns e dois homossexuais flagrados foram atirados de um edifício de quatro andares – *uno de ellos ha pataleado casi media hora* –, Fadilah não conseguiu mais esperar. A viagem para Ceuta e Algeciras não era longa, conhecia atravessadores que podiam ajudar, não eram os mercenários de hoje, e o governo espanhol ainda não havia investido fortunas para reforçar as barreiras próximas ao Marrocos. Fadilah falava mais rápido – no ritmo do desespero que se reapresentava – e parecia agora contar fatos recentes, sobre pessoas afogadas enquanto tentavam atravessar o Mediterrâneo. A Guarda Civil espanhola disparava balas de borracha contra a água e os sobreviventes eram devolvidos. *Putos*. Ao rechaçar os pobres que queriam abrigo, a Europa deixava-os à mercê da religião, que os seduzia com um islamismo do século sétimo. Assim o problema que o ocidente queria afastar aumentou. Com a não integração, o islã violento cresceu, levando os miseráveis a suportar a indigência com a promessa de uma vida sobrenatural perfeita. Fadilah disse que o islamismo de Medina, o mais violento, era seguido por somente três por cento dos muçulmanos. Parecia pouco, mas representavam quase cinquenta milhões de cabecinhas ocas com tendências a matar e morrer. Por isso muitos europeus, *con la misma cabeza hueca*, desesperados com a complexidade do problema, só enxergavam soluções simplistas, que era preciso acabar com os imigrantes, que a caridade com os indigentes do mundo não curava a doença, somente a prolongava e tal.

Fadilah deixou o Marrocos cerca de trinta anos antes daquele vinho que bebia com Leonel. Deixou também os dois filhos com Nabil. A Espanha experimentava uma recessão – ¡*qué novedad!* – e alguns partidos incentivavam a competição entre o cidadão original e os imigrantes, instigavam os nativos a acusá-los de roubar os já parcos postos de trabalho. *Para desear nuestros productos hechos de forma casi esclava, son buenos*, disse, mas para receber imigrantes em carne e osso depois de os próprios europeus terem colonizado e explorado meio mundo, isso não podiam, que muito tempo havia se passado, que o presente não podia pagar pelo pecado original e toda uma série de *cuentos chinos, milongas y nada más*.

Serviu-os de mais uma taça enquanto o cheiro do almoço começava o passeio pela casa. Na despedida, Nabil chorava mais que todas as mulheres que perderam os maridos para a imigração. A filha não derrubou lágrima. O menino, três anos, vincou as bochechas na grade, molhando-a enquanto Fadilah mentia. Que voltaria para buscá-los. Nunca voltou.

Se Leonel podia adivinhar quem havia reaparecido dez anos atrás. Foi Nabil, cheio de novidades trágicas que, de novo a culpa, não a comoveram. Ele estava morando no distrito de Molenbeek, em Bruxelas. Os filhos o haviam acompanhado, mas fugiram, o menino deixando uma carta cuja letra Nabil não entendera. A filha engravidara sem ter marido e desapareceu sozinha no aniversário de dois anos da menina. Não deixou sequer carta mal escrita, apenas um ser que Nabil mal conseguia segurar pela mão enquanto narrava as desventuras dos filhos a uma Fadilah sem reação. Avaliava aquele homem remoto que surgia contando a história de algum filme que não a interessava. Ele pedia e pedia para Fadilah prometer, dez vezes prometer, que a neta ao menos receberia uma educação islâmica. Não por fanatismo, mas por medo. Vestindo com coragem a sua covardia, o homem fez a súplica parecer exigência. Que Fadilah achasse uma escola islâmica para a neta. E que o banho não fosse muito quente, a pele da menina escamava com facilidade. Subindo até a garganta a culpa de não ter culpa, viu a neta como um cordeiro que expiaria os pecados do seu mundo. Aceitou-a pelos critérios da razão, o coração murcho batia apenas porque não tinha nada mais importante para fazer.

Contava sua história em ziguezague, ora em Utrecht, ora no Marrocos e na Espanha, com idas e vindas no tempo cujas conexões escapavam de Leonel, fosse pela língua espanhola, fosse pela língua de uma mulher que não conseguia ordenar o caos da fala. Ele ouvia, mas ela narrava mais para si mesma, fustigando a memória, com trejeitos no corpo que não escondiam o tom de exorcismo agarrado na voz. Ainda na Espanha, Fadilah ficou disputando subempregos amontoada em El Saladillo. Apesar da recessão, algumas ocupações eram exclusivas de imigrantes, jovens espanhóis se negavam a fazer serviços que julgavam sujos e preferiam o seguro-desemprego e a casa dos pais. Da Espanha Fadilah guardou o diploma da universidade da Salamanca, seis anos depois, e a paixão por uma holandesa que fazia um curso de férias. Desde muito jovem, quando ficava exultante, arrumava jeitos de se premiar, premiar seu mérito. Quando viu a faixa para ciclistas ao lado da via para os carros, que começava logo ao lado da praça Baden Powell, perguntou-se por que não poderia, naquele mesmo dia, comprar uma bicicleta. Subindo a Sete de Setembro, atravessou a rua para olhar de perto o edifício 7th Avenue, cujos espelhos da fachada refletiam quem passasse em frente, em geral viajantes que desciam em direção à rodoviária ou dela saíam. Por isso as tantas malas, as sacolas desengonçadas estourando os zíperes carregadas por corpos desengonçados estourando as colunas. Calculou quantos meses de treinamento seriam necessários para colocar aquela mulher em forma, a de cabelos escorridos, o rosto indígena tal qual os que vira nas propagandas da Copa do Mundo e nas Olimpíadas. Faria uma combinação nutricional com exercícios moderados, algum peso leve para habituar o corpo, criar memória do exercício. Caminhadas de vinte minutos na esteira a no máximo cinco quilômetros por hora, meia hora diária com reeducação postural global e exercícios preliminares de pilates, para coordenação e pequenos fortalecimentos, sobretudo do abdômen, fundamental para evitar lesões. Tudo isso por duas semanas, cinco dias por semana, a fim de prepará-la para os exercícios propriamente ditos, quando os pesos seriam gradativamente aumentados e os equipamentos variados para não viciar o movimento e atingir grupos de músculos específicos. As caminhadas pulariam para meia hora, intercaladas com pequenas corridas de um minuto, a sete quilômetros por hora. Carboidrato e proteína nas horas certas, cálcio. Saladas, legumes e frutas. Muita hidratação, quase nada de gordura. Em dois meses, poderia prometer àquela senhora de rosto queimado que passava em frente ao 7th Avenue que sua qualidade de vida teria ganho de duzentos por cento. Era só querer. E, dos três filhos que corriam atrás dela, o maior tinha idade para treinamento semelhante; os menores esperariam, apenas brincar e comer bem. Se tivesse um cartão da academia, teria oferecido. A mulher e seus três filhos pararam para descansar em frente ao edifício e Stefan precisou esperá-los sair para que pudesse fazer uma foto do prédio. Foi até a fachada e fez uma *selfie* de baixo para cima, encolhendo bem a barriga nenhuma e fazendo cara de mau, a mão com indicador e polegar esticados, *rapper* remoto. Pronto, ele e o arranha-céus refletiam a paisagem. A nova foto de perfil no Facebook. Estava boquiaberto: Fadilah era professora convidada da Universidade de Utrecht, a UU. *El Islam y sus islas* era o tema da pesquisa e de todos os artigos que publicava. Dava aulas de Estudos Islâmicos. *Imagina un árbol*, ela continuou, enchendo mais as taças, que nem estavam vazias. E Leonel imaginou uma árvore, tentando não perder o raciocínio que o convidou a ver essa árvore desde pequena, ainda broto, plantada em solo específico e regada com as chuvas bastantes, que recebeu determinados ventos e foi crescendo até ficar bem enraizada, olhando sempre as mesmas coisas em mudanças tão lentas que olhos distraídos não percebiam. E, depois de todo esse tempo, que imaginasse o transplante, as raízes arrancadas pingando terra eram levadas a outro chão. Onde o ar costumeiro, a porosidade conhecida, a água na quantidade habitual? Era difícil ser arrancada desde as raízes e tatear às cegas solo novo. *El vértigo de ser plantado a la fuerza. La desorientación. El vértigo de la tierra.* Havia o risco de secar e também o de querer que o terreno desconhecido se transformasse no cenário das origens. Esse delírio produzia raiva, essa raiva não se cansava de fechar os olhos e partir como touro brabo para cima de tudo o que ameaçava dissuadi-la. *La ira es aullido.*

Era a dissonância que acontecia quando imigrantes islâmicos caíam em contextos seculares. Para continuarem a ter um pouco da antiga terra presa às raízes, metiam-se em enclaves e tornavam o piso chão impermeável, evitavam comunicar-se com a sociedade da qual, *mira la ironía*, dependiam. As diferenças eram grandes demais, as mulheres preocupadas em ter muitos filhos, cuidar da casa, os europeus esclarecidos assinavam manifestos de apoio mas mudavam de bairro. Os holandeses brigavam também entre eles, como de resto toda a Europa, como se discutissem se deixariam animais de estimação – *pero nada estimados* – viver entre eles. Às vezes as mesmas bocas se abriam para dizer sejam bem-vindos mas sumam daqui. O multiculturalismo era um sistema de isolamento em guetos e os pobres islâmicos se assustavam com o potencial destruidor imputado a eles. Os holandeses, sabendo que era feio ser racista, transformavam a vítima em algoz e assim podiam aliviar a culpa iluminista. No jogo de forças, alguns imigrantes cediam e conseguiam passar pelas pequenas frestas de oportunidade – *yo cedí muy rápido, ya sabía lo que quería* –, sendo moralmente obrigados a deixar o islã. Que não era coerente aceitar o islã e o mundo ocidental, ela dizia. Era um ou outro. Para se manter fiel ao Alcorão, à *sharia*, ao *haddith*, devia-se negar o chão do replante, tinha de enxergar no ocidental o *kafir*, e, nos casos mais extremos, tinha de partir para a *jihad*. *Matadles donde deis con ellos, y expulsadles de donde os hayan expulsado,* dizia o livro sagrado, *Infundiré el terror en los corazones de quienes no crean. Cortadles el cuello, pegadles en todos los dedos.* Quando pensava em Fatima, tinha medo: se insistisse demais em querer saber como podia ser publicitária de *lingeries* e continuar islâmica, poderia causar crises de consciência, a mulher parecia ter conseguido uma posição que conciliava o bem-estar social e a liberdade individual com a promessa futura da salvação em Alá. Por que seria Fadilah a perniciosamente arejar um equilíbrio delicado conseguido à custa de tanto abafamento?

 Desligou o fogão quando o cheiro de queimado prometia sequestrar o da comida. Se fosse mulher querendo emancipação, tinha de ser apedrejada, se fosse gay, podia-se escolher, as opções eram boas: afogamento, lançamento de um penhasco. Riu e disse que ela seria jogada de um penhasco e apedrejada ao mesmo tempo. *¿No hay un deporte así? ¿Tiro al plato?* As punições estavam todas na *hudud*. E na Meca da tolerância ocidental, que Fadilah dizia ser a Holanda, o AIVD, serviço de inteligência holandês, tinha dados e mais dados sobre quão rápida era a passagem de imigrantes antes pacíficos e espiritualizados em seus locais de origem para figuras belicosas cooptadas para a *jihad*. Pessoas desorientadas e empobrecidas viravam alvo fácil, eram vulneráveis demais às promessas dos cooptadores. E a Europa não era inocente, não podia assobiar olhando para o outro lado. Nem outro lado existia, tudo estava tomado.

Que um dos sentidos da *jihad* acabava esquecido, ela insistiu. Não era apenas levar a fé islâmica ao outro, pela palavra ou pela força. Era também uma luta consigo mesmo. Se Leonel já tinha parado para pensar de quantas formas se poderia entender a luta consigo mesmo (ô). Fadilah não deu tempo para resposta e continuou dizendo que ou os muçulmanos deixavam suas ilhas e se integravam, mas aí praticamente deixavam de ser muçulmanos, ou do jeito que a coisa andava iriam querer converter o mundo todo e eliminar quem não topasse. Eis as duas alternativas para deixarem de ser ilhas. E Fadilah chegava então a seu ponto central, que era o de saber como deixar de ser ilha sem ser igual, continuar sendo muçulmano em território de tanta diversidade. *¿Sabes lo que aterra a Zineb y por qué llora tanto?* Leonel suspendeu o gole para ouvir que desde o ano passado, na Aboe Da'oed, era assombrada por imprecações. A escola era boa, esforçava-se para integrar a religião com os costumes seculares da Holanda. *Aunque esto sea casi imposible*, e ela riu. Havia estabelecido as *regels*, um regulamento escolar para estimular convivência pacífica e sem disseminação de medos, mas duas ou três colegas estavam atormentando Zineb com as palavras do Alcorão. Interpeladas, as meninas respondiam que estavam ordenando o certo e proibindo o errado, que ela queimaria no inferno se olhasse algum menino na rua, ou se fosse impura como a avó. Por isso Zineb era a tese de Fadilah: a menina insistia em continuar muçulmana, mas a que preço? Agora que chegava à puberdade, vinha o dilema do véu. Usar e ser marcada como uma desigual pelas políticas do país, não usar e ser devorada pelo medo do inferno, *pobrecita*, com doze anos de idade. *No podemos darles la razón a idiotas como Geert Wilders.* Que ele capitalizava o terror e o transformava em votos, jogando os holandeses contra os imigrantes, disse, empertigando-se. Mas, afinal, era possível promover integração sem perder a fé na palavra revelada? Por isso Fatima era uma contradição com braços e pernas. Banho gelado, almoço, passeio pela praça, uma bicicleta para comprar, postagens para responder (*se veria as duas fotos diferentes entre os arquivos*), revisão dos planos de treinamento possíveis, eram tantas as coisas que Stefan sentiu a ponta da ansiedade bicando o corpo. O bem-estar disputava espaço com a insegurança deixada para trás e que ressurgia, preparava o *sprint* e já pisava os calcanhares da empolgação, fazia o que Stefan não conseguiu fazer quando terminou a subida da Amintas de Barros – ela teria seu troco, esperasse ele entrar em forma, com treinos racionais. Havia tomado o alprazolam? Vasculhou com mãos apressadas a memória recente e de lá emergiu o gesto corriqueiro, o comprimido tirado do invólucro, estalo característico, na mão a cápsula branca do Xanax arremessada na garganta.

Não devia ficar estressado, tinha a tarde toda, os dias e meses para viver a cidade, tudo tão recente e embolado, um trabalho apareceu por acaso, mas os acontecimentos penderam para o lado das coisas boas, era o que ia contando a si mesmo, tornando a respiração mais forte, os batimentos em cento e dez por minuto, claro, caminhava em uma subidinha leve, era normal, que se acalmasse, que tomasse um banho, comesse, bebesse. Olhou a garrafa vazia quando começaram a almoçar, que bela estreia nos ensaios se chegasse bêbado. O que mais podia fazer se apenas Fadilah falava? Não estava a ponto de perder o controle, apenas uma expansão no modo de ser, um pouco de felicidade extravasando as bordas. Podia ser perigoso, ele sabia. Se sabia e ainda se preocupava com isso era porque não estava bêbado. Tão raras as vezes em que saía de si, o comedimento no gestual externo era marca entalhada no corpo como a cicatriz na coxa, irmãos nascidos no mesmo instante, gêmeos. Como recusar cada taça? Dera muito fio à pipa, o vento bateu forte contra o peito e ela subiu, hora de encurtar a linha, hora de se aproximar outra vez do chão, ainda que desconhecido. Normalmente ele era uma âncora ladeada por asas tênues (*melhor dizer que tentava voar mas não conseguia, voo de galinha*). Nenhum cheiro de queimado estragou o almoço, só não podia comer demais.

Fadilah se calara. Ele estava diante de uma mulher notável, que enfrentara dificuldades extremas (*toda a originalidade e comoção de Leonel, o bebum*). Talvez o vinho exagerasse as cores com que Leonel pintava a cena, mas no segundo dia essa mulher já havia se desnudado pra ele, das roupas à vida. Sempre um tipo de amor, afinal, a fazer alguém parar em pé e viver. Nem que fosse amor ao ódio (*oh*), o que não era o caso de Fadilah. E na cabeça desenhou-se um cavalo que tem à frente a cenoura pendurada na vara de pescar, mas cujo cavaleiro-pescador o cavalo não sabe quem é (*Leonel, não. Pare, por favor, pare, quanto você bebeu? O amor é uma cenoura? É isso que você vai dizer?*). E o cavalo segue na perseguição até pulverizar-se na linha do horizonte. Cada um tem a sua cenoura (*ui*). Quem não corre atrás de nada fica zanzando, apenas o próprio rabo para seguir (*ou para enfiar a cenoura, mais anatômica do que uma estátua de Santo Antônio. Mas ela nem gosta de cenouras, é você quem as prefere, você está bêbado, você é ridículo*). E pensar que na corrida deixou dois filhos caídos pelo caminho. Sobre taças e pratos vazios, Fadilah folheava um livro infantil todo ilustrado – presente para Zineb – sobre a vida de Malala Yousafzai. Sob o silêncio corria um fluxo subterrâneo que não vinha à tona, revolvia-se dentro de cavidades, língua nenhuma. Passeava pelas páginas sem vê-las. O relógio marcava o tempo de Leonel se arrumar, já sem a calma prevista. Deixá-la sozinha (*e quem vai lavar a louça?*) logo depois de comer e beber era parecido com transar, vestir-se às pressas e desaparecer. *And what about you?*, Fadilah ergueu os olhos do livro, mirando os de Leonel sem desviar. Ele se enrolou, balbuciou *I have class now. Tomorrow, mañana, sure, we'll have time, so touching your life*. E foi soltando frases curtas, esperando aprovação, comida maravilhosa, *wonderful*, apontou para as panelas sujas, queria elogiar a comida, mas deu a entender que maravilhosa era a louça deixada. Para quem, por lei, podia ser espancada pelo marido, lavar louça era mal menor, foi o que saiu dela, no meio da risada franca. Abençoada Fadilah, murmurou já no corredor estreito que levava ao quarto. Jogou-se na cama de barriga para cima, olhando o teto, mas logo se arrependeu (*que não conseguia ficar sozinho. Sem-*

pre alguém vindo fazer companhia. Não era bom?). Melhor agir, fazer o que quer que fosse, alguma coisa prática para evitar os enfrentamentos que a solidão propunha. Banho, masturbação – há quanto tempo não se masturbava (*quem a inspiração: um defunto ou seu algoz, forte e que olha nos olhos?*)? –, lojas de bicicleta, repercussões das fotos no Facebook, os planos de aula que Ruud havia compartilhado? A fala clara do psiquiatra pedia regularidade na paroxetina, não importava se tivesse menos ou mais ou nenhuma crise, e Stefan naquela enrolação. Ela melhoraria o sono, que esquecesse a benzodiazepina para dormir, e nada, e tudo atrapalhado, tomava os remédios de acordo com os joguinhos tolos, com o humor das obsessões, conforme a voz que entrava como parênteses sorrateiros no seu caos privado. Abriu o registro de água fria e com pequenos espasmos entrou inteiro no banho, exigindo da água todas as limpezas. Concentrou-se nos feixes que batiam no corpo, depois recorreu a memórias de infância, os banhos no banheiro do clube, três ou quatro amigos a se enfiarem debaixo do mesmo chuveiro esfregando corpos lisos uns nos outros, olhos fechados que temiam as espumas, as risadas exclamativas com as ereções nascentes sentidas pelo toque, o tato. Devagar, começou a tocar o corpo, o sexo, estimulando-o com vagar. Machiel e Ahmed podiam ser vistos através do vidro molhado. Machiel estava martirizado, a um só tempo sagrado e sensual, e Ahmed ainda mais desafiador, mais forte, bíceps salientes sob a camisa. Os caninos se mostravam, a sobrancelha em riste. Desistiu. Precisava de estímulos novos, era uma sede sem água por perto. O recepcionista do hostel, o jovem corredor, mais alguém do grupo que conversava em roda, Érico, nada, ninguém foi capaz de fazer uma fogueirinha com a faísca dos primeiros toques. Eram ainda desconhecidos e

Stefan precisava de convívio para colocar pessoas no catálogo das fantasias (*que ele estava ali, à disposição, convivendo com Stefan todos os dias*). Em breve estaria integrado, grupo novo de professores, alunos, amizades. Não se importaria de passar por exótico entre os que, para ele, eram exóticos. Cumpriria o papel de gringo que não sabia sambar, experimentava caipirinhas e era aplaudido depois de meia dúzia de embaixadinhas. Encontraria alguém mais tarde ou mais cedo.

Para fora: precisava projetar a vida para fora do corpo e da intimidade: o que fazer depois do banho? Almoçar bem, salada, carne magra e massa, tudo moderado, pouco óleo, sem fritura, sem bebida. Na mochila, maçã, garrafinha de água, barra de cereal, calça de moletom, meias com pontos emborrachados na planta – permitiam controlar os deslizes sem escorregar –, camiseta de malha simples, outra blusa de moletom – sem ser conjunto da calça, seria muito escolar, o menino que ia à aulinha de dança. As roupas não eram novas, mas, bem conservadas, mostravam uso sem desleixo (*pensei nas calças furadas na bunda com que você ensaiava, muitas vezes sem cuecas. Também nas camisetas sujas, manchadas de café e mordidas na gola*). Tinha ainda uma toalha, o livro em inglês sobre *Viewpoints* e, na dúvida, em bolso secundário, enfiou um par de sapatilhas. Vai que. Deixou de fora o portfólio impresso, já havia mandado o pdf por e-mail e torcia para que tivessem visto as fotos profissionais, os saltos congelados a um metro do chão, o foco no suor do rosto (*mas você não colocou aquela em que aparecíamos com roupa estilizada de baiana*). Deitou-se no chão, no espaço onde Zineb dormira, entre a cama e a parede, e lembrou-se da sala de casa em Curitiba, da amplitude de movimento que ela permitia. Respirou fundo para relaxar o corpo e ouviu, vindo da cozinha, o som de panelas, pratos, talheres, a água.

O telefone tocou, era um engano. A funcionária queria falar com o quarto 37, não com o 38. Ela tinha um inglês limpo e, quando descesse, Stefan pediria informações, decidido a ampliar o raio daquele espaço cheio de pontos reconhecíveis e até familiares semeados numa terra de estranhezas, de arquitetura sem padronagens – onde as *bakstenen huizen?* –, de fantasmas à mercê do vento, das pichações, da fumaça, dos fios elétricos arrevesados, das calçadas sem calçadas. Se achava a Holanda misturada era porque sabia pouco do mundo. Via pessoas mais baixas e gordas, mais horizontais. Mais tortas, mais enrugadas, mais aleijadas. Com a agilidade do polegar raspando a tela, reviu as fotos tiradas pela manhã. Ainda nu na cama, editou-as, cortando tipos estranhos que escaparam à vigilância do fotógrafo. Uma questão estética. Um *crop* e um filtro dariam ar profissional. Gostou dos resultados, o dia iluminado deixava as cores vibrantes. Até uma pichação ganhou efeito poético. As imagens estavam prontas para o Instagram. Então, chega de periferia. A Biltstraat fica muito perto do centro, tem de tudo, menos de dez minutos do Oudegracht, Gonçalo diz. Não sabia que em Curitiba Leonel morava no Centro, perto da principal universidade? Que a continuação da Biltstraat, a Wittevrouwenstraat e logo em seguida a Voorstraat não eram atraentes, o comércio administrado pelos extracomunitários deixava a rua feia, prosseguiu. Se não estava simpático ao menos falava. Viraram à esquerda logo na Drift. A sala onde dançamos fica além da estação. Uma boa caminhada, já é possível aquecer. E guiava o caminho encostando no braço de Leonel, forçando-o a alguma curva. Estavam de novo na Janskerk, atravessaram a praça, Leonel olhava as árvores que resistiam ao frio. Ainda sem touca, improvisara uma extensão do cachecol, que passava pelo alto da cabeça, caía sobre as orelhas e entrava na jaqueta (*converteu-se ao islã, moça?* Are you hot?), semelhante ao manto das mulheres que passavam por ele seguidamente. Algumas usavam a vestimenta para prender o celular perto da boca, e falavam sem ocupar as mãos enterradas nos bolsos, numa versão islamolandesa dos motoboys curitibanos e seus celulares preso no capacete, comparou Leonel, em silêncio. Contornaram metade da praça da igreja e Leonel reconheceu, de outro ângulo, a rua por onde haviam caminhado pela manhã. Agora equipes trabalhavam reparando um defeito invisível na rua, um suposto buraco que talvez fosse visível com lupa.

Entraram na Korte Jansstraat para logo seguirem a Domstraat, onde Leonel sofrera com as malas e a desorientação no dia da chegada. Qualquer uau ao lado de Gonçalo significaria pequena derrota, provincianismo, a marca da periferia que precisava esconder como a cicatriz na coxa. Uma aura mistificava o presente com discursos grandiloquentes para consumo privado (*quase*). Pressionava-se, insistia ser o momento mais importante da vida, o momento de enfim assoar o nariz com o *Manifesto secreto contra a mediocridade*, de dizer aos grupelhos autofágicos da dança curitibana que o que vinha de baixo não mais o atingia. Leonel, o malabarista, buscava equilibrar temor e arrogância sem que a excitação desse as caras do lado de fora. Tentou mudar a chave, ia a um ensaio qualquer numa cidade qualquer, como quem saísse de Castro e meia hora depois chegasse a Carambeí para dançar um *hakke too-*

ne. Acomodou-se em um dos restaurantes do seu *bunker*, o Shopping Estação. Restaurante, caixa automático, farmácia, wi-fi ainda que precário, o pequeno mundo do shopping era uma gaiola confortável até se acostumar ao mundo grande, de que vivera a primeira experiência pela manhã.

Demorou a entender a ideia de pagar um valor único para comer o que bem entendesse. Serviu-se de saladas, massas, carnes. Era o que queria, mas não na quantidade que imaginava. As pessoas pegavam um pouco e trocavam os pratos entre uma ida e outra ao *buffet*. No prato de Stefan, a montanha de comida quase o escondia – antes o escondesse. Para diminuir o embaraço, apressou-se mastigando mal, engolindo pedaços inteiros. No final os sumos jaziam no prato onde pequenos restos ainda boiavam, soldados vítimas de um massacre em praça de guerra.

A comilança deu sono, não acompanhou com a euforia prevista a reação dos amigos. *Brazilië?* era o que mais se perguntava entre os vinte e três comentários. Havia ainda setenta e duas curtidas, algumas carinhas de espanto, outras que derrubavam lágrimas. A maioria vinha de amigos de Machiel que migraram para a *timeline* de Stefan. Em geral davam força e diziam entender o exílio depois do momento difícil. Se a dor fosse comparável à distância para onde fugia, podiam imaginar o tamanho da sua. Alguém disse ter ouvido que o Brasil era o país do futuro, *veel geluk!* Outros jogavam com as piadas que tinham ao alcance, pedindo para que mostrasse como era correr no meio da selva com tantos morros e favelas – ótimo exercício de panturrilhas –, outra, comentando a foto do edifício espelhado, perguntava quando chegaria ao Brasil. O melhor amigo de Machiel alfinetou, que tanto esforço faziam para mandar embora os imigrantes e agora perdiam um holandês. Um amigo do oude Bisschop perguntou se ele seria o novo Maurício de Nassau. Stefan não entendeu, mas curtiu, como curtiu todos os comentários em série, mesmo os mal escritos, os que não faziam sentido, os de que não tinha gostado muito.

Quando ficou em pé para pagar a conta, pensou que talvez não devesse ter tomado tanto chope, beber junto com a comida era uma proibição básica e agora tudo boiava na barriga expandida. Caminhavam pelo ponto mais tradicional de Utrecht, Gonçalo disse que ao pé da Domtoren eles estavam equidistantes da Domkerk e do Oudegracht, o velho canal que cortava a cidade e para onde moradores e turistas convergiam, o lugar para fazer compras, conversar, comer e beber, manifestar-se. Que bonito, disse Leonel, discreto, a exclamação trancada. Ao longe, cerca de vinte pessoas protestavam segurando a foto de um rapaz. Gonçalo hesitou entre admitir que vez ou outra havia violência em Utrecht e aproveitar para falar mal dos imigrantes. Mataram um gajo uns anos atrás, na época da Copa do mundo, disse. E sugeriu cuidado com Hicham, a quem Fadilah resolveu proteger. Gentes assim eram sujas e preguiçosas, não sabiam aproveitar o que a Holanda oferecia. Não queriam ser Europa. Hospitalidade tinha limites, o que Leonel acharia se alguém chegasse à casa dele e dispusesse os móveis do jeito que bem entendesse, pintasse as paredes, fizesse-o dormir na casa do cão. Mais: ainda roubasse seu emprego.

Mas nem tudo era problema e a cabeça de Gonçalo desanuviou: se durares aqui até o verão, verás estas louras a pedalar em outros trajes, que Leonel não perdia por esperar aqueles corpos, dois metros só de pernas, coxas com a extensão do mundo em vestidos leves de caimento safado, o falso pudor com que colocavam as mãos entre as pernas enquanto pedalavam, pouca mão para esconder tantos decotes e calcinhas à vista. Que enquanto corriam pelos parques, os rabinhos de cavalo ricocheteavam nas espáduas. E que, mesmo no verão, continuou, não corriam o risco de ver muçulmanas com as pernas de fora. As roupas delas são de facto uma bênção, Alá é sábio. Que conversa idiota. Vomitou. Atravessando a Sete de Setembro, perto de um fantasma que dormia ao pé da estação-tubo. Ainda se apoiou no ônibus parado. Vomitou no pneu, a mão esquerda preta depois de tocá-lo. Algumas pessoas que desciam da estação pularam o mendigo para atender Stefan, tudo bem, estava tudo bem? Com um pequeno pedaço de tomate seco no canto da boca, ele só dizia *alright, alright*. É gringo, nem parece bêbado, leva ele lá pra casa, precisa de ajuda?, quer que eu chame assistência?, tem plano de saúde?, as palavras estranhas todas entrando e ele só digeria a interrogação. No meio da massa de sons moles, um código se decifrou, equilibrou-se na tontura. *Are you ok, man?*, Stefan ergueu os olhos para a voz do salvador, metida entre seu corpo curvado e o sol. Uma cabeça negra envolta em halo dourado. O ônibus partiu levando em um dos pneus restos de carne e rúcula. Stefan então reconheceu o segurança da academia. *Ok, ok, he is my friend*, meu amigo, dizia às pessoas que foram se afastando de costas – olha o tipo do macaquinho, metido a falar inglês. Uma senhora de cabelos compridos enrolados em coque tropeçou no mendigo que dormia e a saia também comprida não impediu que se mostrassem as varizes da coxa. A bíblia que carregava voou para a rua, onde uma Range Rover passava. O livro espalmou-se em alguma página que a mulher leria depois várias vezes em busca de um sinal. Duas meninas refrearam a gargalhada segurando os soluços com a mão na boca. O vômito se dispersava mais, uns pássaros já pousados terminariam o trabalho. O segurança bebia Coca-Cola e estendeu a lata para Stefan dizendo que ajudava. Levou-o para um banco na praça Eufrásio Correia, apoiando-o pelo braço, devagar, enquanto Stefan melhorava o suficiente para já se sentir um imbecil. Era isso que se chamava de vida boa? Dançar em uma cidade como aquela e nos intervalos ir aos bistrôs charmosos, tantos, um a cada vinte metros, ler, visitar museus e conhecer pessoas interessantes? Experimentaria todos os lugares para depois apresentá-los aos novatos que chegassem, sugerindo que fossem ao café tal, seu preferido, conhecia o pessoal, todos amáveis. Não levaria muito tempo para sentir as raízes brotando dos pés, sem dificuldades de transplante. Desenraizava-se do chão antigo com gosto e prazer, a terra nova é sempre mais fofa, mais cheia de nutrientes, o sol e o vento desentortando galhos pensos. Que apego era aquele a que Fadilah se referia quando falava dos imigrantes, que tanta dificuldade para se abrir ao novo? Entrou pela Hoog Catharijne feliz por estar tranquilo, a maturidade tinha a vantagem de fazê-lo cortar caminho, pular as etapas do nervosismo cabotino e viver diretamente um prazer sereno. Estava na *sua* cidade, dele, que morava na Biltstraat e caminhava para o trabalho (*trabalhar implica receber dinheiro em troca*). Não quis perguntar a Gonçalo como receber para dançar, a recusa a Kees era recente demais e poderia reacender a pequena fúria vista pela manhã.

As luzes dos postes começavam o trabalho de não deixar ninguém no escuro quando eles atravessaram a estação de trem. Do outro lado, Leonel encontrou uma cidade menos atrativa, de construções modernas. Gonçalo mostrou ao longe as duas torres da nova mesquita, disse que era um sintoma, não? Da última vez que esteve na sede da Fundação Cultural de Curitiba, Leonel viu, no quarteirão em frente, a nova Catedral da Fé, da Igreja Universal do Reino de Deus, muitas vezes maior que a mesquita para a qual os dedos compridos de Gonçalo tinham acabado de apontar. Mas não disse nada.

Na briga de torcidas, Jesus e Maomé à frente das organizadas, quem levaria a melhor?, Leonel zombou. O vinho do almoço tardio mandava as últimas lembranças. Estava leve (*nunca vi fazer tanto esforço para ficar leve*) e mesmo que o inglês não saísse direito quando encontrasse Anne-Marije e o outro bailarino, era importante sorrir com confiança (*não é o teu forte*), espalhar uns *yes* aqui e lá. Ensaiou tanto a pronúncia de *definitely* que estava decidido a usá-la. Fixou frases feitas, vocabulários prováveis, além das desculpas por estar destreinado na dança e na língua, a modéstia como recurso para ser perdoado (*mimimi*) ou surpreender se tudo desse certo. Baixar as expectativas para ser mais fácil superá-las, sempre bom. Recuperava-se embaixo das árvores, a sombra era o último escudo contra o sol, as nuvens estavam distantes, nas periferias do céu. Um vento mais que brisa assoprava o rosto de Stefan, onde vergonha e raiva se encontravam. No mesmo dia falhara como um miserável em suas duas especialidades, o esporte e a alimentação. Logo agora que era professor. Ao menos não foi visto por alunos ou por Érico, consolou-se. Que no dia seguinte esse rapaz ao seu lado não cometesse a indelicadeza de contar a todos, ririam sem trégua.

Dois goles longos de Coca-Cola depois, a lata esvaziada, o segurança disse que poderia levá-lo a um posto de saúde, *no, thanks, I'm fine*. Então Stefan, que mirava as folhas projetadas no chão e provocava com a ponta dos pés os pedriscos sossegados, ouviu-o rindo, quase gargalhada. A mão no ombro deu-lhe conforto inesperado antes que pudesse se ofender. Mais que tapinhas, o rapaz segurou-o decidido e chacoalhou com afeto. *Oh, come on* era o convite para uma risada em dupla. Era preciso rir da desgraceira de um mundo desconjuntado. Nunca tivera mão negra como aquela tocando seu corpo.

Desimond Souffrant veio do Haiti – se era um país – após o terremoto – *welke aardbeving?* – e estava em Curitiba havia bons anos depois de viver um tempo no Acre – *Waar is dat?* – e outro tanto em São Paulo. Era formado em Literatura Francesa e Filosofia. Trocou as aulas sobre Rousseau pelos tijolos na Arena da Baixada, aprendendo o serviço na marra. Depois da Copa é que foi para a academia, onde trabalhava informalmente. Era menos puxado, mas até agora não ouvira falar de férias. Não reclamava, sair em busca de outro trabalho era arriscar-se para o pior, todo mundo perdendo o emprego. Por outro lado, já havia mais de dez milhões de desempregados loucos para culpar um haitiano que trabalhasse. A academia não era perto de casa, mas o caminho era fácil, vivia em Pinhais, uma cidade próxima. Morava no Jardim Weissópolis.

Enquanto falava, as nuvens que conspiravam com o vento fizeram a praça escurecer. Desimond estava no ônibus porque desde o trabalho na Arena gostava de ir à praça do Japão para ler. Falava como se a cidade fosse conhecida de Stefan, que se confundia, o inglês de haitianos e holandeses nem sempre afinado, Acre, Weissópolis, Pinhais, praça do Japão, agora que o estômago desatara os nós a cabeça se enrolava. Um holandês ouvia um haitiano na praça Eufrásio Correia, que tinha um monumento à Polônia, um chafariz e uma estátua de metal com um furo na nádega esquerda, por onde deixava passar a água que servia de chuveiro a crianças maltrapilhas, fantasminhas em exercício.

Desimond mudou de assunto quando soube que Stefan havia chegado fazia tão pouco tempo. Talvez precisasse de um amigo, o pobre holandês. Stefan concordaria, mas seria bom se Desimond parasse um pouco de falar e outra vez apertasse seu ombro. Já era noite plena quando atravessaram o Oog in Al, Leonel olhava para os lados, o medo do assalto espalmado nos olhos. Qualquer sombra e o corpo pronto para o salto depois do sobressalto. Chegaram atrasados mas Gonçalo tinha uma desculpa, estava com um brasileiro. Leonel fez o que pôde com o *it's not true* saído da garganta áspera. Dois bailarinos aqueciam. Anne-Marije levantou-se sem usar as mãos e correu com passinhos curtos ao encontro de Leonel, dizendo que sabia não ser verdade (*então você se fez entender?*) e que os primeiros dias, a chegada, o cansaço eram assim. Perguntou amenidades sobre viagem, comida, sono, Utrecht. A tudo Leonel respondeu com monossílabos certeiros, *ok, good, great*. Tendia a colocar um *oh* na frente – *oh, good. Oh, great* – e tentou se policiar, mas não podia ficar preso a detalhes para não perder o bonde da fala e seus trilhos imprevistos. Foi apresentado a Gijs, o outro bailarino que dançava com o casal fazia muito tempo. Não esqueceria o nome desta vez e foi mentalmente ligando o som, *Réeis*, à figura bonita que lhe estendia a mão. Perguntou onde havia um banheiro, queria se trocar. Sorriram, Gonçalo já se despia na sala. A cicatriz o envergonhava mais que a outra nudez, era a sua obscenidade. O cu, o pau, o que era isso tudo comparado à cicatriz (*a cicatriz é a rachadura que você queria ter. Pena que o arame farpado não rasgou o entre as pernas. Ou: o assoalho pélvico*)? E como explicar a artistas esclarecidos a violência de um pai e sua cabeça primitiva (*mas o cu era de anjo*)? Na ausência de Leonel, Gonçalo comentou com os outros que estava surpreso, um brasileiro com pudores. Leonel vestiu o moletom meio-novo-meio-velho, olhou-se no espelho, mostrou num *flash* a língua a si mesmo (*travessa*) e saiu para o estúdio que tinha espelho e barra, objetos que andavam sumidos nos ensaios de dança contemporânea no Brasil. Oxalá não quisessem usar as barras (*oxalá ou inshalá?*). Os espelhos eram tolerados, mas inúteis, uma vez que copiar passos obstruía o caminho do corpo autor, refletia ação em massa, desencorajava a individualidade. A dança era criação coletiva e compartilhada, mas nada a ver com siga o líder. Entre ser o ator do movimento dos outros e o autor que criava o movimento próprio e dava dinâmica a diversas autorias, havia diferenças grandes demais. Era um salto, um *grand jeté* que ia da autoria centralizada para os processos colaborativos. Dramaturgia do corpo, eis o termo a que Leonel se apegara e deixava à disposição, na ponta da língua: *body dramaturgy*, ou *a dramaturgy of the body*. The performative body também era expressão de quem sabia das coisas e sua pesquisa propunha isso. *Space, shape, time, emotion, movement, story*. Ensaiaria falar das relações de sentido com o mundo e com os outros. Do cruzamento de materiais cênicos no tecido da representação. O conceito vinha depois de Brecht e da performance dos anos 1960 e 70, a dramaturgia era criação de cumplicidade e costurar as autorias múltiplas era também tecê-la. Mas como dizer tudo isso?

Primeiro respirar, entender as propostas da aula – que, disseram, seria leve, simples. Queria mostrar uma dança que desarticulasse os estereótipos do corpo brasileiro. Antes que carimbassem uma nacionalidade na testa, precisava fazê-los entender que eram pessoas que compartilhavam um universo comum e a dança podia reescrever fronteiras revolvendo ideias fixas, territórios estabelecidos, corpos demarcados. Na euforia do discurso imaginário, lembrou-se do movimento antropofágico brasileiro no início do século vinte, mas não chegaria lá, falar sobre índios comendo pessoas seria constrangedor. O exército compacto das nuvens dominou o centro do céu. A tempestade começou com rajadas de pingos esparsos e grossos que liberaram o cheiro de poeira no chão da praça. As crianças no chafariz aumentaram a gritaria, banho de chuva. Desimond não podia mais ir à praça do Japão, foi se despedindo sem saber como (*se ia mandar o homem que o ajudou embora e ficar a sós com ele*), quando Stefan o convidou para um café na maquineta do hostel, ficariam na recepção até passar a tempestade. Desimond ria tentando correr, tinha de carregar um soldado combalido que começava a rir também, e então riram como as crianças do chafariz. Chegaram à recepção e a garota do guichê os recebeu comungando sorrisos. Trouxe toalhas, Stefan estendido no sofá, a fisionomia da ressaca.

A chuva fez Desimond recordar a vinda ao Brasil. Quando chegara ao Acre, chovia tanto que as estradas ficaram interditadas por muitos dias. Ele e mais trinta haitianos no ônibus, a comida acabando e o medo combatido com música e piada, os exorcismos de todos os tempos, ele dizia. Em São Paulo, outro temporal alagava as avenidas, o alto dos prédios sumia na cortina das águas. Os dez metros que separavam o ônibus do abrigo onde ficaria alojado foram suficientes para encharcá-lo. Ainda se lembrava da Igreja Nossa Senhora da Paz e do padre esperando-o com toalha e casaco. A corrida na direção do acolhimento ainda o comovia. *Let me see if I guess*, disse Stefan, supondo ser óbvio que em Curitiba a história se repetiria, água e mais água. Aí Desimond disse que não, que havia sol e um céu azul tão azul que ele jurou: não sairia daquele lugar nunca mais. Promessa feita e desde então só chovia naquela cidade cinza. Terminou a fala com o início da gargalhada. Mas ficou desapontado, Gonçalo exercia alguma liderança naquele coletivo. Leonel queria ver um grupo sem hierarquia propondo trocas horizontais, espirais. Em Curitiba, Cícero assumira a função sem combinações prévias e foi se impondo, falava mais alto em uma discussão, espalhava ironias leves quando outros falavam, até calar-lhes a voz. Talvez fosse estratégia do grupo deixar a aula sob responsabilidade de alguém a cada ensaio. No dia seguinte seria Anne-Marije, depois Gijs e então o próprio Leonel. Antes de partirem para o movimento, Gonçalo falou sobre desaparelhar o corpo das técnicas fixadas ao longo de uma vida inteira na dança. Existiam técnicas para retirar a técnica prévia. Anne-Marije dava sinais de ser apaixonada pelo português, que continuava a falar sobre desnudamento de códigos e desfamiliarização do *prêt-à-porter*. Que bem que os radicais de Fadilah podiam ouvir isso, pensou Leonel.

O vinho o impedira de arrumar a mochila como deveria e lamentou ter esquecido o moleskine para apontamentos, gostava de tê-lo por perto, anotando desordenadamente raciocínios ligados ao fazer artístico e falas dos colegas. Gonçalo usou expressões que o interessaram, animando-o porque faziam parte de um campo de pesquisa (*de um raio semântico, não vai usar essa?*), de um raio semântico reconhecível e que ia na direção do que investigava.

Os quatro bailarinos finalmente partiriam para o chão da fábrica, como Leonel gostava de se referir à prática. Evitava usar a expressão em público, sabia da crítica corrente – e concordava com ela – que se fazia à dança como esteira de produção. Operário da dança era um termo que fazia sentido, mas como referência ao trabalho diário e suado. Desde Rudolph Laban se falava da desmecanização e que um trabalho artístico jamais podia prescindir de um corpo individuado, atravessado por experiências únicas. Era isso que permitia falar em corpo tecido na cultura, mas ao mesmo tempo universal, pois mesmo se cada cultura tinha uma linguagem corporal que a distinguia, existia também um repertório alfabético comum. Que raiva não ter um inglês *good enough* para dizer tudo isso. Tinha certeza de que impressionaria, mas como Anne-Marije e Gijs também ouviram Gonçalo calados, resignou-se. Um café preto estava entre as mãos. Desimond não quis tomar nada, acabara de beber uma Coca-Cola. A recepcionista desconfiou da sinceridade na recusa, devia ter as moedas contadas para o ônibus, nada de extravagâncias como um café de maquineta. Pegou um *macchiato* e levou para ele, era por conta da casa. Desimond aceitou sem recatos, olhando para ela e não para o copo. Ao vê-la próxima, Stefan pôde ler o crachá: Isabelle.

Desimond até deixou algum espaço para o silêncio, mas ao ver o holandês abatido recomeçou: se Stefan se correspondia com alguém por carta. Não? Pois ele sim. A cada seis meses, enviava e recebia duas cartas. Falava com os pais, que ficaram em Porto Príncipe, e com um amigo de infância, Donald, que também resolvera fugir, mas para a República Dominicana. Desimond deixava o olhar escapar na direção de Isabelle, sem saber se ela fazia parte da conversa. Ela se aproximou, o hostel sem movimento, e se apoiou no encosto do sofá. Desimond tinha plateia, ajustou o corpo. Disse que o amigo escrevera uma carta muito confusa da última vez. Donald fizera amizade com um policial de Barrio Cementerio, que acabou padrinho de seu casamento. A gargalhada sem motivo descortinava a brancura dos dentes, grandes blocos de marfim escondidos sob o negrume dos lábios. Donald arrumou mulher dominicana, dois filhos e um compadre daqueles de jogar cartas todo fim de semana, ir à igreja, comer e beber, compartilhar a vida. Até que o governo começou a expulsar os haitianos da República Dominicana e o padrinho disse, enquanto tomavam cerveja, que fim de semana era uma coisa e dia de semana era outra, que sábado e domingo ele era o amigo, mas que de segunda a sexta era policial. Que Donald o desculpasse se em breve aparecesse outro ele, *yes, he said if another me appears here*, para levá-lo embora para o Haiti. E esse outro ele diria que o compadre de sábado e domingo cuidaria bem da mulher e das crianças enquanto o ele policial cumpria ordens e deportava Donald.

Precisava fazer o que a lei mandava. Desimond parecia um pastor do Harlem e perguntava duas vezes, mudando a entonação, se eles sabiam o que o caso lembrava, *do you understand?, do you understand?*, Stefan e Isabelle trocaram olhares para saber como o outro reagia, precisavam mesmo responder? Não tinham ideia. Desimond falou então do julgamento de Eichmann. Outra vez Stefan e Isabelle se espiaram, do que ele falava? Isabelle remoeu o Eichmann, mas só sabia quem era Eike Batista, o milionário falido. Stefan conhecia Eich Holtz, a marca dos móveis suntuosos em Noordwijkerhout. Eichmann nenhum aparecia no horizonte de referências. Eichmann, dizia Desimond, aquele que havia ganhado notoriedade depois do ensaio de Hannah Arendt. *Hannah and her sisters* despontou na memória de Isabelle e de Stefan, agora afinados na ignorância. Que a partir dele Arendt começou os estudos sobre o Mal. Que Eichmann cumpria ordens, que exercia sua determinação legal e fechou os olhos para o holocausto dos judeus e para a própria condição de indivíduo, de sujeito moral, concluiu Desimond como se terminasse uma de suas aulas no Haiti.

Empolgado, pediu mais café por conta da casa. Stefan, enterrado no sofá, estava tão longe da Filosofia quanto estava de Utrecht. Ouvia o oude Bisschop e Machiel, acompanhava o site do Partido para a Liberdade para não ser o ignorante integral, mas entendia mal as discussões. Ainda havia as ironias do pai, as brincadeiras sem riso, a seriedade sempre por um fio. Agora vinha esse sujeito tentando dar erudição a algo bobo: o compadre dois-em-um queria pegar a mulher do amigo, não era simples?

Desimond deu voltas procurando a melhor forma de explicar o caso Eichmann, Alemanha nazista, antissemitismo. Sabiam que Hessy Taft, a garota-propaganda apontada pela Alemanha nazista como modelo do ariano ideal, era judia? Isabelle interrompeu-o, perguntou por que ia tão longe? Havia quanto tempo Desimond estava em Curitiba, não tinha acompanhado o Massacre do Centro Cívico, o caso dos policiais que bateram em professores não era a ilustração perfeita? Seriam máquinas cujas engrenagens serviam para moer o trigo ou as pessoas, sem julgamento moral sobre a natureza do que entrava no moedor? Sim e não, ela mesma respondeu, indecisa. Desimond explodiu de excitação e começaram uma conversa particular apontando semelhanças e diferenças entre os casos. Stefan era agora o único perdido, de que falavam? Seria mesmo um sujeito preocupado apenas com o corpo e que não entendia nada nunca? O mundo falava aquela língua, uma preocupação com o que os outros faziam ou deixavam de fazer, por que não vivia cada um a sua vida? Devia ser ele o errado, claro. O pai, Machiel, Desimond, Isabelle, Ingrid, todos pareciam preocupados de verdade com pessoas que iam e vinham ou que eram impedidas de ir e vir. Ele foi. Tivera coragem de sair da Holanda para um país diferente e tinha até lugar para trabalhar. Não era simples? Mas calou-se, intuía a recriminação, seria derrubado no terceiro nocaute do dia. Centro e extremidade são conceitos ricos para o movimento. O corpo se contraía no chão e depois se distendia, era bom sentir as articulações se movendo lentas. Pés e mãos convergiam para o centro do corpo, o pescoço se enterrava, o universo se encolhia para em seguida retomar o *big bang*, dedos se afastando das mãos se afastando dos braços se afastando do tronco se afastando de pernas e pés e dedos até a posição da estrela. O vaivém repetido e repetido, a consciência do movimento, ora unidade indivisível, ora decomposto, era isso que estava em jogo, a suspensão do peso, a oposição de direções, o umbigo como centro desse universo, a bacia como mote gerador do movimento até a horizontalidade do chão convidar os bailarinos a se levantar, a experimentar o fluxo adicionando o equilíbrio e o desequilíbrio, somente os pés tocando o chão, pequenas âncoras. Gonçalo pedia o menor contato com a madeira do piso. A obviedade da ponta dos pés foi subvertida por Leonel, que depois das pontas – para mostrar que conhecia o código, a técnica, o evidente – apoiou os calcanhares. Buscou entender o que mudava no mecanismo do movimento, como acionava outros estímulos e criava novas dificuldades. Não precisavam se despir da técnica? Os bailarinos conheciam Tom Wolf, sabiam sobre a arte sem técnica escolarizada, a necessidade de desabilitar o artista, aproximando-o da inabilidade criativa da criança (*daqui a pouco os bailarinos estarão inábeis para controlar o esfíncter*). Em cima dos calcanhares, Leonel obrigava-se a um rearranjo do corpo. Ele se diferenciava de tudo o que os outros três faziam. Gostou, mas tinha como barreira a limitação que a escolha provocava no movimento da pelve, seu ponto forte. Se a articulasse como estava acostumado, cairia. A queda sempre foi artifício conhecido na dança, mas estatelar-se era diferente. Poderia elaborar modos de articular a queda, mas ainda assim ficaria sem a chance de mostrar o trabalho da pelve, isso tinha de aparecer, os olhos furtivos dos bailarinos a observá-lo (*está gostando dos espelhos na sala?*).

Leonel também os espiava, era recurso comum sobretudo em sala com espelhos, mais fácil disfarçar. A voz de Gonçalo surgia propondo mais elementos, Leonel esforçava-se, corpo e compreensão da língua, precisava ir além da decodificação primária e da vontade de sair gritando entendi, entendi o que eles estão dizendo. A compreensão vinha lenta, significante, significado, costura de um em outro até saber que a proposta demandava, ufa, uma ação. Não deixava de ter sua graça descobrir códigos que pediam para jogar fora os códigos do corpo. Ainda pelo espelho, avaliou que Gonçalo fazia *cloches* seguidos, estereotipados demais para quem propunha despir-se de técnica. Era muito autossatisfeito para um artista, sentenciou. O caso da polícia holandesa podia ser usado como exemplo: se um superior mandava proteger imigrante, o policial protegia o imigrante; se fosse para expulsá-lo, expulso seria. Era o mesmo que Desimond dissera sobre o policial na República Dominicana e o tal julgamento de Eichmann? Ainda que conseguisse articular o caso holandês, tinha medo de ser atacado pelo espírito de Machiel ou pela voz do pai (*se nenhuma outra voz viria na direção contrária*), que lei era lei bem por isso, para não deixar qualquer um fazer o que bem quisesse.

 O horário de verão esticava a luz dos dias, mas era tarde. O mal-estar havia passado e a fome apareceu renovada. Anoréxico involuntário, jogara fora o exagero do almoço e estava fraco. Érico dissera para aparecer no dia seguinte, Stefan conheceria aparelhos e salas. Falaram sobre musculação, planos aeróbicos de corrida, resultados em pouco tempo. Stefan arriscou-se ao incluir *crossfit* e *spinning* entre suas habilidades. *Easy, man*, foi o que disse Érico, livrando-o da incumbência pelo menos no início. Foi assim que se distraiu da conversa que Isabelle e Desimond travaram sobre quem bateu em quem, quem expulsou, quem matou, quem morreu. Enquanto o coração de Desimond estava na saudade da terra, o de Stefan estava no cálculo de frequência máxima (*se acreditava mesmo nisso*). Aquela era sua gramática. Mas o negro e a menina o cativaram, se não pelos assuntos, pela presença, os sorrisos sem motivo, a gentileza dos gestos, o toque no corpo. Se assunto de conversa servisse como abre-alas para o amor, Stefan nem teria se apaixonado por Machiel. Foi na academia que o futuro namorado, correndo a contragosto, chamou a atenção pela primeira vez. Stefan começou mirando a tatuagem do ombro direito e foi seguindo até os olhos se arregalarem para o corpão de músculos rijos suando na esteira quando ainda treinavam na Body Factory, academia pequenina da Biltstraat. A tatuagem da serpente devorando uma maçã acabou dando um tipo bem específico de fome.

Stefan foi despertado pelo silêncio súbito. Era hora de mudar o assunto. Perguntou sobre a academia, como as coisas funcionavam, Desimond continuou rindo mesmo que as palavras não fossem engraçadas – um cacoete? Falou da cordialidade brasileira, aquela ponte quebrada para a amabilidade, cordial era quem agia com o coração e o brasileiro agia com o coração porque não sabia usar a cabeça. Era povo sem cabeça. Isabelle subiu a gola da camiseta, só o cocuruto à mostra. Simulou um monstro descabeçado. Riram, e Desimond grudou os olhos no *piercing* espetado no umbigo tatuado da menina. Ele fez um biquinho de desejo – com o tamanho dos beiços, o biquinho era de respeito. Olhou para Stefan e gargalhou, mas em silêncio. Depois da performance, Isabelle trouxe a cabeça à tona protestando, Desimond não podia falar assim, genérico, afinal o povo era feito de pessoas. Muito diferentes. Outra discussão começou e Stefan ficou sem resposta sobre a academia, apenas a noção vaga de brasileiros descabeçados.

Contou que já havia sido xingado porque podia passar o vírus do ebola. De novo a pergunta feita duas vezes, auge do inconformismo: *did you hear that? Did you hear that?*, brasileiros rechaçavam haitianos por medo de que trouxessem uma doença que era lá da África. Havia até comentários nos jornais, cujos leitores ainda diziam que haitianos tinham sido importados para votar na ex-presidente Dilma Rousseff. Stefan ficou feliz por saber que o Haiti ficava na América Central, informação a menos para procurar no Google. Depois da indignação sorridente de Isabelle, que teve no resmungo mais protestos contra a generalização, Stefan disse que precisava subir, que se encontrariam na academia no dia seguinte, chegaria às nove. Desimond começava às seis. Ficava lá até as três da tarde e em noites e sábados eventuais, conforme escala. Também fazia bicos pintando casas em Pinhais. Quando não tinha nada ia à Biblioteca Pública e à praça do Japão ler seus livros, primeiro em francês e inglês, agora em português. Isabelle terminava o turno e passava o guichê para o rapaz que chegou ligando a TV, talvez alguma novela por começar. Despediram-se, até breve, *I'll back for another coffee*, Desimond disse a Isabelle, os olhos cheios de interesse. E bateu palmas. Gonçalo terminou a aula com *and that's it* e Leonel aplaudiu. Não sabia se era prática comum, mas Anne-Marije e Gijs o seguiram. Gonçalo perguntou quem gostaria de falar – então havia o momento certo para falar, como o velho professor que discursa o tempo todo e dois minutos antes do fim lança umas perguntas já enfiando os livros na mala? Gijs falou pela primeira vez depois dos cumprimentos iniciais. Apesar de alguns maneirismos nos gestos, ouvi-lo era apaziguador, Leonel atento para que as palavras fizessem seu trajeto com o menor atrito. Um zíper que se fechava na bolsa de Anne-Marije já o fazia perder uma palavra. A boca bonita de Gijs modelando os sons também o distraía e outra emenda era perdida. Gijs queria saber, e olhava para Leonel, que elos a dança criaria com as pessoas se ela se desfizesse dos movimentos convencionados pela técnica. Se a implosão dos códigos rompia os fios que amarravam a obra ao olhar do público, que outra costura era possível? Leonel entendeu quase nada, o punho fechado no estômago subia até entalar na garganta. Se fosse responder, precisaria lançar mão da pergunta ensaiada para ganhar tempo, algo como deixe-me ver se entendi, você quer saber se, fingindo pensar numa resposta enquanto ainda tentava entender a pergunta. Não soube se por bondade ou impaciência, mas ouviu de Gonçalo a pergunta em português. Então era mesmo para ele? Se falasse em português, Gonçalo traduziria, mas que mancada admitir a língua arisca no primeiro encontro. Além disso, terceirizar a palavra era deixá-la nas mãos de um barqueiro que fazia travessias suspeitas, que recebia conteúdos delicados em uma das margens e os despejava sem cuidados na outra. Se na dança o bailarino-apenas-intérprete perdia força, por que um intérprete para a língua?

Leonel acreditava ter uma boa resposta (*artistas contemporâneos não falam em resposta, bebê, falam em problematizações*), a língua coçava, dois ou três pigarros para expulsar o punho entalado, ele cavava palavras em inglês, picareta nas mãos, mineiro aflito. Gonçalo percebeu o aperto e fitou-o com mais interesse. Mais uma frase treinada se gastava: se era difícil falar disso em português, em inglês era ainda pior. E sorrisinho implorando condescendência. Anne-Marije atendeu, não chegou a sorrir, mas assentiu com a cabeça. *Well*, começou (very well, very fluent, *haha!*), um pintor contemporâneo não imitava – *imitate?*, esse era o verbo? – ou seguia os passos – *follow the steps?* – de Caravaggio, podia receber influências dele, mas trabalhava com estilo próprio e conseguia outra expressão, sem imitar o gesto, a tinta, a pincelada, o realismo. Leonel havia sido entendido, porque Gijs atalhou dizendo nunca ter feito essa comparação com outras artes, que gostara, mas a pintura de Caravaggio era figurativa, trabalhava com elementos reconhecíveis da realidade e para isso não faltavam motivos nunca, o mundo dava infinitas possibilidades de representação. A dança tinha de lidar com a falta de comunicação com o mundo, ao menos pelo viés da representação, usar o corpo para representar o real era impossível, a não ser pela imitação caricata do balé ou pela mímica. Leonel só entendeu o início e palavras soltas, *representation, communication*. Ficou trabalhando uma resposta a partir das migalhas, disse que Caravaggio poderia ser trocado por Kandinski (*ufa, você conhece pelo menos um pintor abstrato. Essa foi por pouco*) e o raciocínio continuaria verdadeiro. Orgulhou-se de usar o *could be exchanged* em situação real. *Passive voice*. E continuou as comparações, dessa vez com a música, Bach não representava realidade figurativa mas comunicava (*ah, atenção, Leonel vai tirar da manga mais um termo decorado: a partilha de sensíveis*) por causa de uma partilha de outra natureza, a partilha de sensíveis, *shared sensibilities* (*bingo*). A música – *without lyrics, of course* – não comunicava nada figurativo, mas sim sensibilidades. A dança fazia o mesmo. *The problem*, era Anne-Marije quem intervinha, argumentando que as notas musicais continuavam existindo, os músicos ainda se utilizavam das notas, da técnica, de tudo o que a tradição legava, e a dança queria se reinventar do zero. Não havia como reinventar-se do zero, Leonel retomou, feliz pela compreensão. Estavam falando do corpo humano, ele disse, e ninguém jogaria fora as técnicas, mas pularia seus muros ou os derrubaria, deixando a técnica à solta, *wild*, aberta a contaminações – usava gestos para amparar as frases mancas, Imagem & Ação salvando a pele, a figura de Fadilah imitando macacos e porcos apareceu e sumiu. Que o corpo plantado no chão de uma técnica, quando se arriscava ao transplante, ressentia-se da ausência do chão, as raízes tateavam a falta da terra – e o rosto de Fadilah piscou de novo. Tatear a falta, eis a graça e a desgraça. *Touch the missing, touché*.

Até encontrar mais de uma terra possível. Era ter muitos pássaros na mão e muitos voando. Essa última imagem, dos pássaros, não precisava. Já havia conquistado Anne-Marije e Gijs, e a subversão do ditado popular era excessiva. Conheceriam o ditado? Por que pássaros e voos se falava de chão e raiz? Ainda assim, melhor ser excessivo que minguado.

Gonçalo apressou-se a encerrar o ensaio e o assunto, mas Anne-Marije ainda quis saber quando discutiriam o projeto de Leonel, d*EU*s. Quando quisessem. Que poderiam ajudá-lo na produção. Gijs também adoraria acompanhar. Foi no banheiro que percebeu a sujeira na gola. Ficara o tempo todo conversando e a camiseta daquele jeito, a mancha de vômito não deixava de causar algum desgosto. Despiu-se e olhou o espelho procurando sinais de cintura engrossada, uma caída no peitoral. De frente, de perfil, de costas. A esculhambada que dera na vida, desde a viagem, os exercícios desgovernados, a alimentação sem regra, tudo cobraria seu preço. Mas amanhã, e deu um tapa na barriga chapada, a vida recomeçaria e as gorduras não teriam tempo de se alojar – elas gostavam dos lugares nobres. Queimariam no fogo do inferno pacificador dos exercícios, o paraíso de Stefan. Seriam expulsas das terras alheias, que buscassem asilo em outros corpos, territórios negligentes. Outro banho.

Colocou roupas limpas e precisou comer de novo, conseguindo enfim um equilíbrio na noite que chegava, suco de frutas exóticas com sanduíche natural no quiosque da Tropical Banana, dentro do *bunker*. A chuva tinha ido embora, fizera seu arrastão e o céu exibia outras constelações, o hemisfério Sul enviando sinais de sua diferença, o lado baixo do Equador, onde se dizia que até o redemoinho das águas girava às avessas. Mas Stefan não olhou o céu, as luzes da cidade também não ajudavam, preocupavam-se em iluminar o agora e o aqui.

Na volta para casa, flutuava acima das torpezas do espaço-tempo. Repassou frases que dissera, corrigiu uma ou outra, vibrou com a aula que dera sobre representação na dança, a partilha de sensíveis. E havia ainda o interesse de Anne-Marije e de Gijs em seu d*EU*s. Era mais de meia-noite, não importava – você é um artista, oras –, podia dormir até mais tarde, passear pela cidade, entender com Fadilah a dinâmica da casa e, se a confiança atravessasse a noite, perguntar se ela o deixaria usar a sala para pequenas pesquisas do corpo. Ainda teria o estúdio para investigações que demandassem movimentos mais amplos. A meia-noite abaixo de zero, com a neve em flocos minúsculos vagalumeando o começo da madrugada, superava qualquer sol (*o deslumbre faz perder o siso*). Todos faziam o mesmo caminho para voltar – Anne-Marije e Gonçalo moravam adiante da Biltstraat, já perto do Voorveldse Polder, e Gijs na Zandhofsestraat, praticamente desembocando no Griftpark. Leonel curtia os vaga-lumes e nem ouviu direito Anne-Marije e Gijs transportando para o teatro o raciocínio de antes. Falavam do papel do ator, se ele tinha status menor do que o autor, se o ator deveria ser criador de suas próprias peças em vez de recorrer a texto alheio, pronto. Falaram sobre criação coletiva no teatro contemporâneo e que existia uma dança atual ainda muito cênica. Mas que seria de Shakespeare se ninguém mais o representasse? O que seria do público sem poder reavivar um clássico? Etc. Se ainda fazia sentido representar *Hamlet* séculos depois, por que não O *quebra nozes*? (*vai, Leonel, fale d*'A quebra cocos). E o cantor que só interpretava mas tinha uma voz comovente deveria se envergonhar e parar de interpretar a canção dos outros? O músico deveria parar de tocar Bach? Quando Leonel interrompeu a levitação e sentiu os pés aterrissando na Biltstraat, já discutiam em meio a risadas, não era mais sério, estavam fora do debate instituído na sala de ensaio.

Ele também riu e, despedindo-se na frente de casa, resumiu com a força das generalidades ditas com convicção: havia espaço para todos no mundo. Nesse mundo de dEUs (*só não diga a eles que cada grupo quer ver o outro morto. Que contemporâneos desdenham os clássicos. Que os clássicos riem demais dos contemporâneos. E que são todos fundamentalistas, homens-bomba e mulheres-bomba, gays-bomba prontos para a jihad. Pode pegar mal*).

Goedenacht, arriscou e arrancou risadas. Seria perfeito se não estivesse outra vez sem a chave e pudesse ter entrado direto, mãos espalmadas tamborilando as coxas no corredor escuro, reprisando a frase que encerrava o primeiro ensaio com sabedoria e leveza (*e vazio e farsa*). Apertou a campainha e uma voz de criança falou no interfone, não era à toa que a menina perdia as manhãs de escola, que fazia acordada àquela hora? Com a língua aquecida, chamou Zineb pelo nome e quase deixou escorrer o *sweety* das comédias românticas, a que assistia para treinar inglês (*sei*). Disse que era ele, *uncle Leonel, the brazilian guy*. Zineb entenderia inglês? (*pergunte se ela é* hot).

A foto apareceu antes que ligasse o computador. Fechar os olhos era pior, Ahmed ganhava contornos mais finos na exclusividade da escuridão (*que tapar os olhos achando que o mundo sumiria era coisa de bebê*). Ser visto pelas lentes de uma câmera não era receber um olhar de segunda mão, mas elevado em potência. O quase sorriso saía do canto da boca e os punhos estavam cerrados, fazendo saltarem os músculos do antebraço. Não quis abrir a foto outra vez, não queria o encontro (*se sabia a charada, o que era o que era que quanto mais afastamos mais aproximamos*). Agora tinha duas imagens para esquecer, aflição em dobro, uma alimentando a outra (*se não se satisfazia com as outras mil cento e quarenta e seis fotos*). Stefan tomou no mesmo gole um alprazolam e uma benzodiazepina. Esperou fazer efeito respondendo com carinhas engraçadas mais comentários, curtindo, *vind ik leuk*. Ruud havia escrito desejando boa sorte. Procurou Isabelle e Desimond no Facebook, mas não sabia os sobrenomes. Buscou a academia e ela apareceu fácil, a logomarca em evidência. O balanço do dia, apesar dos embaraços, havia sido bom. Um lugar para trabalhar e fazer amigos. Das beiradas da consciência o sono vinha veloz varrendo raciocínios, dando-lhe tempo apenas de programar dois despertadores. Não perdesse as horas, por mais que fugissem.

E dormiram e acordaram, e dormiram e acordaram.

III

Já se arriscava para além do centro. Com a Batavus preta trazida por Anne-Marije, ele se irritava com ciclistas novatos, turistas perdidos que não entendiam a lógica simples de pedalar pelo espaço urbano. As imediações do Oudegracht estavam integradas ao repertório de paisagens dominadas. Atravessava a cidade para ensaiar, ora com o grupo todo, ora sozinho. Acompanhava a movimentação das pessoas à medida que o inverno se despedia e o pouco de sol amornava a cidade, as temperaturas subindo para os doze, quinze graus. O sangue nas veias não era mais a água congelada dos canais. O fluxo dos fluidos era outro à simples promessa de calor. Algumas vezes acompanhou Gijs até em casa, despedindo-se sempre na porta, o desejo suspenso e saboreado. Pela manhã costumava caminhar no Wilhelminapark, às vezes no Griftpark ou, quando a disposição era maior, no Voorveldse Polder, onde reencontrava um pouco da desordem que o deixava respirar sem réguas e esquadros. Os caminhos em meio à floresta do polder, na condescendência holandesa, permitiam ao mato invadir alguns centímetros do asfalto por onde pedalavam, corriam e caminhavam pessoas. Raízes de arbustos crescidos chegavam a quebrar pedaços da pavimentação, mas ali podia, a Holanda era tolerante.

Continuava fazendo compras no Jumbo da Biltstraat e, em último caso, o Albert Heijn resolvia, era um mercado da rede em cada esquina. Uma vez por semana, acompanhado de Fadilah, ia à feira livre da Plantage, pequena praça em Ondiep, o bairro que fazia alguns holandeses torcerem o nariz desde a sua origem, quando foi local de recuperação para sujeitos problemáticos. Agora era visto com desconfiança por neuróticos que enxergavam ali o embrião de uma *no-go zone*, temendo que em breve fosse perigoso demais andar por lá. A feira vendia flores, frutas, verduras, queijos, peixes, pães. Também roupas e calçados baratos. Leonel comprou camisas de manga longa a três euros e até uma blusa mais grossa a cinco. Na mesma praça, completavam as compras no mercadinho da rede Plus e na Action, que Leonel comparou à Casa China. A Plantage era dominada por mulheres de manto, Fadilah também usava o seu e Leonel tentava decifrá-la. A Holanda tentava combater as *no-go zones*, integrar pessoas e fazer com que serviços essenciais chegassem aos bairros dominados pelos radicais que colocavam a perder a batalha dos imigrantes, pobres perdidos e cindidos que buscavam conciliar inutilmente o islã e o ocidente e renascer em outras terras, brotar de novo sem quebrar muitos pedaços da pavimentação europeia. Inviável acolher na alma um corpo estranho.

A pele marrom de Leonel o deixava à vontade na Plantage, a não ser pelo receio de encontrar a mulher que lhe pedira esmolas no primeiro dia, *are you hot* e tal. Na primeira vez, chegara assustado, a descrição de Fadilah sobre as *no-go zones* o fazia compará-las ao Morro do Alemão, outra abstração para Leonel. Foi quando um erro acabou virando acerto. Comprar uma *speed*, uma Giant requintada para o trabalho diário em trânsito hostil, com ruas esburacadas e calçadas desniveladas para pneus tão finos, foi um equívoco que roubou seu humor por bons dias. Até conhecer o grupo que pedalava pelas rodovias que cruzavam Curitiba. Já havia feito a BR-277 até Morretes, de onde trouxera colheres de madeira para a casa que alugara – ouvia a mãe falando das vantagens das colheres de madeira. Atrapalhando-se na comunicação, acompanhava o indicador ossudo de outro ciclista mostrando os caminhos no mapa – Stefan aprendera a expressão fazer um pedal, para as *trips* do fim de semana, e divertia a todos com o sotaque. São Luís do Purunã também já havia sido destino. Acostumado aos vinte e três graus do verão de Utrecht, Stefan fora castigado pelos trinta de Curitiba, mas agora o calor tinha se retirado sem muito aviso, como quem foge escondido pela neblina da madrugada a pretexto de comprar cigarros. Não incomodaria mais pelos próximos meses. Perdeu um pouco de peso, mas estava na melhor forma. Depois do bom destino dado à Giant, comprou uma Cannondale Bad Boy de pneus mistos e então pedalava ainda confuso em meio a gentilezas e agressões. Agora que se mudara para uma casa, o caminho era outro, deixando-o bem mais próximo da academia. Era casa de três quartos, um dos quais destinado à Giant e à Cannondale. Comprara travas *U-Lock*, sabia do perigo que corria, e as deixava sempre presas (*mas que ele ficava solto, preso por pouco tempo pelos remédios*). Fogão, geladeira, mesa com quatro cadeiras, cama, colchão e armário. Até uma churrasqueira nos fundos.

Érico não dera o destaque ao professor estrangeiro, como havia prometido. Nada de muito barulho até ajeitar os documentos, que ninguém se mexia para regularizar. Stefan não se queixou, melhor se perder no conforto de ser mais um, a fome pelo destaque cedia à insegurança de ser posto em evidência. Tinha ambições, mas elas batiam o nariz na parede dura do risco, e sangravam. Durante a manhã, refizera contas, tabela básica de receitas e despesas, e ficou satisfeito: ajudava Fadilah com as coisas da casa, parte da água e da luz. Ela não cobrava aluguel – não se sentia no direito de receber dinheiro em troca de *un espacio de aire rodeado por paredes*.

Assim Leonel conseguia comprar alguns livros no mês – arriscaria aprender holandês já, mesmo com o inglês o traindo algumas vezes? – e sair ao menos uma vez por semana, com Gijs, com Fadilah, com Anne-Marije mais raramente. Quando queriam agito, ele e Gijs encaravam uma cerveja e um *broodje* qualquer no Lebowski da Domplein, cuja decoração trazia cabeças de animais saindo das paredes (*fosse no Brasil e você diria: que primitivo*). Desde a primeira aula, quando fizeram comparações entre a dança e as outras artes, Anne-Marije e Gijs insistiam para que Leonel conhecesse os museus de Utrecht e, quando pudesse, não deixasse de visitar o Boijmans van Beuningen, em Rotterdam, que ficava a menos de quarenta minutos de trem. Achavam mais interessante até que o badalado Rijksmuseum de Amsterdam. Se Leonel gostava mesmo de artes visuais (*só engana*) e do *chiaroscuro* na pintura, ver os trabalhos do Boijmans Museum e os caravaggistas de Utrecht era urgente. Por isso não deixou escapar a chance quando Fadilah o convidou para ir a Rotterdam. Visitou o Boijmans enquanto ela se reunia com outros pesquisadores da universidade de lá. Dias depois Fadilah cobrou de Leonel, dizendo que ele guardara a visita para si, calado, mastigando sem conseguir engolir cada uma das telas que olharam para ele.

As obras vistas no Boijmans fizeram um interrogatório que não parava de reboar, mais alto que a voz de Fadilah contando sobre algum islâmico que era ou havia sido prefeito de Rotterdam. No trem, ele ajustava os trejeitos do rosto de acordo com as entonações da fala dela, fingindo curiosidade. Mas só pensava em voltar ao Boijmans, viver de novo o desconcerto, tinha dinheiro para essas escapulidas de Utrecht, ainda mais que um inquilino agora morava na casa em Curitiba. O corretor explicou apressado que havia conseguido um valor com reajuste e o novo inquilino nem pechinchou.

Provavelmente um estudante da Federal estivesse morando lá, especulou, mais um vindo do interior cheio de malas e sonhos. A casa grande e com quintal, perto da Reitoria, podia abrigar até quatro pessoas com tranquilidade – era esse o limite imposto por Leonel. Agora um solitário vagava por aquele espaço de ar rodeado de paredes, de cujo aluguel, no entanto, Leonel não cogitava abrir mão.

Dentro do amontoado de rotinas, o dia anunciava uma pincelada dissonante: depois de tantas aulas e contribuições para a pesquisa do coletivo de Gonçalo, enfim discutiriam d*EU*s e o modo como dariam vida a ele, qual seria sua forma, seu espaço, seu tempo. Além disso, a aula ficaria por conta de Leonel.

Pela manhã Fadilah foi à universidade e saiu acompanhando o brasileiro, que estava sem programa a não ser conceber d*EU*s e se preparar para a aula que daria ao grupo à noite. Depois de tanto tempo absorta pelas batalhas que travara para construir pontes de acesso à *isla* do islã, ela ouvia os dilemas de Leonel e se ocupava de entender algo sobre o que jamais havia pensado. Ele ensaiava com Fadilah o que queria discutir em d*EU*s. No início ela limitou-se a corrigir o inglês. Depois disse que vira algumas apresentações de flamenco ainda na Espanha, portanto havia muitos anos. De dança contemporânea, assistira a apenas duas, ambas em Amsterdam. Fadilah não via nada além do virtuosismo do corpo, homens e mulheres exibindo-se em contorções e movimentos não usuais. Era o que faziam os ginastas ou os artistas circenses, dizia, sem desconfiar da afronta. Leonel ria, gentil, mas desapontou-se e achou-a limitada. Arrependeu-se de não a ter convidado para, poucas semanas antes, ir com ele no Stadsschouwburg Utrecht assistir a *Kaash*, de Akram Khan. O teatro estava lotado para ver o espetáculo de um sujeito que havia nascido em Bangladesh e decidira se radicar no Reino Unido. No saguão todos se cumprimentavam, Anne-Marije e Gijs apresentavam Leonel aos amigos e ele sonhava o futuro, seria reconhecido até com certa reverência, nada semelhante a um pop star, que nada, que algum deus o livrasse disso (*aiai*). Apenas uma reverência discreta, uma bajulação tímida, mas sensível. Não cederia à mania personalista de batizar a companhia com o nome do diretor – que termo horrível –, como era o caso de Khan e de tantos outros, que deixavam para os bailarinos o papel de fantoches a disputar, como jovenzinhos de escola, um lugar para o brilho. Não se incomodavam por não criar, ficavam satisfeitos em ter os corpos manipulados, bonecos flexíveis de armar comandados por controle remoto. No entanto, eram excelentes no que faziam, Leonel tinha de reconhecer. No fim, achou até bom ter esquecido de convidar Fadilah. Tinha erudição, doutorado, pesquisava sobre o deslocamento dos corpos no mundo, mas nenhuma sensibilidade para a dança. Não à toa abandonara o próprio corpo. Fadilah achava bonitos os termos profundos que Leonel usava. Entendia o discurso, mas não conseguia ver nas apresentações a que assistira aquele mundo descrito pela palavra. Vira tão poucas, afinal. Desculpou-se. Vinha de uma tradição onde dança era lazer, sabia que na Holanda era diferente, uma atividade reconhecida e valorizada por pessoas que dançavam ou não. Era bom dançar lá, mas, Leonel retrucou, não era mais fácil. A incerteza continuava. Os artistas também precisavam fazer outras atividades para ganhar melhor, bastava ver Gijs, que vendia livros na Broese durante o dia – Anne-Marije era outra história, a família até financiava alguns projetos. Fadilah retomou o papel da ignorante dizendo que não entendia nada do que a dança queria dizer, mesmo sendo amiga de Maaike Bleeker desde a época em que Bleeker fora Diretora do Departamento de Teatro da Universidade de Utrecht. Brincava com ela dizendo que entendia o teatro ocidental até o século XIX e que desde então havia parado no tempo. Que não viesse falar de vanguardas e interfaces com as novas mídias. E ria.

Leonel insistiu em argumentar com Fadilah, era um aquecimento para mais tarde. Começou com o básico: não havia discurso objetivo a ser enunciado pela dança. Era o corpo que falava. *Oh, ¿sí? Entonces debe estar hablándome en griego. Y es gangoso. Y tiene dislexia. Porque yo no le entiendo nada.* Leonel riu, mesmo sem entender o *gangoso*. Tentou responder algo como são seus olhos, querida, já experimentou ouvir com eles?, mas se atrapalhou e frustrou-se. Prosseguiu insistindo que a dança lidava com a relação dialógica entre o equilíbrio e o desequilíbrio mas foi logo interrompido com *pero caminar también, y es lo que estamos haciendo ahora y no estamos bailando*. É que Fadilah precisava estar aberta para o jogo, tentar entender como um espetáculo acionava a percepção, que elementos podiam organizar um discurso sensível, não necessariamente intelectual ou que passasse somente pela cognição. Leonel lançou mão outra vez da partilha dos sensíveis. Ela continuava dura, que um palco vazio acionaria a sensibilidade dela de qualquer modo, ou que ela poderia sentir as suas questões sem sair de casa. Estava acionando a percepção até com mais afinco no escuro, de madrugada, na hora das assombrações. E queixou-se de insônia.

Foi uma conversa engraçada, as respostas dadas em tom de brincadeira, Fadilah assumia: incorporava o papel de turrona. Quando enfim falaria especificamente sobre o próprio trabalho, chegaram à universidade e ela se despediu. Leonel passaria pelo Wilhelminapark para pensar em dEUs – o jogo de palavras era quase possível em espanhol. Fadilah, parada na porta de vidro da UU, sugeriu que se gostava tanto de corpo fosse ao Museu da Universidade. *Visita la sección de Bleuland Cabinet y después sube al primer piso*, ela gritou para um Leonel que se distanciava. E, no Wilhelminapark, que mandasse um abraço a Hicham. Entrou rindo sem que Leonel entendesse os motivos. A menção a Hicham também permaneceu ignorada, mas achou boa a ideia de ir ao museu. Desde que estudara História da Arte na faculdade esforçava-se para encontrar outras linguagens. O professor franzino escondido detrás das lentes grossas não parecia capaz de uma cambalhota torta, mas se agigantava quando falava que artista alienado e ilhado era contradição irreconciliável. Ainda estava sob os efeitos da visita ao Boijmans, de onde saíra atravessado pelos olhares vívidos das obras. Custava a crer que tinha visto Bosch e Bruegel. Na viagem do tempo, a vertigem do presente na videoinstalação de Desniansky Raion, um contemporâneo desconhecido de Leonel. Precisava falar sobre isso com alguém. Fadilah, Gijs talvez. Ouviu uma palavra que não entendeu, deduziu ser xingamento. Já havia aprendido uns palavrões, mas aquele era novo. Érico olhava na tela algo que um aluno de Muay Thai mostrava no Facebook. Ao lado, imprimindo a série de uma aluna nova, Stefan os viu despejando raiva e risada, um tipo de sarcasmo entre dentes reconhecido em qualquer parte do mundo. Ele e a aluna se olharam, ganhando também a parceria de Bruna, a secretária que se inclinava sobre o guichê entregando uma caneta e deixando o decote evidente. Viu Stefan fitando-o, envaideceu-se. Havia uma aposta às claras: quem seria a primeira a experimentar o holandês. Entre alunas, duas secretárias e professoras, a brincadeira ganhava a cena, sem cochichos, sem mãos tapando a boca, sem pudor. Stefan, distraído e alienado pela língua, comia moscas. Desimond entrava pouco na academia, sempre organizando o estacionamento, fazendo suas rondas em torno do edifício, talvez não soubesse que o amigo estava em disputa.

Fazia um tempo que não saíam, Stefan às vezes se aborrecia com as conversas do haitiano, sempre aquilo de preconceito, imigração e perseguição a pretos. Falar tanto daqueles assuntos atraía os próprios assuntos. Era ignorá-los e tudo ficava bem (*se conseguia fazer o que secretamente pregava*). Gostava de Desimond sobretudo quando conversavam sobre esporte e quando iam à Arena da Baixada. Por ter trabalhado lá o haitiano conseguia vez ou outra entrar no estádio. Na última partida, as palavras cantadas e coreografadas pela massa homogênea fizeram Stefan se lembrar dos *hooligans* e da briga que tivera com Machiel quando foram a Londres para uma reunião da Nederlandse Defensie Liga com a EDL, a England Defense League, sobre apoio a Geert Wilders e contra a imigração. A reunião fora um fiasco. Nem Stefan acompanhou Machiel, trocando-o por uma viagem a Liverpool para assistir ao time da casa jogar contra o Manchester. Durante a discussão, Stefan disse que até ele sabia que a reunião seria um fracasso. Mais da metade da EDL estava cantando nos estádios, *hooligans* ensandecidos. Desimond esboçou uma comparação entre a torcida na Arena e o *heil, Hitler*. Depois perguntou a Stefan o que ele acharia se um hino exortasse às armas, estimulando o povo a formar batalhões, marchar e lutar para que o sangue impuro banhasse o solo. Stefan perguntou se era isso que a torcida gritava. Depois repassou o hino holandês e lembrou-se do pai. O oude Bisschop defendia o hino do país apesar do apego desnecessário a Deus. O hino não propunha o ataque, mas a defesa. Falava em escudo para afastar a tirania. Por fim Stefan disse que o hino devia ser de algum país do cu do mundo que só Desimond conhecia, levando o haitiano à loucura, não esperava que ele mordesse a isca e desse uma resposta tão propícia para tripudiá-la. Que aquele era um dos hinos mais famosos do mundo, a *Marseillaise* francesa, e que o Le Pen usava para distinguir os verdadeiros franceses dos falsos que se recusavam a cantá-la. O Haiti conhecia de perto a fúria colonizadora dos franceses, que detonaram a ostra para garantir a Pérola do Caribe.

Stefan deixou Desimond falando sozinho quando rememorou outra fúria, outra briga com Machiel, dessa vez provocando uma separação de mais de uma semana. Stefan voltava de uma corrida leve ouvindo Hindi Zahra. À noite, aproveitando a saída dos pais, chamou Machiel em casa e o esperou ouvindo *The man I love*, tudo para dizer ao namorado que o dia esperado na música já havia chegado para ele, que era um rapaz de sorte. No início, os berros de Machiel não foram entendidos, só depois de clarear a água turva Stefan foi saber da afronta involuntária que fizera ao colocar uma marroquina para tocar na sala e tentar algum romantismo.

Quando Desimond tocou no seu ombro e tomou fôlego para continuar as elucubrações, Stefan avaliou que já tinha intimidade para mandá-lo calar a boca, quase tomar no cu. Depois do primeiro cala-boca, era briga ou abraço. E Desimond riu alto, simulando um soco no braço do amigo. Apesar de fraco, suficiente para derrubar a cerveja entre os dedos, que ficaram melados até que pudesse lavá-los no intervalo. Desimond era um amigo, não conseguia supor algo mais. Por mais que tivesse o corpo bem desenhado, a pele muito preta fincava para Stefan uma placa de *no-go zone*. Desimond era outra categoria de ser humano, para lá do limite (*se um pardo forte e bruto estava para cá do limite*). Com ele poderia conversar, distrair-se. Como a um cão, era amado, mas incompatível. Além disso, era muito brincalhão para ter algum charme (*que não à toa alguém o incomodava, o animal de pele morena – para cá do limite – e braços fortes, peito peludo, caninos à mostra, cara de fera olhando pelo olho da câmera o olho medroso do fotógrafo*).

Havia cerca de duas semanas os seguranças receberam ordem expressa para intensificar a vigilância em torno da academia. O prédio fora três vezes alvo de pedradas. As câmeras mostravam jovens encapuzados e bonés de abas largas. Pelo clima das provocações no Facebook, podia ser o grupo de uma academia rival, que ficava em bairro afastado. Desimond fora adicionado ao círculo de amizades de Bruna e graças a isso conheceu melhor a batalha subterrânea e latente. Então ele contava a Stefan o que sabia, as ofensas do pessoal da periferia chamando-os de veados, de *poodles*, de atletas da mamãe, enquanto o pessoal dali rebatia com vileiros mortos de fome, crentes do caralho, chupadores de Jesus. Bruna ajudou a desvendar: a academia da vila era uma espécie de academia-igreja, ela também não entendia direito, e riam. Em fotos e frases, autointitulavam-se soldados de Cristo, os punhos sempre cerrados e os semblantes duros debaixo dos cabelos raspados. A coisa andava quente. Stefan tentava adivinhar o que Machiel diria. Desabonava a cegueira da fé, criticava a horda de loucos que vinham de todos os lugares miseráveis e incultos do mundo para devorar tudo a partir das beiras. Desimond fez-se pensativo, como quem liga pontos e deduz, detetive costurando silogismos. Disse que quatro haitianos dos seis que moravam com ele no Jardim Weissópolis trabalhavam na construção da Catedral da Fé, a sede da Igreja Universal do Reino de Deus, no Rebouças, e contaram histórias sobre outros operários, brasileiros e mais jovens, que eram dados às lutas em academias e à violência, sempre com a Bíblia embaixo do braço. Desimond teve de explicar que Bíblia embaixo do braço era um modo de dizer e não significava que lutassem com o livro no sovaco, o que certamente atrapalharia os golpes. E riram de novo, Stefan se lembrando dos cartazes que segurava enquanto fotografava Ahmed sem saber. E os jovens, Desimond prosseguiu, estavam dispostos a dar um jeito no mundo. Vinham dos cantões da cidade, chamavam-se uns aos outros de irmãos e queriam guerra. Academias próximas à de Érico, do Alto da XV e do Cabral, mais duas do Batel se solidarizavam e formavam tropas aliadas rajando ofensas aos vileiros que vinham do fim do mundo, da casa do caralho, onde foi o diabo quem perdeu as botas, favelados de merda.

A entrada do Museu da Universidade estava vazia e ele precisou esperar até que um sujeito com uniforme de segurança surgiu. Não havia ninguém nas salas de visita, duas mulheres conversavam no café, que ficava em um jardim interno. Leonel percebeu se tratar de um horto. Com o inverno já longe, poderia passear por ali depois, sentar-se nos bancos espalhados. Elaborar dEUs. Nas salas de exibição, explicações interativas davam ao visitante a possibilidade de escolher curiosidades científicas, todas ligadas ao corpo humano. Descobertas, pesquisadores, tratamentos, transtornos a um só tempo mórbidos e, no início, fascinantes. A atração pelo que queria afastar. Viu corpos seccionados, órgãos, segmentos de coluna. Havia fetos inteiros, serenos como crianças que dormiam. Seguindo o trajeto, tudo piorou. No andar de cima a fascinação fechou os olhos: uma exposição de aberrações o desorientou. Eram fotos com modelos mostrando enfermidades na pele e deformações ósseas. Próteses antigas ficavam expostas e se assemelhavam a instrumentos medievais de tortura. Pessoas e outros animais, indistintos, desfilavam a materialidade objetiva dos corpos. Nascituros grudados, bicéfalos, erupções de pele, gigantismo, psoríases severas em pés e patas. Não prosseguiu, a vertigem e ânsia de vômito o aconselharam a sair. Ficou sem ver a sequência de experimentos curiosos que o museu ainda propunha para adultos e crianças. No horto, entrou no café e pediu água com gás.

Por que Fadilah recomendara a visita? Precisava esquecer o que vira, tinha de se concentrar em dEUs, em como fazê-lo existir, deixar de ser abstração, revelar-se. Recomeçou a balbuciar as explicações, o eu e o divino, o ver e ser visto, a necessidade de tirar a dança do espaço instituído – o palco como altar para beatas e coroinhas – e ocupar a cidade, o terreno profano onde a fauna pastava livremente – a imagem das crianças gêmeas grudadas, por quê?, por que a espinha bífida? –, indistinguir as fronteiras e suas arbitrariedades. Sabia, as outras artes e a própria dança já haviam feito aquilo – imaginou o desdém de Fadilah quando falavam das vanguardas. Mas e se o público pudesse vê-lo sem que ele próprio soubesse se alguém ou quantos ou quem o assistia? Talvez dançar de olhos fechados, ficar o dia todo com uma venda, ser levado a um lugar desconhecido. Fazer tudo às cegas. A ciência de se saber ignorante seria o auge da onisciência. Quem era Deus? O público que via sem ser visto, para quem o artista dança porque tem fé que alguém o observa? Ou o artista que nunca fala diretamente, sempre manda sinais disfarçados, escreve torto no papel sem linhas nem margens? Deus devia estar preso e amordaçado, por isso não conseguia ser claro nos sinais que enviava. Ou engalfinhado em luta com os demônios. Não fosse isso, por que não se manifestava de forma direta? Não tivera tempo de separar aqueles gêmeos grudados que ganhavam a eternidade no formol? Em vez do éter, o formol?

Mas o que ele quis dizer com isso? Ele quem? Deus com os gêmeos ou os artistas do Boijmans ou o bailarino com a dança contemporânea? Olhou os braços proporcionais, definidos, bonitos. Balbuciou frases soltas, anotou expressões para procurar em dicionários, recuperou-se das náuseas e seguiu para o Wilhelminapark. Optou por se isolar das brigas digitais, mesmo que já tivessem saído das telas e sido arremessadas nas vidraças da academia. Pegou a série de exercícios preparados para a nova aluna e pediu para que ela o seguisse, precisava mostrar os aparelhos. Os professores brasileiros davam pouca atenção aos exercícios aeróbicos, acompanhavam a série de musculação e depois recomendavam trinta minutos de esteira sem mais orientações. Além das aulas como professor regular, recebia convites para trabalhar de *personal trainer*. Ganharia mais pela hora trabalhada e poderia usar o espaço da academia. Mas não estava lá pelo dinheiro. Aceitou apenas três alunos, uma senhora de quase sessenta anos, Martha, um rapaz obeso da sua idade, Pedro, e Mônica, obcecada pela definição dos músculos. Se pegasse mais trabalho, teria de enfrentar a preguiça para correr durante a semana e pedalar aos domingos (*que ainda tinha a esperança de eliminá-lo com o suor*).

O cuidado que dedicava aos exercícios aeróbicos garantia um ganho acima da média aos alunos. Usando o HIIT, um treino intervalado de alta intensidade que não tomava mais de trinta minutos, fazia o aluno se esbaforir por menos de um minuto e ter o dobro de tempo para recuperação. Stefan jogava com o aumento do metabolismo e gasto calórico maior mesmo em horários de repouso. Pedro já havia perdido doze quilos e Stefan conseguira convencer Mônica de que para definir músculos era preciso perder gordura. Às vezes os músculos já estavam bem definidos, mas escondidos sob o tecido adiposo. Com Martha não podia ousar, limitava-se aos exercícios de baixa intensidade, sempre com aparelhos, nada de halteres naquela idade, naquelas condições. Achava mais importante não a fazer desistir, era visível que usava a academia para conviver em grupo. Stefan, o ingênuo das questões geopolíticas, era um grande leitor de seus alunos e compreendia o que realmente faziam lá, tivessem ou não consciência. Gostava de ver os resultados aparecerem nos corpos e comparava medidas explicando aos desanimados que, mesmo não havendo diminuição de peso quando subiam na balança, a troca era fenomenal: o aluno jogava fora gordura e, no lugar, ganhava músculos. Era generoso, motivador e via o lugar como uma comunidade que se apoiava mutuamente, no suor e no sofrimento, em prol do indivíduo e do grupo. Chegou ao lado de uma estátua de ferro que soltava labaredas pela boca. O dia menos frio e agora ensolarado o encorajou a sentar-se no chão. Dali ficou mirando ângulos possíveis, o lago à frente, logo depois da trilha por onde pessoas passavam a pé ou de bicicleta e uma mãe fazia *jogging* com bebês gêmeos no carrinho bipartido. Perto do chafariz, havia um remanso. Levantou-se e testou deslocamentos, pontos de vista, pontos cegos. O parque era movimentado, mas não nas imediações do remanso. Se queria fazer uma intervenção artística e supor um público desavisado, talvez ali fosse um bom lugar. O chão era uma relva cercada parcialmente por arbustos. A meia visão, o olhar enviesado, de vez em quando vê, de vez em quando não vê, ou quase, ou parece, ou talvez, deixou Leonel entusiasmado. Ver o que há e ver até o que não há (*você então confirma o que Fadilah disse sobre a arte contemporânea, que deixa entender qualquer coisa? Quando posso entender o que quiser, não preciso de obra, não preciso de objeto. Basta um sujeito ensimesmado. O trajeto que se foda*). Fez o exercício de sair de si, ver-se de fora. O olho saía para orbitar outro espaço, ia para cima de uma árvore (*silva, selva, selvagem*). O que enxergava era um artista em processo de criação que usava a sabedoria do corpo para conceber um espetáculo de dança. E o que poderia ser ser d*EU*s senão esse olhar que tudo vê sem ser visto? O criador.

Atravessou o Wilhelminapark até um banco que ficava à margem do gramado vasto. Um grupo de crianças fazia atividades ao ar livre acompanhado de duas professoras. O alarido das vozes indistinguíveis. A *Torre de Babel*, de Pieter Bruegel, que Leonel mantinha na ponta da memória desde a visita ao Boijmans, não era capaz de intimidar o jardim daquela infância que brincava ali na sua frente. A tragédia da incomunicabilidade se esvaía, Bruegel era desmoralizado pela gritaria de crianças que se entendiam rindo e falando incompreensões umas por cima das outras. Mais ao lado, chamando a atenção de duas meninas, havia uma estátua. Com tantas opções, o movimento, a correria, elas escolheram a estátua. Olhavam para ela e depois se olhavam, riam. Leonel chegou mais perto, intrigava-o a curiosidade pela figura imóvel – Fadilah, você sabia que também pode haver dança em corpos parados? Quem a esculpira ficaria orgulhoso, sua criação ganhando os olhos de duas meninas. Leonel deu mais alguns passos. Não o fascinava a estátua, tão simples, busto de bronze sobre pedestal. Ele era um observador observando a observação. As meninas eram pássaros ariscos que não podia constranger. De repente, o movimento mínimo e um *buh*.

Com gritinhos histéricos as meninas em disparada misturaram pânico e riso. Leonel se viu correndo também, sem rir, apenas susto. A uma distância segura, olhou para trás. A estátua era um homem. Esse homem acenou para ele e saudou-o chamando pelo nome, acentuando a primeira sílaba, puxando o L final, num Lêonell que soou familiar. Era Hicham. A estátua era Hicham. O corpo que cativara pela imobilidade, inação sedutora. O verdadeiro observador. Leonel voltou a se aproximar, Hicham chamava as meninas também, queria cumprimentá-las, desvestindo-se do pedestal de tecidos e papelão. Encorajadas pelas professoras, elas foram até ele, tocaram seu rosto de bronze e novamente saíram correndo depois que ele lhes disse algo. Não importava o doce das palavras. Elas vinham embrulhadas no sotaque não holandês, a língua dava com a língua nos dentes e Bruegel voltava a fazer sentido.

Constrangidos, cumprimentaram-se. Recuperado, Leonel lembrou-se de dizer que Fadilah tinha mandado um abraço.

No gramado do Wilhelminapark, Leonel estava sentado na grama conversando com uma estátua. Já fazia dez anos que Hicham saíra da Turquia. Morou na Alemanha e depois tentou a Espanha, a França, a Bélgica. Estava se adaptando à Holanda. E tinha mais aquilo, apontou para as crianças, afirmando ter dito algo suave, mas que o sotaque tornava áspero. Sempre o atrito. Gastou todas as palavras que sabia em holandês para agradar as meninas, disse junto do sorriso. Começou a fazer-se estátua na Rambla de Barcelona, onde há mais estátuas que pessoas, riu de novo, homens-estátua se acotovelando com roupas criativas para chamar a atenção dos turistas. Em Utrecht tudo era mais simples, não havia concorrência e em geral as pessoas gostavam. Nem todas davam moedas, mas Hicham não usava o artifício do espelho, como faziam os artistas de Barcelona, que jogavam um facho de luz na lente das câmeras que queriam fotografá-los sem pagar. Pelo menos ganhavam alguma coisa para ficar imóveis, Leonel disse lamentando o quanto só ganhara experiência e despesas até então. Hicham foi severo, que se Leonel tinha como pagar as despesas então era um privilegiado, e torcia para que não passasse o que ele passava. Até ficar parado ali naquele parque era ilegal. Existir era crime, ter um corpo era o pecado. E tinham coragem de culpar os muçulmanos por violarem corpos. Que conhecia a realidade de perto, vinha de um país usurpado, Leonel respondeu. Mas conhecer de perto não era viver, a Europa também vivia de perto, o ocidente todo vivia de perto, mas não se sujava: dava esmolas, as costas, ou expulsava. Na Holanda nem tanto, mas em outros países, sob o suposto medo de ataques, os governos não entravam nas comunidades, que ficavam sem policiamento, atendimento de saúde, escolas. Que parecia que Hicham falava do Brasil.

Os olhos da estátua procuravam algo que não estava ali. Por mais que passasse os anos imobilizado – já fazia dez anos, foi o que Leonel entendeu do inglês ruim de Hicham –, não conseguia enganar o tempo. A tinta que usava sobre o rosto salientava o vinco das rugas de bronze. O tempo que esculpe o corpo sempre perde a mão, sempre passa do ponto e começa a deformá-lo até ter de jogá-lo fora. O homem-estátua não estava fora do tempo. Hicham era o imigrante imóvel, o nômade do antimovimento. A irritação aconteceu sem que Stefan percebesse. Depois de uma grande explicação de Érico para Bruna falando da importância de fazer no mínimo trinta minutos de exercício aeróbico para só então começar a queimar calorias, Stefan desfez a crença que ainda rondava o mundo dos esportes, de que eram necessários no mínimo trinta minutos de exercício aeróbico para que o corpo começasse a funcionar. Que isso era mito, ele disse rindo e ainda pedia para Érico traduzir. O dono da academia viu ali disputa de poder e desconfiou que Stefan estivesse flertando com a menina. Qualquer um na Holanda sabia que Stefan não era atraído por mulheres, ele sequer tentava disfarçar, não precisava. Talvez tivesse ficado mais comedido a partir do trabalho, talvez o esforço das pessoas para entender o conteúdo do que falava as impedisse de prestar atenção nas modulações da voz.

Bruna sabia das outras secretárias, sabia do jogo que Érico fazia. Tinha um pouco de nojo, imaginava-o na cama, o corpo encurtado pelo descaso com os alongamentos, os braços afastados demais do tronco, os olhos pequenos muito grudados um ao outro e atraídos por todos os espelhos. Stefan era diferente, delicado, além de ser estrangeiro, o charme definitivo.

O inglês de escola que ela remoía e as poucas palavras em português que ele já usava serviam para gentilezas mútuas, feitas mais de gestos e sorrisos que de palavras. No dia em que aparecera com o decote em V, um V de vértice profundo, recebeu um olhar furtivo de Stefan, enquanto Érico não saiu do guichê. Bruna sentiu-se vulgar e passou a ir para a academia com o agasalho, ajudada pelo outono que esfriara a cidade. Brasileiras já tinham fama de putas, foi mancada usar um decote daqueles. Depois de um tempo em silêncio, o homem-estátua despertou num salto, disse alguma coisa como os homens! e saiu rápido na direção da Waterlinieweg.

Leonel ficou sem saber se corria também, o impulso inicial de se levantar, ir atrás de Hicham, mas por que fugir, o que temia? Tentou se acalmar, o coração estancou na mandíbula travada, permaneceu sentado. Respirar fundo e buscar a leveza entre as tralhas desarrumadas do peito (*não reparem a bagunça, diga*). Os guardas não correram, não perseguiram Hicham, que ia longe. Era comum esse tipo de abordagem para assustar artistas de rua ilegais, imigrantes, tirar-lhes o sossego até que desistissem. Ou pelo menos sumissem da região pela qual os guardas fossem responsáveis. Aproximaram-se de Leonel, que dizia a si mesmo, depois aos guardas, que não havia nada de errado. A sombra deles o encobriu. Mostrou o passaporte, tudo ainda dentro dos prazos. Eles perguntaram o que fazia na Holanda, por que tanto tempo em uma única cidade, ainda mais Utrecht, lugar em que os turistas não passavam mais do que três dias. O inglês falhava, Leonel tartamudeava tateando o escuro em busca de um raciocínio que coubesse nas palavras. O olho, se tornasse a sair do corpo e voasse para o alto das árvores, veria um sujeito retraído ainda sentado na frente de dois guardas que lançavam suas sombras sobre ele, esticadas pelo sol poente. Conseguiu dizer que era bailarino e ensaiava com amigos em Utrecht. Um perguntou se era trabalho, Leonel disse que não ganhava nada. Outro perguntou se ele era estudante, Leonel respondeu que não dançava em uma escola, mas com os amigos. Samba?, perguntaram ambos, no coro inesperado e de riso contido. Não, dança contemporânea, artística. E o samba não era contemporâneo? Não era artístico? Sim, mas não era aquele tipo de dança que fazia. E onde morava? Leonel sabia o endereço, falava-o com orgulho, só não sabia se Fadilah morava lá de forma legal, sabe-se lá de que jeito vivia.

Depois de silêncio maior que os anteriores, soltou a frase ensaiada, o sorriso sem graça e tudo, que o desculpassem, ele não falava bem o inglês, *could you please repeat?* – ou era *would you mind repeating* a forma mais polida de se humilhar? Qual era mesmo a hierarquia da submissão? Precisava de tempo para raciocinar, se Fadilah dava aulas na Universidade de Utrecht ela só podia estar lá de forma legal. Ficou feliz, uma felicidade dentro do conjunto maior da apreensão. Não havia por que mentir, então mentir por quê? Falou, morava na Biltstraat, ou melhor, estava hospedado na Biltstraat, na casa de uma professora da UU. Finalmente perguntaram de onde conhecia a estátua que acabara de sair correndo, tropeçando nos vestidos. Leonel pediu desculpas, se poderiam repetir, talvez se compadecessem pensando que fosse surdo. O que viu foi o ricto da irritação. Estava falando a verdade, mas o que sabia da situação de Hicham? Fadilah, a mãe piedosa, aceitava legais e ilegais na casa? Quais as confusões em que se metera? Disse por fim que não o conhecia, ficara curioso com a performance da estátua, citou as crianças, disse que em Curitiba também havia homens-estátua, o nervosismo o fez citar a Rua XV e os meninos de rua prateados no semáforo. Falava tudo entrecortado, queria ler comoção naquelas sombras cada vez maiores que o engoliam mais conforme o sol se punha. Não conseguia (*você sequer olha de verdade, mira uma zona neutra entre o queixo e a garganta*). Os guardas pediram para ele repetir o endereço, anotaram.

Depois de se despedirem, já de costas, um deles girou o tronco na direção do brasileiro e perguntou, sem interesse pela resposta: 7 a 1?

Do you know you are hot? já era a segunda vez. A primeira fora menos ousada, a letra parecida mas diferente, mais redonda: *I think I like you*. Stefan ergueu os olhos do bilhete buscando algum olhar que encontrasse o seu e confessasse a autoria. Nada. A porta de vidro se escancarou e quem surgiu foi Desimond, sorriso em punho disparando a pergunta: quando Stefan os convidaria para conhecer a casa? Já fazia tanto tempo que se mudara e ainda nem um churrasco? O verão estava chegando, uma cerveja. Stefan estava no Brasil, precisava aprender a hospitalidade brasileira, falava, entre irônico e sincero. E recomeçou com as filosofadas, hospitalidade não era troca comercial, mas cumplicidade com o destino do outro e tal e Stefan não entendia como um bisbilhoteiro fuçando a vida alheia e querendo invadir seu espaço podia ser uma definição de hospitalidade. Havia diferença entre dar um canto ao outro e dividir seu canto com o outro.

Por que Desimond havia usado o plural, *invite us*? Quem mais deveria chamar? Érico? Desimond disse *no, man, please*, se podia imaginar o dono da academia e um segurança na mesma festa. Que se atiraria pela janela. Depois, na rara seriedade que o tornava irreconhecível – as feições poderiam lembrar um meio-irmão, nunca o Desimond-Souffrant-Sorriso –, disse que seguranças eram convidados para as festas de fim de ano, mas não iam e, se fossem, duas chances: acabarem trabalhando de garçom ou serem tratados com a benevolência dos retardados, crianças que não sabiam se comportar ou falar sobre assunto de adultos, então, seu Desimond, estava curtindo o churrasquinho, queria mais uma cervejinha?, tudo no diminutivo. As mulheres ainda fingiam interesse no Haiti mas davam as costas quando a amiga chegava tamancando o piso. Eles queriam alguém para abrir o guarda-chuva nos dias de temporal, não sabiam o que fazer quando os papéis eram outros e envolvia algo parecido com olhar na cara. Talvez não fosse culpa deles, aprenderam a representar um papel só, nenhuma capacidade de improvisação, esqueciam as falas ou elas saíam tão pobres quanto podem sair de atores ruins. Precisavam de pessoas como Desimond, desde que conhecessem seu lugar e ficassem longe, no quarto da empregada. O monte de Adidas, Nike e Puma eles adoravam, e comparavam e se comoviam com o modelo novo do amortecimento que vinha do Vietnam, China, Bangladesh. Mas que não viessem vietnamitas, chineses, bengalis. Então que Stefan sentisse a situação: os imigrantes chegavam para fazer o que os nativos não queriam, mas que fossem discretos, invisíveis melhor. Aí a China soltava um peido, dava uma merda internacional, o desemprego aumentava e quem eram os culpados?

Os imigrantes ladrões de empregos que além de tudo eram chamados de vagabundos, disse Stefan pela primeira vez, de tanto ter ouvido a mesma lengalenga. Começava a aprender na marra. Se estivessem ali, Machiel e o oude Bisschop diriam que se marroquinos, turcos, somalis e todos esses pobres do mundo saíam de seus países depois de levarem um chute na bunda, então era preciso recebê-los com um soco na cara. Depois de não conseguirem viver como gente nas terras deles – eram os sujeitos mais fracos que vinham dos países mais fracos, os fracos dos fracos, portanto –, esses espermatozoides ruins quererem fecundar algum chão fértil só podia dar merda. Vinham encher o saco dos países que ao custo de tanta guerra, trabalho e filosofia conseguiram um estado de bem-estar social aceitável.

Stefan não confessaria a experiência que vivera em uma loja de artigos esportivos em Utrecht, quando devolveu com nojo uma cueca esportiva depois de ter lido *Help! Forced to work exhausting hours* na parte interna da peça. Na época, quando contou o episódio a Machiel, o namorado gargalhou seco arregalando dentes e olhos, e falou sobre as lojas especializadas em vender aos pobres do primeiro mundo os produtos feitos pelos pobres do terceiro enquanto esses últimos ainda sonhavam em vir à Europa para consumir o que eles próprios produziam. Se era esse o sentido de subir na vida. Caso Stefan arriscasse contar toda essa história, o que ouviria em resposta? Não arriscou. Desimond quis livrar o amigo – paramentado de Asics bengali, agasalho tailandês e *dry-fit* chinesa – de um inexistente sentimento de culpa. Stefan, *the dutchman*, Desimond dizia, era diferente, até vomitava em pneus de ônibus. Riu e outra vez alertou-o para que não fosse desagradável convidando Érico, tinha em mente uma coisa mais íntima, ele, Desimond e a namorada. Quem sabe Stefan não queria convidar alguma menina também, disse erguendo os olhos para Bruna, que tentava inutilmente pescar palavras enquanto fingia cadastrar alunos novos. Crispou-se toda ao toque do olhar de Desimond. Stefan ignorou a insinuação e foi direto à curiosidade: *girlfriend?*

O espanto na voz recebeu em troca uma pergunta também espantada: um haitiano não podia ter namorada? Uma vergonha difusa pôs a mão no seu ombro e o guiou. Teve de passar entre o grupo de crianças e professoras que haviam acompanhado de longe o interrogatório. Um sujeito pardo sentado, corpo encolhido (*cadê a solidez absoluta do átomo preparando o big bang?*) e interpelado por policiais era uma senha para alimentar imaginários, as tantas falas ditas ou presas, bombas que explodiam, os fanatismos, os empregos roubados. As crianças se afastavam conforme ele passava, imperador da vergonha no tapete verde do Wilhelminapark. As professoras – os braços eram cordões de isolamento inconscientes – convocavam as crianças para voltarem às brincadeiras, o canto dos olhos fazia alça de mira. A guerra fria. Se ainda o tivessem batizado com o sobrenome da mãe. Alegaria um sangue holandês, nem que apenas alguns glóbulos, brancos ou vermelhos, tanto fazia. Ostentar um Silva era carregar um peso, o peso da selva, era confessar glóbulos negros (*teu nome traz o leão estampado no escudo holandês. Mas o que é um nome? O nome não esconde o anonimato. É teu sobrenome que te entrega. E na selva brasileira não há lugar para leão, Leonel. Você não serve nem para jaguatirica, você é tiririca: erva-daninha e palhaço*). Seguiu a Burgemeester Reigerstraat, andando rápido até o centro. Mandou mensagem a Fadilah, se ela não almoçaria com ele. Estaria sendo seguido? Olhou em torno, não viu nada. Andar devagar o colocaria no catálogo dos desocupados. Andar rápido levantaria suspeita. Usar o celular também? Olhar para trás a cada instante o fazia parecer fugitivo? Suspeitariam de uma bomba na mochila?

    Ao se aproximar da Maliebaan, viu na esquina uma agência do Rabobank. Se policiais o estivessem rastreando, poderiam ficar impressionados e parar de perseguir um sujeito que tinha Mastercard e Visa Electron para sacar dinheiro em qualquer parte do mundo. Tomem essa, policiais, pensou ao sair do banco, já na rua, colocando as cédulas na carteira à vista de quem quisesse ver, tirei esse dinheiro do seu Rabobank, disse em português tentando traduzir. Falar sozinho era suspeito. Viu o quanto a cidade era pequena. Caminhou reto pela avenida, que mudava algumas vezes de nome, para cair novamente na Janskerkhof, onde virou à esquerda e, outra vez, estava na Domstraat indo em direção à Domkerk, à Domplein, à Domtoren. Uma vertigem leve o assaltou, o chão dava puxõezinhos no tapete debaixo de seus pés, a solidez das calçadas cedia à rotação do seu pequeno planeta. Fadilah perguntava pelo WhatsApp se tudo estava bem. Parou na frente da igreja e sentou-se aos pés da estátua – que não era Hicham –, a mesma que acolheu o cansaço de Leonel no primeiro dia de Utrecht. A mulher de pedra sobre o pedestal alto, corpo inteiro, era uma estátua da liberdade mais sensual, quase toda desvestida acima da cintura, escorrendo o tecido da saia por uma das pernas e deixando a outra livre e nua, coxa vigorosa. A tocha vinha ao lado da cabeça e era presa com força por duas mãos que temiam derrubá-la. A estátua era ladeada por duas árvores, a maior uma castanheira-da-Índia, árvore refugiada, imigrante de raízes robustas. Quis estar lá em cima, escondido nos galhos. Se alguém ainda o estivesse seguindo, aquele não era lugar bom, parecia um mendigo na frente da igreja, faltava estender o chapéu e pedir esmolas. Toda a vez que passava pela praça lia uma placa de mármore incrustrada no chão. Precisava descobrir o sentido daquilo. Ficava curioso por ter identificado, entre os escritos, *homoseksualiteit*. O que a homossexualidade fazia deitada em uma placa na principal praça da cidade? Mas as outras palavras não davam nenhuma pista. *Sodomie*, talvez. Seguiu para o Oudegracht.

Se não encontrava espaço para o enclave particular, que ao menos sumisse na multidão. Respirou fundo, estava exagerando. Deus olhava? O coração traulitava nos ouvidos, bastava um segundo de silêncio para escutá-lo. Todo o refrão de *Listen to your heart* vinha escrito da forma mais arredondada. Stefan comparava os bilhetes, poderiam ter sido feitos pela mesma pessoa, mas o desenho de algumas letras específicas fazia-o acreditar em duas. Duas pessoas interessadas nele? Nada mal. Um dos alunos, rapaz que beirava vinte e cinco anos, não era avesso aos toques de Stefan para corrigir a postura de algum exercício. A fama de que brasileiros eram mais liberais com o corpo caiu por terra nas primeiras aulas. Machos e fêmeas se cumprimentavam alegremente com beijos e abraços, mas refutavam toques demorados, a mão de Stefan espalmada na lombar dava choques. Era comum o aluno afastar demais os joelhos quando fazia o *legpress* e para evitar os ruídos da comunicação verbal, sempre um rádio parcialmente fora de estação, Stefan ia até o aluno, estendia as mãos na parte externa dos joelhos e os unia. O desconforto fazia os olhos buscarem o espaço vazio. Benjamin era quem menos resistia, mostrando interesse nas correções, perguntando sobre a mecânica dos exercícios e os músculos trabalhados, o que obrigava Stefan a tocá-lo para desenhar o que as palavras descreviam. Poderia ser ele um dos escritores de bilhetes românticos. Mas ambos usariam a mesma estratégia? Agiam em dupla orquestrada, deliberadamente? *Listen to your heart when he's calling for you / Listen to your heart / there's nothing else you can do / I don't know where you're going / And I don't know why / But listen to your heart before you tell him goodbye*. Gostou, mas não podia mudar em nada a relação com Benjamin, era um profissional, precisava distinguir os espaços. Talvez o convidasse para o *happy hour* que estava programando com Desimond e a namorada. Benjamin até falava inglês, era advogado, teriam ao menos um bom papo. Stefan estava envaidecido, chamar a atenção de um pequeno deus, gracioso na imperfeição do dentinho quebrado. Mas era tão novinho, ele acostumado aos mais velhos. Não se achava preparado para algo sério e mesmo uma diversão simples o assustava, viria a vontade de contar sua história, o psiquiatra e a terapeuta insistindo: não se vitimizar, não se fazer de coitado. Era difícil. Se Desimond falava tanto de imigração para esconjurar os fantasmas, ele também precisava despejar sua vida em alguém (*se não defendia ainda há pouco esconder os problemas até eles deixarem de existir*). O amigo haitiano era o único no Brasil que conhecia sua história com Machiel, ainda assim contada de passagem, sem detalhe nem reiteração. Uma barragem o continha e tudo ficava represado, dentro. Mitigava o sofrimento engolindo seco, distraindo-se com as aulas, com as pessoas, evitando solidões.

E suava (*se não ia contar o outro jeito de evitar solidões e despejar e suar, se não confessaria quem o acompanhava nas incursões íntimas*). O preparo físico estava melhor do que jamais estivera, treinava quase todos os dias, força, corrida, bicicleta. Arriscara umas braçadas na piscina da academia e se saíra bem. Uma corrida de rua se aproximava, o Circuito das Estações promovido pela Adidas. A etapa de outono seria já na metade de maio. Eram corridas curtas, de cinco e dez quilômetros, mas nada mal para quem queria novamente sentir o gosto da multidão se acotovelando na largada, disputando espaço (*que sempre pessoas disputando espaço*) até se distenderem ao ponto do esgarçamento completo. Outras provas havia no calendário da cidade e de cidades próximas. Havia maratonas em Curitiba, Florianópolis, São Paulo, Rio, lonjuras tamanhas para um holandês acostumado a gastar duas horas para atravessar seu país, e menos que isso para estar em outro. Em breve, estaria pronto para participar. Por enquanto, a rotina das corridas individuais, preferindo sempre a rua à esteira. Pedalava até o Parque Bacacheri, prendia a bicicleta e corria boas voltas por lá, aproveitando subidas e descidas para intervalar a frequência cardíaca. Saía dos limites do parque e alcançava a canaleta dos biarticulados, por onde seguia em direção ao Santa Cândida e voltava para pedalar até em casa. Já fizera o Birigui algumas vezes, mas o caminho era inconveniente, atravancado pelos carros. O trajeto entre o Bosque do Papa, onde também prendia a bike, e o Parque São Lourenço, era o preferido, seu Wilhelminapark possível ligando-se ao Voorveldse Polder, lembrança vaga de Utrecht, cidade que afastara de si para ressurgir como saudade indesejável. Outras vezes vagava pelo Museu Oscar Niemeyer e perdia-se nas ruas mais calmas do Centro Cívico até que o GPS confirmasse vinte quilômetros, às vezes trinta. Fosse quem ou fossem quantos, *Listen to your heart* o fazia suar mais. Não deixava de ser um jeito de entender o corpo em prontidão. Precisava estar pronto para ser assediado, atacado (*se tinha noção do que acabara de pensar*). O corpo do exercício esculpia a si mesmo, sem mãos externas, sem artesãos alheios às fibras musculares e ao trabalho do coração ouvido pelo frequencímetro, *listen to your heart... I don't know where you're going*, e se perdia também pelas ruelas do Ahu para de novo o GPS arrancá-lo do mundo que andava em círculos sob seus pés.

Sim, era certo: o endereço tinha sido escrito. Apesar de atarantado, sabia que um policial tomara notas, a caderneta era azul, espiral na parte de cima. Ainda mandou repetir rua e número. Agora precisariam arrumar as malas de Hicham e escondê-las até que ele chegasse e pudesse partir. Partir para onde?, perguntou Leonel, em português. Para *la madre que lo parió*. Fadilah estava nervosa, buscava solução enquanto Leonel buscava se desculpar. Ela não podia ouvir suas explicações, precisava dar um jeito de fazer Hicham sumir dali antes que a polícia batesse à porta. No meio do sapateado nervoso, encarou Leonel e disse que podia ser que nada acontecesse, faziam isso para intimidar, plantar um terrorzinho. Leonel não tinha vivido aquilo? Desde a escola havia alguém com caderninho na mão colocando cruzes ao lado do seu nome, nada como semear um pouco de pavor para colocar um tipo de ordem na casa. Não podiam correr o risco, imigrante ilegal vivia assim, de um lado para outro, ora numa casa, ora indo para as ruas, ora encontrando acolhida nos enclaves. Que visse o caso do Molenbeek. Hicham já havia morado lá. Depois que um grupo extremista oferecia proteção, oferecia em seguida a chance de se tornar herói. E o ocidente não entendia porque eles saíam com bombas grudadas no corpo. Alguns meninos eram currados na infância, restando-lhe o suicídio em nome de Alá como única saída para expiar a culpa de terem sido vítimas. E já que iam se matar mesmo, por que não aproveitavam e matavam uns infiéis? Respirou, não queria ser trágica, Hicham saberia se virar, entenderia que uma professora não podia ser surpreendida abrigando ilegais. Leonel achou curioso Fadilah falar do Molenbeek sem fazer menção a Nabil ou aos filhos que fugiram de lá. Sentou-se, tonto. Ela abria e fechava guarda-roupas e malas, não percebeu a palidez dele, a quase queda no chão que girava pela segunda vez naquele dia. Os meninos currados, a expiação da culpa, e agora a culpa e a vergonha grudadas em Leonel, quem expia? Imóvel no sofá, o corpo precisava reagir: quis saber o que deveria ter feito, mentido em relação ao endereço, dito que morava com Anne-Marije, dado um número falso? Que havia feito o certo, Fadilah disse, que não estava lá ilegalmente, que não tinha que se complicar por causa de uma guerra que não era dele.

Que Leonel continuasse brincando de deus e deixasse as pessoas lidarem com a vida real.

As desculpas vieram imediatamente, emendadas no final da acusação. Fadilah justificou o óbvio, estava nervosa e o que dissera havia sido uma infelicidade, ignorância inominável. *Perdón, perdón*. Mas a língua de Fadilah já havia queimado em Leonel, que ganhava outra ferida para tatuar a pele (*queimaduras não se regeneram*). Na violência do empuxo, emergiram os medos e vergonhas, uma marroquina caída no colo do destino de Leonel dizia o que ele temia dizer a si próprio e mantinha abafado em quarto sem janelas (*sempre dei meus pitacos sobre essa mania de salvar o mundo com a dança. Salve-se quem puder*). E se o que Fadilah disse fosse verdade? Não sentiu raiva, sentiu vergonha de estar na sua frente. Um ser adulto querendo levar a vida se mexendo, simulando movimentos, construindo um discurso mais obscurantista que o de qualquer religião.

Aos trinta anos, já sabia como funcionava: precisava fazer o discurso arrasador, devastando as convicções e deixando-as em ruínas para, só depois, bem depois, começar o trabalho dos rescaldos, resgatando alguma vida sob os escombros e reconstruindo peças chamuscadas. Apresentaria o conceito de dEUs dentro de poucas horas, era bom recuperar-se rápido, Fadilah passava as duas mãos no rosto de Leonel, acariciando-o, desculpando-se, chamando-o seu bebê, *mi bebé*, indecisa entre a pressa e o afago. O olho estava roxo, mas todo o rosto havia inchado, e ele entrou pela porta eufórico, fora de si, fazendo todas as ameaças àqueles favelados filhos da puta, bando de cuzão que iria pagar caro. Rubens, um dos alunos que também fazia Muay Thai na academia, chamou

Érico e Hernan, o professor de lutas. Os palavrões Stefan conhecia, mas a história que os costurava ele perdeu, deixava Desimond, perto da porta, fingir que falava dos pássaros em pleno voo, mas traduzindo a briga em que o rapaz se metera. Os braços compridos de Desimond faziam um grande arco, como quem dissesse amenidades sobre o céu e a natureza. Mas os beiços falavam era da briga, baixinho. Quase todos os alunos pararam de fazer suas aulas e juntaram-se em roda, até que Desimond não precisasse mais disfarçar. Rubens falava alto, gesticulando como doido, sobre o cerco que o grupo da periferia lhe havia feito. Cinco rapazes e uma menina, encapuzados com aqueles moletons fedidos que imitavam boas marcas, os bonés piolhentos com as abas bem curvadas. Não eram fortes, mas eram seis, chegaram perguntando onde a bichinha ia, se ia no petshop brincar de briga. Os rivais sabiam que ele e Hernan estavam fomentando a rixa pelo Facebook. Aí Rubens entrou em um delírio de grandeza parodiado por uma tradução de Desimond que fazia Stefan se contorcer para segurar a gargalhada. O rapaz dizia ter deixado uns quatro no chão e teria batido em um por um, mas a vaca da menina lhe atirou uma pedra na nuca e ele bambeou. Alguém riu dizendo que era mesmo um boiola, apanhando de menina. A piada teve pouca ressonância, não havia clima para brincadeiras, a revolta avermelhava os olhos, jovens homens fungavam e socavam a palma da própria mão até brilhar a ideia de irem aonde a briga tinha acontecido. Se Rubens havia deitado uns quatro no chão – ele apanhou sem bater em ninguém, socos zunindo no ar –, quem sabe não estivessem ainda por lá? E uns dez corajosos seguiram academia afora. Rubens, Hernan e Érico entraram na sala da direção e fecharam a porta depois de resmungarem no entredentes que a ralé corria muito risco ao botar as manguinhas de fora. Desimond não entendeu a última parte, ficou ruminando a imagem para traduzi-la, estendeu os lábios e se deu por vencido. Ninguém soube o que os três fizeram naquela sala com a porta fechada, o restante da manhã seguiu seu curso e Stefan esperava o início da tarde, a hora do treino de Benjamin. Pediu para Bruna a ficha dele e de mais três alunos, para disfarçar. Fingia conferir dados de avaliação física enquanto buscava, no cadastro de Benjamin, alguma anotação que permitisse ver como era a letra dele. Encontrou apenas xis marcados nas perguntas que queriam saber sobre seu estado geral de saúde. A assinatura era toda desenhada, barroquismos sem letras que pudessem dar pista. Descobriu somente que o danadinho era fumante.

Na hora do almoço, sempre convidava Desimond. Ele se recusava, trazia a comida de casa e a esquentava na cozinha do restaurante, na própria academia. Era economia, mas Stefan atribuía tudo a um capricho. Caminhava então até o Pollo Shop, a praça de alimentação dava boas opções. Um quiosque de frutas e outro de sucos exóticos completavam o almoço, agora bastante regrado. Stefan aprendera a comer em buffets livres e também por quilo. Tentava não comer carne demais. Buscava proteína nos ovos, nos legumes escuros, no tofu e nas lentilhas, poupando-se também dos *shakes* de *whey protein*. Deixava a carne para os fins de semana, desde que não saísse com o pessoal do pedal, muitos deles vegetarianos.

Estava saindo quando Bruna perguntou se poderia acompanhá-lo, faria o almoço uma hora mais cedo, já tinha conversado com Érico e tal. *Can I go together* foi o que ela perguntou, atrapalhada, e depois falou em português, para si mesma, atrapalhando-se da mesma forma. Stefan não teve dificuldades para entender, deu de ombros ao resto das palavras, o principal estava dito. Saíram os dois em silêncio. Pedalaram juntos para o ensaio, Leonel queria chegar bem antes. Difícil lidar com as pedras na garganta e transformá-las em palavras, vertendo-as ainda para o inglês e em cima de uma bicicleta, cuidado, a hora do *rush* era aquela. Limitou-se a responder com levezas amáveis as perguntas de Gijs, sempre leve, sempre amável. Leonel começara a imprimir no corpo um tique nervoso: olhar para os lados, para trás, em busca de alguém que o seguia. Tinha sido responsável pelo despejo de Hicham. E não adiantava cercar-se da razão (*da tua razão*), que discursava dizendo que não havia o que pudesse ser feito, não tinha culpa, que a polícia tinha coisas mais importantes a fazer do que perseguir bailarinos inúteis que só sabiam brincar. Mais inúteis e inofensivos que um homem-estátua. Quando Gijs disse que estava ansioso pela aula da noite, Leonel amaldiçoou a si mesmo, a mania de inventar, por que isso de sugerir rodízio na proposição das aulas? Mudou de ideia: em vez de querer chegar mais cedo ao estúdio, propôs a Gijs que parassem para uma taça de vinho. Chegariam em cima da hora.

Puedes seguir jugando a ser Dios. Deja que las personas se ocupen de la vida real. Depois de duas taças as palavras espocaram em espanhol, mas na voz de Cícero. Quando colocou os pés no estúdio, viu Gonçalo emburrado. Ainda teria de lidar com isso. Leonel estava na beira de uma piscina funda e a outra extremidade não tinha referência no espaço, mas no tempo. Mergulharia naquela borda a seus pés, trancaria a respiração, e só sairia nas dez horas da noite. Precisava se proteger e como bom operário levaria aquilo até o fim, daria sua aula, explicaria seu d*EU*s, debateriam e ele voltaria para casa, talvez mais aliviado, talvez mais animado, já começando novamente a ver sentido no que fazia, era sempre assim, depois de as ilusões perdidas, as ilusões reencontradas em uma gaveta imaterial de perdidos e achados (*não se esqueça do clima na casa, Hicham desalojado por causa da tua delação*).

Leonel escolhera *contact improvisation*, sempre em duplas que seriam trocadas ao longo da aula. Quis começar com o mais desagradável, a dupla com Gonçalo logo de uma vez, vinte minutos de suplício para depois ordenar as trocas, quando teria Anne-Marije por mais trinta minutos e depois, com Gijs, nada impedia que chegassem aos quarenta. Proporia uma hora e meia de dança intensa, sem falatório, no suor a purgação. O início teve uma série de rolamentos preparatórios, feitos ainda individualmente, de um lado ao outro do estúdio. Era preciso aquecer, abrir algum espaço no corpo duro, fechado como estava Leonel. Lutava por criar um fluxo de energia como passagem. Todo o planejamento, as aulas desde Castro e Curitiba, seus projetos até a decisão radical da viagem, tudo desembocava ali. Se do passado pudesse se ver dando aulas para europeus, pronto para iniciar a produção de um trabalho solo em Utrecht, e enamorado de um holandês que, tudo indicava, correspondia à paixão, que mais poderia querer? Não sairia pelas ruas dando cambalhotas de felicidade? Foi hora de propor os mesmos rolamentos, mas em duplas, trabalhando o peso a partir da bacia, bacia com bacia. Tratava-se de um exercício ainda mecânico, ainda o preparo para a improvisação propriamente dita. Não havia tanto mal em fazer essa parte com Gonçalo, Leonel sabia, o trabalho criativo do *contact improvisation* dependia demais da relação entre os bailarinos. Quando chegassem lá, Leonel já estaria com Anne-Marije e Gijs. Esforçou-se para não ouvir a voz zombeteira de Cícero em seus ouvidos (*rá*). Fadilah também forçava a entrada, a boca se abrindo para deixar sair a voz do ex-namorado, meio espanhol, meio português, *puede* seguir brincando de ser *Dios*, deixe *las personas* que se ocupem *de la* vida real. Entremeado pela mão de unhas bem pintadas que apontava alguma comida do prato e dizia *good* e *I like*, o almoço se afundou em constrangimento, mais silencioso que a solidão. Sozinho, vinha a conversa consigo mesmo (*que ele já sabia: mesmo sozinho, sempre tinha companhia*), das preocupações corriqueiras aos projetos maiores. Queria brincar imaginando como seria a tarde com Benjamin. Estar à frente de outra pessoa, a meio metro de distância, roubava esse prazer. Medo de que o outro, tão próximo, lesse os pensamentos. As palavras se escondiam, era falta de educação pensar na frente dos outros. Stefan disse que pagaria, Bruna não entendeu e pagou. Depois ela ofereceu a gelatina, mas ele não sabia do que falava, sorriu e pegou uma gelatina. Na saída ele trouxe café, já com a xícara na mão. Ela sorriu e disse *I like*. Voltaram no mesmo silêncio feito de sorrisos esboçados e gentilezas invisíveis, guardadas nas intenções.

Stefan aproveitou o tempo que sobrou do almoço para tomar banho e perfumar-se com discrição. As comichões do flerte, a tepidez da pele, era bom voltar a viver. E se assobiasse *Listen to your heart* como quem não quer nada, só para pescar a reação de Benjamin? Se fosse mesmo ele, o que faria então? Quando chegou, todo magrinho, cumprimentaram-se com um *high-five* descontraído e Stefan não teve certeza se as mãos seguraram um pouco uma a outra em vez de apenas baterem. Desde o início sabia o que queria, ganhar um pouco de massa muscular, sem exageros, dizia, e com definição. Benjamin subiu na esteira para o aquecimento, que durava dez minutos, cinco com uma caminhada que começava com seis ponto cinco quilômetros por hora e mais cinco de corrida, a nove. Já com o brilho tênue do suor iluminando o corpo, Benjamin imprimiu a série com os exercícios e partiu para o supino no aparelho. Não gostava dos halteres. Stefan continuava a orientação aos outros alunos esperando perceber em Benjamin um erro de postura, uma articulação mal estabilizada. Maldisse a qualidade dos equipamentos, que permitiam uma biodinâmica perfeita, deixavam pouco espaço para desvios de movimento. Ele explicou tudo já nas primeiras aulas, que as máquinas eram mais seguras e causavam menos lesão, mas tinham resultados inferiores em relação aos halteres livres, que deixavam os músculos auxiliares trabalharem, não os isolavam como as máquinas faziam. Lembrava-se de Benjamin ter dito algo sobre a preguiça e as dores que sentia quando se exercitava com halteres. Se insistisse neles, em vez de resultados mais rápidos, acabaria desistindo. Ele se conhecia. Stefan agora lamentava a decisão. Nos exercícios com halteres, poderia ficar bem mais próximo, ajudar com os pesos, tocar braços e mãos para simular anteparos de correção da postura. Havia mais toque e as respirações se confundiam. Talvez até conseguisse sentir o cheiro do cigarro em Benjamin. Por tudo isso, voltou a insistir no uso dos halteres, que o sistema nervoso central podia ficar acomodado se os exercícios fossem sempre os mesmos, nos mesmos equipamentos. *Our body is really sensitive*, dizia para um Benjamin atento.

Foi na hora do tríceps com a corda que Stefan notou os cotovelos muito afastados. Moviam-se junto com o antebraço. Achegou-se por trás, segurou-lhe os braços, prendendo os cotovelos à cintura, *don't move them*. Só os antebraços deviam subir e descer. Pegou suas mãos e levou-as até o limite da subida, braço e antebraço em noventa graus. Recebia em troca a mesma acolhida ao toque e o mesmo sorriso, sem negar, sem afirmar. Soltou o corpo de Benjamin e olhou o mundo pela vidraça. Desimond tentava intermediar um conflito depois do toque que um carro dera em outro no estacionamento. As vagas ainda pareciam apertadas. Stefan não o ouvia, só via as gesticulações nervosas nos braços compridos. Distraído, assobiou *Listen to your heart*, mas já no segundo verso interrompeu, sem coragem de continuar. As bochechas afogueadas podiam muito bem ser resultado dos exercícios. Talvez pudesse fazê-lo escrever, a letra como melhor ideia para conseguir pistas. Como seria advogado com aquele jeito sereno e bom? Se fosse mesmo ele, como recuar, como insistir e depois dizer que não estava preparado? Com o corpo alerta, as energias fluíam, da pele aos pensamentos, a água parada e podre ganhava vazão e fluxo. Só intelectuais encarangados e vetustos, pançudos em frente a seus computadores, para dissociar o corpo da mente. Tanto melhor que Gonçalo já se desgrudara, era com Anne-Marije que Leonel rolava e acionava mãos e braços que roçavam o chão, até se sentarem, costas com costas, escutando colunas unidas, olhos fechados, a testa suada e a respiração de um reverberando pelos pulmões do outro. Ainda unidos, partiram para a criação que vinha do improviso, não bastava fazer qualquer coisa, era preciso sobretudo escuta, ouvir o corpo do parceiro, estabelecer acordos coletivos sem palavras, que fizessem brotar um movimento com intensidade e fluidez, nada a ver com brincar de se mexer, anos de estudo, de práticas, batendo queixos, levando cabeçadas no nariz até aprender a sair do mundo dos movimentos privados, das vontades exclusivas, para entregar-se ao outro e só com o outro criar dança. O que Fadilah, aquele corpo jogado às traças, podia entender? Só quem aprende a ouvir o corpo pode escutar o outro. Leonel intercambiava a vergonha de antes com a raiva de agora, ensaiando trocar a defesa pelo ataque, deitando o escudo ao chão para azeitar a lança.

Se tantos meninos e meninas levavam broncas com o mesmo bordão, só não esquece a cabeça porque está grudada, era possível elaborar a hipótese avessa: mesmo grudado, mesmo sendo o ser, o corpo era esquecido por cabeças falantes, de cérebro pouco oxigenado. Brincar de se mexer, não podia haver nada mais ultrajante, era o que Leonel matutava enquanto, da exaustão, tirava a capacidade de criar. Não podia ficar se martirizando por dizer a verdade, que culpa tinha se aquele terroristinha não sabia se virar? Hicham que fosse para o inferno dele, ou mesmo para o céu, com as suas virgens. Passando de um extremo a outro, buscava equilíbrio (*buscava parar de se posicionar, ficar em cima do muro, liso para não se comprometer com nada*). A dança tinha o poder de substituir obsessões. Era bom improvisar com Anne-Marije, ela cedia e propunha sabendo que ceder era um modo de propor. Não era uma valsa, um vanerão, em que um comanda e o outro, em geral a outra, acompanha. Ali estavam dois autores e intérpretes da própria criação, criação e criatura unidos, o dedo de Deus tocando o eu: o eu era criador, o eu era criatura: d*EU*s. Não estava no mundo para fazer papel secundário. Lembrou-se outra vez do *Manifesto secreto contra a mediocridade*. Não importasse onde estivesse perdido, ele se despedia daquele objeto pueril escrito dez anos atrás. Queria encontrá-lo somente para queimá-lo. Sem pausa, as duplas foram trocadas pela última vez. Leonel e Gijs também começaram de costas um para o outro. Para quem acabara de dançar (*brincar de se mexer*) com Anne-Marije, era sensível a diferença, as costas largas, os ombros da mesma altura dos seus e a força dos braços. Corpos em relação sempre se obrigavam a uma acolhida diferente, sopesavam o que o outro oferecia de força, de leveza, da proposição de uso do espaço, da velocidade, das formas sugeridas. Os braços se entrelaçaram e desceram ao chão, as pernas traçaram diagonais mas as costas ainda insistentes, eretas, escoravam-se umas às outras. Uma linha vertical separava os corpos, perfurada pelos braços entrecruzados e, então, pelas cabeças que começaram a invadir o espaço do outro, invadir a linha-limite, e da nuca contra nuca agora se uniam pelo pescoço, da dureza do crânio para o calor da carne na carne, pela primeira vez. As pernas desceram ao chão, dos glúteos aos calcanhares, e a cabeça de Gijs passou pelas axilas de Leonel, que projetou as costas sobre o abdômen de Gijs e daí seguiram as contaminações, ação provocando outra ação que convidava a uma resposta-pergunta até que tudo se misturava. Engalfinharam-se bebendo suores e respirando ofegâncias de um corpo único, escultura cujo calor amalgamava as matérias. As mãos não estavam devidamente afastadas uma da outra e o peso tinha risco de tombar para o lado, o que podia provocar lesão no ombro e nas costas. Recolocaram a barra no suporte. A tentativa de migrar para os halteres foi arriscada. Stefan se perguntou se Benjamin fazia de propósito. Quem não sabia fazer um exercício simples de supino? Era ilógico segurar a barra com as mãos tão próximas. Seduzir passando por estúpido não era uma boa estratégia, seria o único exercício fora dos aparelhos, com que Benjamin concordou depois de hesitar. Stefan pegou novamente suas mãos, eram bem-feitas, unhas cuidadas, mediu um palmo dos discos, viu as angulações, ajudou-o a fazer dois ou três ciclos completos. O restante foi executado com perfeição e não sobrou nada que pudesse ajudar Stefan, lupa imaginária, a caçar suspeitas. Gostaria que fosse Benjamin, mesmo sem saber o que faria depois que soubesse.

Benjamin dava pouca atenção aos exercícios aeróbicos, *I'd disappear* se fizesse muito aeróbico, brincava ele, a piada universal. O horário chegava ao fim, saía junto com Desimond, às três da tarde. O trabalho de seis horas era mais que suficiente, recebia em dinheiro. Também costumava convidar Desimond para correr depois do expediente. Desimond negava, sempre um ou outro bico para fazer depois que saísse dali ou então as horas preferidas de leitura na praça do Japão ou na Biblioteca Pública. Às vezes, se o dinheiro não dava para o ônibus, lia na Santos Andrade. Stefan não gostava de lá, não o deixavam em paz, sempre um mendigo a pedir coisas, contar histórias incompreensíveis. Quando descobriam nele um estrangeiro, tudo piorava. Desimond riu alto, ninguém o incomodava, mais fácil seria receber algum dinheiro, nem reclamaria. Só quando vinha a polícia militar ou a guarda municipal, aí dava aquela merda toda, ter sempre de carregar documentos, comprovante de endereço, uma chatice. Tirando isso, tudo de boa, disse em português afrancesado, a gíria que Stefan também conhecia. Bruna se ofereceria para correr junto com ele, mas depois da experiência do almoço, e depois de saber o quanto ele corria, desistiu. Stefan foi até seu armário, cumprimentou pessoas, ora com *what's up?*, ora um e aí, véi?, que no início fazia o pessoal rir. Dentro do armário, outro bilhete, a mesma letra ambígua, dessa vez a menos arredondada: *you occupy all my dreams, every night I think only about you. Even in silence, I am connected with you. Our silence talks to each other.* O jeito como Benjamin sorria, o modo de falar pouco, pelos pequenos gestos, concordâncias sutis. E o sorriso, de novo o sorriso. Quem mais poderia ser, os outros alunos e professores eram tão barulhentos, sempre querendo falar e falar. Os bilhetes dividiam, e multiplicavam, a excitação. Depois do primeiro, erótico, parecia ter havido uma correção de rota e os demais vinham românticos, açucarados, falando de conexão entre espíritos e tal. Stefan achou fofo. Ajustou os equipamentos de corrida e se lembrou do que dissera Desimond sobre a origem das traquitanas que ele acoplava ao corpo, homem-bomba que estraçalhava corações, brincou, parou, confundiu-se sobre a pertinência da imagem que evocara. Em volta do peito pôs a tira com o sensor de batimentos cardíacos, ativou o relógio no pulso – alça, sensor e relógio finlandeses da Polar feitos na Indonésia e na China –, celular – iPhone feito na Coreia – no *case* de lycra da Nike feito na China fixado no antebraço. Amarrou a bermuda da japonesa Mizuno feita na China e calçou as meias mais curtas da alemã Adidas feitas na China, depois os tênis japoneses da Asics – *anima sana in corpore sano* – feitos em Bangladesh e a camiseta *dry-fit* da Nike feita no Brasil, comprada na Nike Factory Store da Barão do Rio Branco em meio aos catadores de embalagens. Onde Desimond via a preferência do mundo rico por produtos e não por pessoas, Machiel e o oude Bisschop viam o lado bom – algum tinha de ter – da globalização, e esse festival de marcas vindas a bom preço era um deles. Saiu do vestiário se despedindo, acenando, beijinho em Bruna, a quem não queria deixar constrangida pelo almoço fúnebre, gostava dela, uma graça, sempre atenciosa, tchau. Não pedalaria até um parque, sairia correndo já da academia, o corpo pedindo de saída um trotezinho, os batimentos ainda abaixo dos cem por minuto, na ambiguidade do outono que o fizera ouvir vezes sem conta a explicação de que Curitiba era assim, as estações do ano todas em um só dia. Seguiu em direção à Itupava. As folhas despencadas no chão e flores amarelas, insistentes e fora de hora coloriam a copa das árvores. Só havia amenidades ocupando-lhe a cabeça enquanto ouvia a voz do aplicativo – contato remoto com a língua mãe – avisando o ritmo e a frequência a cada quilômetro. Mantinha distância segura da terra natal para não confundir lembrança com saudade. Ainda tinha muito a fazer no Brasil, participar de corridas, viajar para o Rio, conhecer São Paulo e a Amazônia, praias do nordeste e Santa Catarina. Já esmiuçara mapas, poucas viagens eram fáceis. Quando diziam que Florianópolis era perto, não supunham que os trezentos quilômetros cobriam com folga a parte mais alongada de seu país, de Eindhoven a Groningen.

Da *playlist* escolheu Bearforce1, a banda mais gay da Holanda. Se fosse mesmo dar aulas de *spinning*, conforme Érico já acenara, Bearforce1 não faltaria. Machiel não gostava, achava caricatural, eram uns palhaços, imitação avacalhada do Village People. Stefan avaliava, em retrospectiva, que o namorado não tinha senso de humor. Chegava perto do *pace* de quatro minutos por quilômetro, antevendo a *happy hour* que faria em breve para Desimond e a namorada. Sempre uma vontade de rir quando pensava em Desimond com uma namorada, o *vriendin* saía arrastado e com um *pfff* desdenhoso no final. *v-r-i-e-n-d-i-n, pfff*.

Seria bom se Benjamin fosse. Seguiu pela ciclovia ao som de *We're looking for a good time, Get ready for our love*, sem ninguém (*se ninguém mesmo*) desconfiar do que ouvia. Podiam falar o que quisessem, mas correr ouvindo Bearforce 1 esvaziava o cansaço e dava fôlego para dançar e cantar alto. Soaria excêntrico, o que era bom. Além do mais, era o desejo quem pedia. A contenção foi a escolha, no entanto. Beijar no meio de uma aula tinha lá seu romantismo, mas nenhum dos dois arriscou, já se haviam feito estrada um do outro, toda a superfície do corpo percorrida, as bocas e os olhos eram os únicos órfãos da experimentação e do encontro. A sala pingava o suor dos quatro e um transe insinuou-se no estúdio. Não haveria momento melhor para propor a junção das duplas, a vibração emanada dos quatro abria os poros da pele e da criação. Estavam prontos para encarar o desafio aumentado, a negociação do sujeito individual com mais três corpos, as trocas mais complexas e, Leonel sabia, era aquele o ponto alto da criação colaborativa. Mas foi egoísta, soube-se egoísta, condescendente com o desejo: permaneceu na dupla exclusiva com Gijs até o final da aula.

Anne-Marije foi quem puxou as palmas, os olhos de Leonel e Gijs rasparam no relance. Primeira metade terminada, era enxugar o suor, tomar água e falar sobre como produzir d*E*Us. A aula dera novas camadas de sentido ao espetáculo e Fadilah com seu mau agouro estava distante. Começou repetindo informações, *As I said*, explicando o que d*E*Us tinha de ambivalente na sua língua e sorrindo – maldito vício de subordinação e insegurança – para Gonçalo, pedindo cumplicidade. Fez aproximações entre o seu trabalho e o de Iris van Peppen, era um modo (*puxa-saco,* brown nose) de dizer que estudara a dança em Utrecht. Queria a dança dialogando com o espaço público, trabalhando também, a exemplo de Van Peppen, o abandono do corpo, embora esse abandono não fosse aquele obtido pela exaustão e pelo instinto, como propunha a holandesa. Buscaria outros argumentos corporais, muitos deles procedimentos já testados nas aulas que os quatro haviam feito juntos. Se Van Peppen investigava as escolhas físicas do subconsciente depois de ter submetido o corpo ao cansaço extremo, Leonel queria entender melhor a relação com o público, queria não ver o público e até ficar em dúvida se alguém o assistia. Não queria saber quem velava por ele, queria dançar o acaso, *como se* estivesse sendo assistido, estivesse de fato ou não.

Era difícil modelar em inglês todas as nuances, teve de ser ajudado por Gonçalo, que, instado por Anne-Marije, até se esforçou, ainda que ficasse olhando o relógio, fazendo-se impaciente. Aquilo sim é que era terrorismo e guerra fria. Anne-Marije interveio, que a proposta estava clara, já haviam conversado tantas vezes. A questão era produzir o espetáculo. Não haveria divulgação, o que já lhes poupava algum esforço, afinal era o vaivém fortuito das pessoas no espaço público o que interessava. Anne-Marije havia cogitado levar d*EU*s ao De Hoge Veluwe, em Otterlo, um parque nacional com grande fluxo nos finais de semana para visitas ao Kröller-Müller Museum e também às obras de arte espalhadas a céu aberto. Muitos grupos performavam lá. Achava o lugar ideal, e

Gijs concordou, também tinha pensado no De Hoge Veluwe, mas poderiam usar o Wilhelminapark como uma espécie de *avant-première*. Que precisariam de uma licença, implicou Gonçalo. Gijs atalhou-o de pronto, que aquilo era detalhe, fácil conseguir, era pertinho do Exbunker, um espaço já usado para pequenas exibições de artistas locais. Lá poderia mostrar d*EU*s – o nome de d*EU*s já estava na boca dos três. Leonel ouvia meneando a cabeça como se uma mola se interpusesse no queixo e na garganta. Anne-Marije retomou, que estava ótimo mas tivera ainda outra ideia, apreensiva para saber o que achariam, deixassem-na explicar até o fim, que fizessem perguntas só depois.

Dizia respeito ao uso de lunetas apoiadas em uma base no chão, espalhadas pelo parque e apontadas para onde Leonel estivesse dançando. Não haveria aglomeração de público, as lunetas ficariam a uma distância que Leonel não pudesse vê-las, ou escondidas em meio às árvores e arbustos. Ele jamais saberia de onde viriam os olhares, se viessem. Não era isso o que queria, afinal? Havia um detalhe: para ficar a uma distância maior do público, até para que o uso das lunetas fizesse sentido, Leonel precisaria dançar no lado oposto ao que imaginara. E a imagem rápida acessada pela memória não deixou muita dúvida: esse outro lado era onde, pela manhã, ele havia sido interrogado pela polícia. d*EU*s dançaria lá.

De um lado do campo de batalha, a perturbação; de outro, a euforia. Que deus ordenou o engalfinhamento? O mesmo dia do inquérito em que acabou responsável (*admite?*) pelo despejo do amigo turco de Fadilah (*não cita mais o nome para despersonalizá-lo e torná-lo apenas vulto? Cuide-se com os fantasmas*), o dia em que começava a ser perseguido por fantasmas, a duvidar outra vez da carreira, era também o dia que havia trazido o corpo de Gijs para perto. E oferecido a oportunidade franca de apresentar d*EU*s.

Anne-Marije fora perfeita. De todos os ângulos que investigasse, só via vantagens, sequer precisaria de um espetáculo completo, começo, meio, fim e sequências estudadas. O público se revezaria, olharia um pouco, cederia a luneta aos outros, às crianças, a quem quisesse ver. Dançaria para o nada supondo existir o outro, que seria, contudo, invisível e viria de todos os lugares, onipresença pressuposta. O conjunto de olhares veria os movimentos do bailarino de amplos pontos de vista, visão global. Onisciência. Se achassem prudente, Anne-Marije prosseguiu, poderiam colocar ao lado da luneta um bloco de notas para quem quisesse registrar as impressões. Ou ainda, e deu uma risada de ousadia, acoplar câmeras digitais, para que qualquer um pudesse fazer imagens do instante visto, num mosaico de efemeridades e *Viewpoints*. O suor saía testemunhando a agitação dentro do corpo e gritando vocês precisam ver o rebuliço que começou. A poucos metros da academia, onde passaria para pegar a bicicleta e pedalar para casa, viu no estacionamento um aglomerado incomum e as luzes de uma viatura da Polícia Militar. Os policiais estavam no centro da roda e gesticulavam interpelando dois rapazes, a quem os alunos da academia e outros passantes dirigiam insultos claros mesmo para quem não conhecia a língua. Entre eles, Hernan e Rubens afirmavam alguma coisa, olhos em chamas. Bruna se aproximou de Stefan e fez uma cara engraçada, semelhante a um deu merda. Deu merda?, Stefan perguntou. Ela sorriu com a frase inesperada, tantas coisas poderiam ter sido ditas no almoço, tanta brincadeira com palavras a serem ensinadas e aprendidas. Ela arriscou: *the father of Rubens is...* e fez uma continência com o cenho franzido. Stefan respondeu com um biquinho exagerado, caricatural, humm, e Bruna riu de novo, a mudez do almoço não se devia ao desconhecimento de uma língua, mas à ausência momentânea de outra linguagem, que tornasse comum o campo dos afetos. Bruna pouco se importava com polícia e bandido, estava ali vivendo seu momento de namoro. Mas a pequena multidão começou uns gritos de lincha, lincha, e cotovelos alheios separaram Bruna de Stefan, ele tentando buscar nela o significado do grito, ela socando a palma da mão, no gesto esclarecedor. No meio dos curiosos encontrou Pedro, seu aluno particular. Antes de perguntar sobre o incidente, repreendeu-o, quase brincando, por estar bebendo refrigerante. Perguntou se não havia suco de fruta no restaurante, ou, melhor ainda, frutas in natura. Pedro chacoalhou a lata, vazia, agora era tarde.

Enfim Stefan soube: depois de apanhar, Rubens havia acionado o pai, um oficial superior da Polícia Militar. Analisaram perfis de Facebook, foram atrás dos agressores, o próprio Rubens dentro da viatura ajudava a esquadrinhar o bairro onde ficava a academia com que vinham trocando provocações. Os caras contudo não haviam sido encontrados no bairro deles, mas ali perto, dizia-se que tramando outro ataque. Os rapazes presos negavam, apenas trabalhavam no Alto da XV. Iniciou-se um bate-boca infantil sobre quem havia começado as provocações, insistências de ambos os lados, raízes fundas na certeza. Presos pelas mãos algemadas às costas, eles tentaram falar mais alguma coisa, mas já não conseguiam, tiveram o rosto cuspido, e uns chutes por entre os policiais os atingiram. Feito o histórico, Stefan podia assistir ao que se passava, policiais se esforçando para domar os raivosos da academia, empurrando pela nuca os sujeitos capturados e enfiando-os na viatura. Prometeram dar um jeito nos arruaceiros, ainda que fosse para acalmar a multidão que crescia em número e ira, mas a promessa Stefan não entendeu, como não entendeu muitos dos gritos que giravam em sua volta, aposto que são menores, se deixassem matar não enchiam mais o saco. Não tinha interesse em entender a animosidade (*que não era verdade, recusava-se a dar gravidade a ela*), lamentava Desimond ter perdido essa para vir com seu jeito engraçado de interpretar e traduzir. E mesmo, vá lá, de dar suas palestras.

Destravou a bicicleta e, de novo, não resistiu: foi para casa ouvindo Bearforce1, a música que dava nome à banda. Só mais uma vez, *nog één keer*, prometeu a um Machiel distante (*se só a ele havia prometido isso*). A cada repetição de *boys, boys, boys*, vinham-lhe as imagens do clipe bizarro, e ele ria. Assistira tantas vezes que se lembrava do instante em que aparecia um sujeito correndo em um calçadão com uma tira e um sensor de frequência abraçando o peito, tal qual ele usava. Como pedalava sem pressa, ainda pôde ouvir *Shake that thing*, no clipe o quarteto chacoalhante pelos canais de Amsterdam. Quando colocou mais força no pedal, no entanto, alguma coisa deu errado, o giro em falso impediu que a bicicleta avançasse como gostaria. A pequena falha revelou-se oportuna, atrasando-o um pouco e deixando Anne-Marije e Gonçalo irem à frente, com Gijs a esperá-lo, a separação dos casais sem constrangimentos e artifícios fingidos. Um mecanismo de rolamentos defeituoso encarregava-se de deixar Leonel com a presença única e atenciosa de Gijs. Se os dias são um pastiche de si mesmos, replicam-se sem se deixar deter, em uma vida quantos dias fugiam dessa regra era o que havia se perguntado Leonel ainda no banheiro do estúdio. E recuperava a digressão porque sabia ter vivido dias diferentes, em particular o que se passava naquele hoje de cor distinta em meio às rotinas de seus trinta anos, de seus mais de dez mil dias. Chuva e sol dentro de Leonel (*oh, as condições para a incidência do arco-íris*). A sombra crescente dos policiais, as crianças e professoras do Wilhelminapark com a esguelha do olhar dissimulado, a briga com Fadilah, o despejo do homem-estátua, tudo derramava tons escuros às multicores piscantes (*purpurinada*) da produção de d*EU*s e da aula foda-pra-caralho que acabara de fazer com Gijs, ali a seu lado, sem pairar dúvida do que sentiam um pelo outro. O pneu furado não foi motivo para desânimo, portanto. Já estava perto de casa e sabia que em alguma gaveta do guarda-roupas estava jogado um kit para esses consertos simples, que comprara junto com a bicicleta e ainda não havia usado. A noite que tombava não prometia nada especial, *Shake that thing* não tocava mais e Stefan, protegido do ruído da cidade pelos fones de ouvido agora mudos, vasculhava os bolsos da mochila atrás das chaves de casa.

Os dias começavam a se tornar uma massa homogênea e cinza no calendário. Um pneu furado não era evento corriqueiro, mas não dava cor especial ao tempo que corria (*se não era Stefan quem corria de um tempo parado mas que sempre o mantinha preso*). Um muro pichado tampouco, a cidade era tomada pelos grunhidos surdos dos fantasmas. Não se lembrava de ter visto o picho antes de sair de casa, quem sabe já estivesse ali, costuma-se fazer isso de madrugada. Seu muro branco, ainda que descascado e encardido (*se como a pele dos marroquinos do mundo*), não havia despertado a atenção dos pichadores, talvez por estar vulnerável demais, não representar risco, não desafiar quem se acostumara a atingir as superfícies mais improváveis atrás de deixar marcas, identidades. Quem sabe fosse obra de pichador novato, pouco íntimo do spray, que inaugurava seu grito no muro discreto: eu pixo bixa. E era tudo. Prédios altos cercavam a sua casa e a do vizinho. Em um dos muros, o de Stefan, o mundo agora podia ler eu pixo bixa e pensar o que quisesse, na letra simples, sem garatujas rococós. Só podia ser um iniciante em busca de estilo. Antes ainda: em busca de afirmar a coragem, de ferir o muro e deixar que o tempo encalacrasse o traço no reboco. No vizinho não, as algaravias rabiscadas havia muito tempo tinham força de assinatura, eram incompreensões de respeito. Stefan fez a associação, bicha e bixa, sem certeza do parentesco. A caligrafia era feia, essa a maior conclusão. Talvez fruto da pressa amadora, ou do mero descuido com a simetria das coisas. Deteve-se ali, corrigindo mentalmente a desproporção entre os is, a claudicância do primeiro xis, de perna muito curta, na iminência do tombo, ou seria um ípsilon? Sentiu-se batizado, integrado à paisagem de Curitiba. Podia sorrir aos vizinhos, morava em uma casa pichada também, podia, quem sabe, ganhar título de cidadão, naturalizar-se.

As cores mergulhavam lentas no escuro e se apagavam, sem cinzas, sem nada (*à noite, todos os gatos leões da selva são pardos. Só que você é pardo de dia também*). O escuro indistinguia tudo, noite, sono, morte. Que outras escuridões? Leonel sentiu morder a cicatriz que carimbava a coxa. Sempre a cicatriz o espicaçando quando estava na iminência de se envolver. Gijs o convidara, que fossem até sua casa, ainda achando que precisava inventar desculpas, tinha uns vídeos de dança que queria mostrar, performances em espaços urbanos. O cerco se fechava, a timidez de Gijs, a dedicação, tudo dizia muito a um Leonel que recuperava a vontade das palavras, que precisava de outra língua para convencê-las a voltar, refugiadas do chão sem húmus desde os episódios com o pai. Porém, mesmo o erotismo imaginário com Gijs, antes de se entregar à luta real do vale-tudo, tropeçava na cicatriz e caía no chão duro e preto e branco (*uma vez, bêbado, eu a lambi. Na manhã seguinte vomitei*). Mas não havia por que recuar, era preciso pressionar os dias (*apontando uma arma para eles?, ameaçando explodi-los?, faca na jugular?, pega, Rex?*) para que fossem diferentes e o cinza e o escuro se colorissem (*tão gay isso das múltiplas cores, arco-íris. Logo você, tão recatada*), não se afogassem na mesmice. A cicatriz era obstáculo, não muralha intransponível. Disse a Gijs que gostaria de passar em casa antes, pegar o hd externo, também mostraria alguns vídeos que trouxera consigo. Mentia, o hd estava com ele, na mochila, só precisava se desfazer do corpo suado que se ressentia de banho, Cícero a dizer (*que o teu suor é azedo?*) que seu suor era azedo. E procurar no bolso interno da mala de viagens uns preservativos que de última hora resolvera colocar, deviam estar na validade, essas coisas duram anos, melhor levar do que chegar de mãos vazias, sugerindo o não uso e insinuando a promiscuidade amarrada ao corpo brasileiro. Uma *mise-en-scène* frenética começou a desfilar pela cabeça, o que seria bom dar a entender, que insinuações seriam sensuais, quais vulgares? *You know? You have a sweet sweat*, foi o que disse Gijs, o sorriso indeciso, feliz com o trocadilho virado em elogio. Em Leonel os protocolos da noite ricocheteavam, limitou-se a devolver o sorriso, meio incompatível, quase risada, não entendeu o que Gijs dissera, muito ocupado para se entregar às sutilezas da língua. Precisava saber de hd, banho, Fadilah, Hicham, preservativos, d*EU*s e cicatriz, ordenar tudo para que domasse os fatos e as feras que circulavam por ele com os mesmos pesos nas iguais medidas. Equilibrar nas mãos bolas de muitas cores e fazer malabarismos assimiláveis. Não era fácil. Girar as chaves, subir as escadas, mas antes já pintava os cenários da casa. Entrou revolvendo as gavetas, abrindo-as com força, duas estavam emperradas, precisavam de um tranco para se abrirem. O kit de remendos era pequeno, podia ter se enfiado embaixo de qualquer bugiganga. Acumular bugigangas era o sinal da rotina se depositando pelos cantos da casa, nos fundos de gavetas emperradas. A última estava vazia, mas teve de abri-la para destravar a gaveta logo acima. Quando puxou com a força de um chute, ela se soltou. O mecanismo estava atravancado por papéis velhos que se soltaram, liberando o funcionamento. Os papéis, duas páginas dobradas, estavam grampeados, amassados pelo tempo que passaram entrevando a gaveta. Eram folhas de caderno, as margens vermelhas cortavam as linhas que amparavam letras bem formadas, preocupadas com simetrias mas que, sem interesse em respeitar fronteiras, ocupavam todos os espaços e ainda se derramavam para além das margens, transbordantes. Enchente que entupia as páginas, sem espaço nem respiros. O título longo vinha em letras de fôrma, maiúsculas, e o restante em letra cursiva, o curso e o fluxo da correnteza empurrando o sentido das palavras para frente.

Stefan ficou no cais do título, só refletindo como podiam duas línguas serem tão diferentes, sons e letras se enfileirando como crianças bem-comportadas. Ao simples *mag ik je kussen?* a língua portuguesa oferecia o complicadíssimo *posso te dar um beijo?* Mas nos papéis que tinha em mãos e que desentulharam a gaveta havia um raro encontro: Manifesto, *manifest*. O restante sumia na escuridão dos códigos. A curiosidade o fizera colocar no tradutor ao menos o título, e obteve então *Geheim manifest tegen middelmatigheid*. Não estava assinado, uma data vinha espremida no canto, dentro de um retângulo demarcador, encurralada pela multidão de letras ordeiras mas acotoveladas pela escassez de chão. Era uma carta escrita havia dez anos. Digitá-la no programa de tradução do Google? Quanto trabalho para o risco grande da imprecisão. Talvez marcar logo o encontro com Desimond. Ele e ainda mais provavelmente sua namorada improvável poderiam desvendar o manifesto. Debaixo de uma pasta com documentos, o kit de remendos repousava. Enfiou-se debaixo do chuveiro, sentia as células mortas dando vez à pele renovada, o velho morre, o jovem floresce, o tempo é curto (*blablablá*), blablablá.

Deixar Gijs esperando podia ser uma indelicadeza, demorar demais no banho, no banheiro, podia ser desagradável, dava margem a suposições, um intestino que se manifestava. Poderia tê-lo convidado para subir, mas como deixá-lo na sala com Fadilah e o homem-bomba-estátua? Não queria Gijs submerso no clima ruim que Leonel respirou ao passar sem olhar para os lados, o breve aceno de cabeça enquanto era apedrejado pelos olhos de Hicham – também Fadilah o estaria condenando? –, as mochilas pesadas no chão, as conversas em árabe, as despedidas. Como pôde passar direto? Além de desumano, confessava uma responsabilidade que não era sua. Gijs o esperava lá embaixo para uma noite de redenção. Para chegar até lá era preciso voltar à sala de estar (*à sala de mal-estar*), ao enfrentamento, à culpa cheia de justificativas, não tive culpa, disse a verdade, por que eu iria me complicar inventando coisas, até cheguei a mentir dizendo que não conhecia o homem-estátua, Hicham, eu mesmo me arrisquei, não tive culpa, desculpa, não tive culpa, desculpa, culpa. E os olhos dos outros, sempre os olhos dos outros (*quando não cacos de Santo Antônio e arames farpados*) a rasgar o corpo de Leonel, que se encolhia, ficava pequeno, mimosa pudica. Tivesse feito um comentário a mais no estúdio, tivesse a bicicleta quebrado de vez a ponto de fazê-los virem a pé e, pronto, o caminho estaria livre, Hicham teria partido, somente Fadilah e Zineb na casa, o espírito adestrado, a intimidade restaurada. Agora, no banho, demorar para que Hicham saísse? Demorar e deixar Gijs esperando?

Ao menor sinal de silêncio, saiu do banheiro, mas Hicham ainda estava lá, abraçava-se a Fadilah, na despedida silenciosa e comovida. A mochila estourando, já nas costas, vergava o corpo franzino, puxando-o para o chão. Zineb inaugurava novo choro. O tipo de adeus, a conversa em árabe, o modo de olhar nos olhos fizeram Leonel fraquejar mais, barragem de terra erodindo. Não tinha como passar ileso por aquele corredor, sair como se nada estivesse acontecendo. Na manhã daquele mesmo dia tinha trocado ideias agradáveis com Hicham, divertiu-se com as crianças que o viam petrificado. A integração entre o bailarino brasileiro, a estátua turca e as crianças holandesas era cena de voltagem sentimental alta, podia ter sido gravada para campanhas na TV (*mas na hora em que o diretor gritou corta!, as crianças correram assustadas, a estátua – milagre, senhor,* inshallah! *– deu no pé e ao brasileiro sobrou a polícia*). Agora que Gijs o esperava a poucos metros dali abraçado pela noite, via em Hicham um rosto cansado que em vez de descansar precisava partir não se sabia para onde. Os abraços eram afetuosos, mas bruscos, reconheciam-se como os últimos, sabiam que o corpo ali na frente, concreto-vivo, não receberia mais o seu toque. As falas rápidas e rascantes Leonel preferiu imputar à personalidade da língua árabe. Falavam e se abraçavam, Hicham e Fadilah, até virarem juntos para Leonel. Repreendiam-no, esperavam dele um abraço de adeus? Hicham sabia um pouco de inglês, por que não dizia algo? *I am sorry*, disse Leonel, mas Fadilah calou-o. O pedido de silêncio era porque não precisava se desculpar? Tentativa de evitar bate-bocas? Por que obedeceu, por que não pediu para Hicham dizer algo que o confortasse (*o Severino turco partindo com o rabo entre as pernas e quem quer conforto é você?*), por que permitiu que fosse embora deixando espalhadas na sala tantas dúvidas? (*oh, mas são elas que movem o mundo, você mesmo diz, a certeza é uma praga a ser esmagada a chineladas. Ou: a tamancadas*). Aquela última mão de Hicham em seu ombro era uma agressão, uma ameaça, uma espécie de se cuide?

Que corpo estava ali, vinte minutos depois, dentro da casa de Gijs, prestes a tirar a roupa e mostrar tanta cicatriz? Por favor, me leve para fumar maconha. Gijs ficou confuso, não precisava explicar que não entendia português. Leonel repetiu para só então dizer o mesmo em inglês. Confundiu-se nas traduções, aquilo não parecia fazer qualquer sentido. Como a imponência de um *Geheim manifest tegen middelmatigheid* podia falar em vizinhos, carnes, enfartes e pressão alta misturando-os com princesas e super-heróis, bundas e correntezas de rio? Tentou outro programa de tradução, nenhum conseguia dar sentido. Era uma letra feminina, apostou Stefan. Pegou o celular e mandou mensagem para Desimond, queria convidar a namorada dele para conhecer sua casa e, caso Desimond quisesse, até poderia vir junto, *lol*. Desimond respondeu em seguida: *Churasco holandes? Só disser quando*, ele e a namorada estavam no centro, poderiam ir imediatamente, escreveu mandando no fim uma carinha sorridente piscando um dos olhos e com a língua para fora. *Entao ven*. Desimond: *are you serious?* Stefan: *yep*, e riu do impulso interesseiro.

Preparava-se para remendar o pneu e esperar Desimond quando o som seco de vidros quebrados veio da frente de casa. Correu para a sala, encontrou estilhaços e uma pedra grande, pedaço do calçamento da rua. Abriu a porta e viu em frente ao portão um sujeito que se assustou e foi logo justificando – a gagueira não precisava de tradução –, não havia sido ele, ele era o vizinho, chegava em casa quando viu um rapaz atirar o paralelepípedo e correr. Stefan desculpou-se, não entendia português – nem por isso deixou de se boquiabrir com o exotismo do som: paralelepípedo. Precisava aprender aquilo. O vizinho continuou, arfante. Era gordo e vermelho, inofensivo. Logo saíram da casa ao lado a mulher e os filhos adolescentes, ela dizendo que estava impossível hoje em dia, que estavam cercados de bandidos e não sabia onde o mundo ia parar, piorava a cada dia, que o centro estava abandonado, largado às traças, ou pior, antes fosse às traças, mas estava largado aos maloqueiros, aos craquentos, que as crianças, meu Deus, o que seria das crianças. O marido disse que o vizinho não entendia nada, ela perguntou se ele era surdo. Era gringo. A mulher mediu Stefan dos pés à cabeça, piazão grande, atlético, loiro. Stefan, já fora do portão, apontou para o muro pichado e olhou para os vizinhos: vi hoje, disse em português, fazendo cara de que realmente estava difícil, mais para concordar com a musicalidade agressiva da voz da mulher e ser amistoso com os vizinhos do que para afirmar uma posição que não tinha. Na verdade não estava nada difícil, a rotina aprofundava raízes a cada dia, estabilizando-o, fazendo-o renascer, bilhetes apaixonados, os fins de semana reservavam descobertas, pedaladas, trajetos novos. Trilhas e escaladas também estavam previstas, com seus nomes estranhos, Anhangava, Marumbi, Itupava. Para quem vivera trinta anos na planície absoluta, olhando pouco para cima, subir montanhas remetia à anedota clássica no seu país: o casal holandês saía de férias para a Suíça, mas voltava antes, desapontado porque as montanhas atrapalhavam a vista.

Os vizinhos olharam para a pichação, a mulher insistia, eram uns desavergonhados, melhor Stefan nem saber o que significava, era xingamento dos mais terríveis. Por meio de gestos inúteis, o vizinho disse que na Mariano Torres tinha um vidraceiro, a mão roliça dobrando a custo os punhos para indicar as esquinas do caminho.

A conversa foi morrendo, mas eles não se despediam, pareciam querer ficar ao lado daquele ser estrangeiro, espécie rara. Stefan fez um pequeno movimento em direção à entrada, começando as medidas da despedida para ver se contagiava os vizinhos, quando apareceu, acenando do outro lado da rua, Isabelle. Confundiu-se. Aquele rosto conhecido era da academia? Não era, era a menina que trabalhava no hostel, que dera café a Desimond na tarde em que Stefan vomitara no pneu do ônibus. Ela ficou um tempo do outro lado, com o que parecia um fardinho de cervejas na mão, os carros não davam trégua, o calor dos sorrisos arrefecera, mas os vizinhos já haviam sido atacados pela curiosidade. Permaneceram. Ela enfim atravessou a rua e, com o sorriso requentado, cumprimentou Stefan em inglês, os vizinhos eram olhos atentos mirando as tatuagens que subiam pelo pescoço do corpo jovem. Isabelle, depois do abraço longo, também cumprimentou os vizinhos, só podiam ser convidados que acabavam de chegar, *happy hour*, churrasco holandês e tal. Ela agradeceu o convite, mas Stefan entendia tudo muito mal, a pichação, o vidro quebrado, os vizinhos, o convite a Desimond, e agora quem aparecia era Isabelle.

Mal começava a juntar as peças para ver se pertenciam à mesma caixa, ouviu um grito súbito. Recuou rápido, posição de defesa (*que facas na garganta foi a imagem que o atravessou*), e viu Desimond saindo de trás de uma árvore, simulando um ataque mas já gargalhando. Quem gritou de verdade foram os vizinhos, os filhos correram para dentro de casa. Desimond esperava uma reação melhor do amigo, uma risada que tivesse feito valer a pena a performance. Olhou no relógio, não era essa a noite que esperava. Precisava ver os horários de funcionamento e como se dava o acesso de estrangeiros, o governo endurecia com os *coffeeshops*, restringindo o que chamava de narcoturismo, impondo controles tão pesados que muitos se viam obrigados a fechar ou mudar de ramo. Nem na segunda taça de vinho e Leonel falava como se estivesse bêbado. Não estava, mas insistia, tentava descontrair, ria, que estar na Holanda e não fumar baseado era absurdo, que esse era o batismo, já se culpando de imediato pelo clichê horrível, pelo desapontamento de Gijs. Os passados distante e próximo marcavam encontro naquele agora (*longe de mim querer piorar a situação, mas eu acho que o turco Hicham te ameaçou*). Gijs ligou para alguém, Leonel esperava, a segunda taça foi bebida em três goles consecutivos. Desligou e disse ok, sabia onde podiam ir, não, não podiam beber álcool no *coffeeshop*, era comer, beber café e fumar. Aproveitou que Gijs saía em direção à porta e bebeu da garrafa o que conseguiu (*tornei-me um ébrio e na bebida busco esquecer*). Viu-se morando naquela casa com Gijs, se casaria com ele, teriam filhos, seriam felizes (*para sempre?, era esse teu plano quando escreveu o* Manifesto secreto contra a mediocridade, *dez anos atrás? Já sei: basta esquecê-lo e dizer que amadureceu, princesa parda*). A pedalada até o *coffeeshop* não dissipou os temores, eles eram sombras de objetos sem contorno. Que sombras eram essas, capazes de sobreviver no escuro? Quando Gijs pediu a Leonel que fossem discretos ao entrar no *coffeeshop*, o *flash* da lucidez mostrou a conduta extravagante, logo Leonel, sempre discreto, perdia o controle. Quem estava nascendo ali, que parto era esse que dava à luz (*às sombras*) um desconhecido?

O *coffeeshop* era o de Kees, onde Leonel recusara trabalho. Pelo menos gostou de pisar lá outra vez, como cliente e não como empregado-imigrante-mendigo. Se durante o dia o ambiente era escuro, à noite as luzes amareladas deixavam ver ainda menos, iluminavam somente a fumaça. Com passos curtos e mãos enterradas nos bolsos, emulando um frio que não havia, baixou o rosto como um fugitivo. Corpo e pensamento se desencontraram. O orgulho de entrar como cliente não se plasmou no corpo e em vez de peito estufado tinha os ombros encolhidos. Era perseguido por Cícero? Pela polícia holandesa? Por Hicham? Gonçalo? Fadilah? Puxou a gola da jaqueta, procurava um capuz, um chapéu, óculos, bigode, cachecol, qualquer objeto que pudesse escondê-lo do mundo (*mas você não estava prestes a tirar a roupa?*). Sem alternativa, recolheu a cabeça entre os ombros (*Leonel, a tartaruga. Você é uma fraude e uma fauna, Leonel leão tartaruga macaco da selva*). Gijs recomendou a marijuana misturada ao tabaco, o jeito mais suave de fazer a iniciação. Leonel: quem era Gijs, aquele sujeito ali à sua frente? O que sabiam um do outro (*ele ainda nem sabe da cicatriz. E se ele vomitar?*)? Os dois corpos que trocaram suores, que se enrodilharam como serpentes (*duas minhoquinhas no cio*), estavam frente a frente, passando pela provação dura do olhar. As mãos se encontraram o tempo todo, o dorso, a pelve, as coxas, o peito, o pescoço, o suor, o sexo. Bastaram os olhos entrar na brincadeira e o constrangimento surgiu como nuvens tapando o sol. Durante a aula, os olhares se esbarraram, se provocaram no borrão dos segundos, mas fugiam dando risadinhas.

    Leonel olhava para baixo, avaliava a madeira da mesa, a qualidade do cinzeiro, a marca do sachê de açúcar. Gijs recorreu às palavras, talvez elas pudessem reaproximá-los. Disse que havia muitos anos não entrava em um *coffeeshop*. O café forte prometia ser bom despertador, mas a primeira tragada afundou Leonel nas névoas internas, o torpor. A fumaça de todos os pulmões se confundia, a tosse, a primeira vez que colocava aquilo na boca, a risada. Como andar de bicicleta, algo nos holandeses os fazia manejar com habilidade um cigarro. A forma de segurar, acender e tragar, esperar a fumaça fazer a inspeção por dentro do corpo até ser expelida em cogumelo explodindo silencioso no céu do *coffeeshop*. Uma naturalidade comovente. Leonel expôs a tese das bicicletas e cigarros, se Gijs via sentido naquilo. Ele respondeu algo como o peixe é o que menos sabe da água. Metáforas obrigavam Leonel a esforço dobrado, a decodificação básica, palavra a palavra, a emenda entre elas – e era nessa fase que se encontrava, o sorriso suspenso na boca fingia ter entendido, mas a cabeça se batia atrás de clareiras – até por fim sorrir de verdade ou mudar de assunto. Se a memória não o enganava, o *Manifesto secreto* falava algo sobre tirar a cabeça da água, nunca submergir no cotidiano a ponto de não perceber de que cenário fazia parte. O ombro doía. Um mau jeito na aula (*ou o tapa de Hicham?*)? Quando focou na dor, ela pareceu ter aumentado. Os lábios de Hicham estavam à sua frente, era Hicham quem fumava baseado, e os lábios delicados de Gijs expulsavam palavras estranhas. Árabe. Gijs contava suas primeiras experiências em *coffeeshop* e Leonel precisava calá-lo, não queria mais ouvir Hicham falando árabe. O ombro doía. O coração saltava como se tivesse sido esporado, um rodeio dentro dele. A iminência de um beijo represado fazia o coração bater mais porque queria sair, olhar o que havia lá fora. Mas, com trinta anos, o coração não estava exagerando? O único modo de fazer Hicham se calar seria beijá-lo. Pensou Hicham? Respirou fundo, o café forte demais, que gosto tem a língua que tudo prova?, as palpitações, Gijs reapareceu, a chance de fechar os olhos e beijá-lo sem nenhuma língua árabe para se enrolar na sua, Leonel queria a língua holandesa. Se não estivesse bem, poderiam ir para casa, sugeriu Gijs, talvez Leonel preferisse descansar, não estaria cansado do dia tão cheio? Leonel imitou o gesto de Fadilah, pedindo silêncio. Não ponha palavras na minha boca, ponha uma língua inteira, disse em português, a força da frase de efeito perdida para sempre.

Tateou o queixo e o pescoço de Gijs, a ponta da barba feria de leve os dedos, até segurá-lo com mais força e puxá-lo para perto (*é Hicham, é Hicham*), beijando sua boca como um explorador cuidadoso conhece novo território, sanha e receio. Leonel beijava Gijs, depois Hicham, depois Fadilah e um dos policiais da manhã (*e, por fim, Cícero, diga*). O beijo recendia cigarros, borra de café. Enquanto as línguas se buscavam compreender, Leonel ouvia os exageros do coração, pancadas de aríete, os policiais chegariam, estourariam as portas do *coffeeshop* e o algemariam até que aparecesse Hicham abrindo as vestes de estátua e mostrando o colete de bombas. Melhor arrumarem algo para comer. Beber também não era má ideia, os embaraços sempre cedem a um copo na mão. Nem Desimond nem Isabelle tinha ainda entendido que os vizinhos não eram convidados do pequeno encontro. Desimond fez as vezes do dono da casa, que estava sem ação. Foi convidando para entrar, os vizinhos buscavam em Stefan alguma aprovação, não se tratava de um assalto? A inércia do anfitrião denunciava: aquele negro montara tocaia atrás de uma árvore e os estava assaltando, seriam reféns dentro da casa. E como sorria, o patife. Disfarce, certamente. Ao fechar a porta, arrancaria um revólver do rabo e os manteria no cativeiro. Toda a perfídia fazia sentido: jogara a pedra no vidro, os vizinhos saíram para ver e ele os fazia prisioneiros. Primeiro a pichação, depois a pedrada, então o sequestro, e as crianças? Teriam entendido a armação do preto, chamariam a polícia? Que vergonha diante do gringo serem sequestrados por esses haitianos, africanos safados. A mulher se escondeu atrás do marido quando Desimond fechou a porta. Ele calculou se podia atingi-lo com alguma coisa pesada, o negro tão magrinho dava as costas, estava facilitando, devia ser um esfomeado iniciando-se nas artes do crime. Mas eles se especializavam, o bandido falava inglês. Fechada a porta, ele continuava rindo, falando coisas para Stefan, que ainda olhava os vizinhos ali na sala como se a NASA anunciasse ao mundo imagens de seres descobertos em Marte. O ET que se assemelhava a um homem não era verde, mas vermelho como morangos maduros. Desimond atropelava-se perguntando o que acontecera com a vidraça, o que achara de sua namorada, se ele tinha adivinhado que era Isabelle, o que iriam beber, e comer. Onde estava a arma, o casal de vizinhos cochichava, ela quase chorando. Desimond percorreu a casa, aprovando tudo, abriu a geladeira, distribuiu cerveja e todos se sentaram ao redor da mesa da cozinha. Voltando de Marte, Stefan finalmente achou alguma graça espalhada. Isabelle já puxava papo com o casal, querendo saber como conheceu o vizinho holandês. Desimond perguntava o que podiam fazer com o que havia na geladeira: peito de frango e uns bifes de coxão mole. Aquelas eram as porções de proteína que Stefan consumia diariamente. Macarrão e batata doce não faltavam e havia ainda tomates. Aliviados e quase felizes, os vizinhos entraram na roda, ela se ofereceu para fazer uma maionese de batata doce – tinha visto quatro ovos na porta da geladeira – e ele disse que poderia improvisar uma carne assada com aquilo que tinha lá, mais sal e limões, ele sabia que Stefan tinha um pé de limões no quintal e um dia ensinaria o vizinho a fazer caipirinha e uma costela macia, não as carnes magras e secas que Stefan mantinha no congelador. Como era bom encontrar pessoas simpáticas, o morador de antes era tão fechado. Tão difícil se adaptar a Curitiba, que gentinha, vinte anos que moravam ali e ainda estranhavam.

A Isabelle coube o papel de intérprete e ela ia editando o que considerava bobagens dos vizinhos sobre a frieza curitibana, tentando dar sentido ao modo como falavam mal da cidade e logo em seguida desancavam os pobres que buscavam Curitiba para uma vida fácil, saudosismo perdido em frases soltas, a cidade não era mais a mesma. Estavam na segunda rodada de cerveja e com as barrigas vazias. Todos alegres já arriscavam palavras em inglês, português, holandês, francês. Quem nunca desconfiou que a maldição da Torre de Babel sucumbiria a duas rodas de cerveja? Ai, meu Deus, as crianças!, disse a vizinha ao marido. E foi buscá-las. O território estranho enfim se deixava dominar e o explorador ousava mais, ia pelas gengivas e imprimia na língua o formato dos dentes. Os olhos fechados, sentiu a mão no ombro. Não avisara Gijs sobre a dor? Por que recebia aquela patada afoita? O mesmo ombro que Hicham havia tocado. Kees, a cabeça raspada compensada pelas barbas longas, pôs-se entre os dois, a mão ainda pesava sobre Leonel. Na rispidez das palavras, os erres raspavam mais na garganta. Por que aquilo, outros casais também namoravam ali, héteros, gays, o país das maravilhas, a fantástica fábrica de tolerância. Indeciso entre ser Alice ou Willy Wonka, viu Gijs se levantar e pedir para que viesse junto, mas para onde se nem sabia em que lugar estava? Gijs colocou Leonel na frente segurando-o pela nuca, protegê-lo era preciso, tentou pagar rápido, cada segundo um minuto na espera pela maquineta do cartão, dedos errando a senha, erres rascados rasgando ríspidos e Gijs empurrando Leonel na direção da saída, *come on, come on, come on*, que depois explicaria. Dois rapazes puseram metade do corpo para fora da janela e gritaram em inglês coisas sobre terrorismos, imigrantes e misturas. Das misturas, o vômito veio sem aviso, o vinho, a maconha, a língua, o coração, tudo à tona, tudo saiu de Leonel, que respirava mal, que gemia enquanto o ar desviava das barreiras caídas na pista de um corpo em crise. Difícil subir na bicicleta, afastavam-se trotando e tropeçando, os pés de Gijs sujos de vômito (*ai, vergonha*) precisavam sustentar Leonel e ao mesmo tempo tirá-lo de lá.

Dizia que tudo estava bem, não deviam ter ido, mas Leonel insistiu tanto, o *coffeeshop* era o reduto de um ativista anti-imigração que morrera assassinado tempos atrás. O grupo implicava com imigrantes desde o onze de setembro e foi sendo alimentado pelos atentados em Atocha, no Charlie Hebdo, Bataclan, Zaventem, Maelbeek, Nice, Munique. Imigrantes só entravam ali como empregados. Mas Gijs garantia, falando para o vazio, que eram um grupo minoritário, jamais aconteceria de novo. Desculpava-se, queria beijá-lo para mostrar que tudo estava bem, mas não era boa hora. Pálido de morte, Leonel pedalou em ziguezague até a casa de Gijs, o zumbido nos ouvidos ao menos abafava as vozes, quando tantos falam ninguém fala, a professora em Castro dizia. Precisava era manter o maquinário do corpo funcionando, segurar o coração dentro do peito e manter o trabalho exaustivo dos pulmões. Era um corpo sem outra vontade que não fosse a de ficar vivo. Um corpo funcionário bastava. O plano não era aquele, mas a expectativa quebrada favorecia aprendizados. O estoque de proteínas suficiente para duas semanas estava todo assando sobre uma grelha suja encontrada nos fundos da casa. Mas Stefan estava alegre zapeando os olhos nas pessoas que falavam bobagens desencontradas em frente a uma fogueira onde ferviam as caças. Tomava a paroxetina com regularidade, havia dispensado a benzodiazepina, dormia bem e Ahmed era presença distante, quase uma brincadeira. No raro momento de silêncio, olhos refletindo o fogo que chamuscava as carnes, falou do manifesto secreto que estava enguiçando suas gavetas. E que o Google não seria tão bom professor quanto Isabelle. Ele depositava nela as esperanças de ver as palavras desvendadas. E riram alto num ah alongado enquanto Stefan chacoalhava as duas páginas amareladas, seria um mapa do tesouro, uma declaração de herança a quem achasse a carta? Ou a alforria do neguinho – gritou o vizinho na excitação impensada do chiste, a canela chutada pela mulher. Só Isabelle conseguiria ler e traduzir. Mas não era um manifesto secreto?, ela brincou, fingindo pudor. Pediu para primeiro ler tudo em silêncio, era importante entender o contexto, brincou de novo, bancando a intelectual. O sorriso diminuiu. Não cessou, mas diminuiu até se congelar num gesto esquecido. Os vizinhos diziam, se ela ficasse enrolando, que passasse a carta para que pudessem ler. Ela não entregou.

A voz alta, para o mundo ouvir, reclama que a costela não pode ir para o fogo assim tão tarde. E não para de reclamar. O rosto, apesar da idade, quase não tem barba e é rosado. Não o rosado dos bebês, mas o da pressão alta, da bebida, do colesterol. O enfarte se enrodilha no corpo, nas sobras generosas de gordura que apertam as artérias e estão prestes a estourar o coração ou a cabeça. Esse homem é meu vizinho, a casa dele e a minha ficam lado a lado, espremidas entre prédios. Ele está muito bravo, o cosmos não entende que a costela precisa ir cedo para o fogo, para ficar macia, para derreter a capa de gordura e amolecer a carne, dar sabor. Por que não se joga com suas carnes gordas na churrasqueira? É casado com uma mulher que ameaçou ter sido bonita. Ela fala para todos que Deus a livre de fofocas, mas que. E desfila comentários de ausentes aos que estão no quintal cheirando o calor de um fogo vazio, a lenha verde estala e esfumaça sem a maldita costela. Eles têm um casal de filhos pequenos. A menina aprende a ser princesa com as bonecas de vestidos tão rosados quanto o rosto do pai e simula idas infinitas ao shopping e aos cabelereiros. O menino espanca bandidos com seus bonecos de super-heróis, as onomatopeias todas massacram sem dó, socos e pontapés, os pobres inimigos bárbaros, sempre lhes sobra a queda em todos os abismos. O fim de semana merece o aconchego dos chinelos, merece a música alta que rima todo o coração com a paixão e a traição, merece a camiseta engraçada do caubói com um copo de cerveja em uma das mãos enquanto a outra laça a mocinha, o vaqueiro e a vaca, corpos esguios que se dilatam sobre o corpo gordo do vizinho, no tecido esgarçado da camiseta. Ele não consegue mais se mover, esticar a perna para pegar a bola que o filho chutou equivale a um duplo twist carpado, a respiração ofega em repouso, porque tecnicamente não há repouso. Tenho vinte anos. O vizinho deve ter uns trinta. O que mais me separa dele além dos dez anos? Se alguém comanda meu destino, peço com todas as forças que me livre da mediocridade, dessa depressão escondida, que aparece do jeito mais inofensivo – e isso me é mais ofensivo – na forma de alegria e raiva entoadas em voz alta diante de coisas tão idiotas quanto um pedaço esquartejado de boi que crepita ou deveria crepitar sobre o fogo meia hora antes. Dá-me clareza para tirar o pescoço *para fora da água e não me afogar no mar dos medíocres. Quero ver a água de fora e só imergir em águas escolhidas, sabendo onde estou, o que sou. Que eu não seja obrigado a sofrer sem consciência de segunda a sexta para então, sábado e domingo, ligar a TV e cantar rimas pobres diante dos corpos que fazem coreografia ridícula, maiôs brilhantes que se enterram na bunda. Que não esfreguem silicones no meu nariz, que a voz do apresentador não me estupre os ouvidos, que os intervalos não gritem comigo me mandando comprar geladeira. Mas se, como desconfio, apenas eu comando meu destino, então que eu seja mais forte do que a água, que insiste em procurar sempre os níveis mais baixos, que se infiltra por frinchas e frestas para estacionar lá embaixo, sempre lá embaixo, o nível mais baixo. Que apodrece quando para. Eis o desafio desse manifesto secreto contra a mediocridade: não ficar à margem vendo a correnteza passar, mas também não sucumbir ao curso programado, à direção única das águas. Que meu corpo saiba ziguezaguear, saiba remar contra a corrente, submergir sabendo voltar à tona, tirar o corpo inteiro da água. Tomar sol. Amém.*

Quando terminou a leitura solitária, Isabelle não começou a tradução imediatamente. Releu, disse que aquilo tinha um quê de triste. O casal de vizinhos não parecia dado a sutilezas, implorava para que lesse logo. Stefan protestou: en ênglêis *first, please!* A curiosidade os irmanava e engolia o pudor, a convenção do disfarce, a simulação da virtude. Tantos pares de olhos voltados para um só ponto. O ponto condensado que prometia o *big bang*. Eram as línguas misturadas que provocavam nos olhos a repulsa? Era esse o ponto? Ou não eram as línguas, mas suas embalagens, o corpo, que os fazia remexer nas cadeiras e incitava revoltas? Era o corpo de pele mais escura, era um corpo encardido, era o corpo de Leonel. No *chiaroscuro*, nunca a escuridão havia sido tão clara: Leonel via uma mesma língua trocada várias vezes de corpo. Seu corpo era o proibido, ele era o proibido, não a língua que fazia *contact improvisation* com outra. Era o corpo que feria, que fazia outros corpos se moverem na direção do beijo, saia já daqui, *verdwijn*. A carne não queimava?

Depois de Isabelle ter traduzido a carta para o inglês torcendo que os vizinhos não entendessem nada, Stefan insistiu que dessem uma olhada na carne, que um pobre holandês não sabia fazer estas coisas e tal. E queriam mais uma cerveja? Isabelle e Desimond entraram no jogo, era preciso desviá-los da carta, mas a carne era ruim, não havia churrasqueiro que desse jeito naqueles bifes magros, que ficariam esturricados sem uma gordurinha, desculpou-se o vizinho. O franguinho ainda vai. Mas e a carta? Que carta? Ah, sim, a carta. E que expressão era aquela no rosto dos adolescentes? Teriam entendido? Vai, leia. Sim, já vai, temos que ver se esse fogo aqui. Ah, não, peguem alguma coisa, peguem alguma coisa para salvar a carta, não acredito, *oh, my God*, e a carta de repente, que vacilo, estava caída na churrasqueira acesa, papel velho e seco, fogo fácil, a tentativa fingida de salvá-la empurrava-a ainda mais para as brasas e um longo não, de consternação ou alívio a depender da boca que o entoava, se ouviu em coro. A boca continha uma língua e a língua nos dentes era imprescindível para gritar não, no, non, nee. A língua estava dentro de um corpo gay, mas não era ela o problema. Que Machiel, o ex-liderzinho assassinado, era gay, disse Gijs. E muitos daqueles caras que os expulsaram do *coffeeshop* também eram. Leonel permanecia absorto, ou as informações eram confusas ou sua cabeça chapada entendia o que queria, mas continuava sem atinar, deitado no sofá de barriga para cima, deixando escapar em fios de voz alta pedaços de pensamento com que Gijs tentava tecer um sentido viável. Um suor tardio ainda brotava da testa de Leonel (*quem diria, delirando em inglês a Alice Wonka, delirando, é língua, árabe do araque, de Iraque, é, delirando,* English, I would be). A língua do avô e a língua da avó – já haviam se encostado? A língua do pai, a língua do pai encostando na língua da mãe. Qual a cor do pai? E o cu do pai? O cu do pai saiu sussurrado, Gijs sequer soube que Leonel não falava em inglês. A cúpula médica em torno do cu do pai, olhando e avaliando antes de iniciar procedimentos. Quando um ponto para o qual convergem os olhos é um cu preto. Em chamas. Só restavam cinzas e Isabelle consolava o casal, dizendo que se lembrava de tudo e que a carta falava de um sujeito triste com muito medo de naufragar e que não perdiam nada em deixar de lê-la, podiam ver a expressão de todos, ninguém havia se divertido. Que tal um bom bife? Mais uma cerveja? Tem frango e carne vermelha, que está quase preta. Ah, que ótimo, Stefan havia feito também uma salada. Isabelle deu uma última olhada na brasa, todo o risco havia sido eliminado. Ainda teve tempo de ver queimar a última frase, tomar sol, amém.

A letra era familiar. Stefan olhava Desimond conversando com a vizinha. Depois de escrever o endereço da academia em um retalho da caixinha de cerveja, Desimond gesticulava dando direções, à esquerda na segunda esquina etc, orientando-a. Seu português parecia cada vez melhor. Mas foi a letra no papelão que deixou Stefan confuso. Era a mesma letra dos bilhetes de amor que recebia. Só podia ser delírio, algumas formas eram diferentes, enquanto outras eram idênticas. Agarrou-se às poucas diferenças. Desimond estava ali com a namorada, feliz, não era possível, não podia estar tão apaixonado por duas pessoas ao mesmo tempo, não podia disfarçar tão bem. Tinha de abrir os olhos. Eles ousaram se abrir dentro da água. Leonel tinha a cabeça mergulhada dentro da pia grande do banheiro de Gijs, a água gelada cobrindo o rosto até as orelhas. Tudo se amansou. Distinguia entonações ondulantes do branco e um ponto mais escuro ao centro, o ralo, para onde tudo convergia. Foi com a cabeça submergindo a cada instante que Leonel recordou a quase súplica, escrita havia dez anos, de se permitir enxergar a água de fora, de não se render às correntezas que arrastavam todos. Podia arrancar a tampa com os dentes. Uma vontade de descer junto com a água, buscar o nível mais baixo. Ou podia ficar ali parado, não subir. Conseguiria resistir à resistência e morrer assim, afogado por inação? A mão de Gijs em sua nuca, primeiro o carinho, depois a força puxando-o pela gola da camisa. Sentiu as pernas enfraquecidas e toda a suposição remota pareceu se confirmar. A pergunta de Desimond veio ao pé do ouvido, cheia de sorriso, querendo saber como ia o coração holandês e os amores estrangeiros, serpente circum-navegando a presa (*ou um abutre à espera da carne?*, a voz agora, clara de causar espanto, era de Machiel). Mas Isabelle ali perto, os vizinhos ainda que se preparassem para ir também estavam lá, de pé, chamando os filhos distraídos. O que Stefan podia responder? Disse que estava com sono, e bocejou. Os vizinhos arrancaram os celulares das mãos dos filhos e se despediram sem mesuras, da próxima vez eu trago uma carne de verdade. Riram, Isabelle ria também, traduzindo. Que se fossem logo, e foram, enfim. Ao retornarem à sala, os cacos da vidraça ainda estavam lá. Ninguém os varreu. Sentaram-se no único sofá, Isabelle queria rir com eles de tudo o que envolveu a carta-manifesto, não imaginava outro assunto possível, mas viu Stefan induzir outro bocejo. Ficou pela metade, a boca meio torta. Isabelle saberia do que se tratava? Estariam propondo um triângulo, o que mais seria? Stefan perdeu o pudor e disse abertamente que jamais imaginou Desimond desejando homens também. Estava prestes a se despir. Ou a ser despido, pois faltava-lhe a coordenação dos movimentos para abrir os botões da camisa e o cinto teimoso. Gijs daria um banho naquele corpo em transe (*que não transa*) e veria na luz crua do banheiro a cicatriz com suas ranhuras e densidades. Leonel não teria o disfarce da penumbra, a miopia da excitação, o desfoque da proximidade. Era um corpo anestesiado à mercê de um médico legista, entregue ao metal frio do bisturi. O barulho do chuveiro, a esperança vã de uma névoa a encobri-lo, os tecidos da roupa enroscando-se no corpo, Leonel perdendo-se dentro da camisa, vontade de tomar banho com as calças, Gijs entre a consternação e a risada, as calças vencendo a última barreira, dos calcanhares, o corpo enfim nu.

What the fuck?

A risada nervosa e incrédula. A feição traiu nojo, mas se recompôs. De onde tirava a ideia de que pudesse gostar de homens? Isabelle acompanhava o assombro do namorado, tentando refazer o caminho de deduções. Tomara como real uma suposição e acabou confundindo sonho e matéria. Stefan falou que estava recebendo bilhetes apaixonados com a mesma letra e eis que surgia Desimond perguntando coisas sobre seus amores, o coração holandês. Que o desculpassem, mas ele tinha entendido tudo errado. Ainda assim era a única explicação plausível, concluiu, triste, vendo Benjamin se dissipar.

O sorriso se alargou e virou risada que, convulsa, fez a gargalhada. E a gargalhada durou o tempo sem fim. Foi só depois de roncos que imploravam por fôlego que os dentes brancos de Desimond se recolheram à escuridão dos lábios. Disse que Stefan era ótimo observador, não deixando claro se havia ironia na fala. Conseguia identificar a letra, mesmo disfarçada, mas não conseguia perceber a menina mais linda – *sorry, Isa, ma belle* – da academia, que babava litros de paixão por ele. Bruna era quem escrevia as letras de música para Stefan, *Listen to your heart*, cantou em falsete, na farsa compungida. Depois, passou a escrever em português coisas mais autorais, e pedia para Desimond traduzir. Mas os bilhetes da menina eram tão sem imaginação que ele sempre dava um jeito de melhorá-los. Em três ou quatro oportunidades chegou a mandar bilhetes que Bruna nem soube só porque gostava de compor palavras bonitas que pudessem acordar e amolecer o coração daquele pobre Sherlock holandês. Eram dois desafios: imitar a letra de Bruna e conquistar para ela um coração laranja. *Wake up, man*, que não deixasse escapar aquela graça de menina. E que ficasse tranquilo que não seria assombrado por nenhum gay haitiano. Se ser negro e haitiano era uma cruz pesada, o que dizer se ainda fosse gay? Sem nenhuma palavra intermediária, Stefan disse, seco, que ele, Stefan, era. Desimond ainda não tinha entendido? Não tinha ouvido a história dele com Machiel? Pois soubesse que era o único amigo no Brasil que sabia daquilo, para ter uma ideia de quanto o estimava. O rosto de Desimond desenhou uma máscara inexpressiva, ou, melhor, em que cabia qualquer expressão, da surpresa à indiferença. E respondeu que sim, que sabia, mas que com uma mulher daquelas quem sabe ele não se curava? A reação podia ser só uma preparação do corpo se concentrando na respiração mais forte, quando os olhos já não ficam tão abertos porque não é preciso ver tudo, é preciso restringir, eliminar paredes e móveis e concentrar-se no outro corpo. Na máscara também podia caber repulsa reprimida. Respiração que quer evitar o vômito, os olhos semicerrados para não encarar cicatrizes. A boca limpa, o corpo limpo, mas era a cabeça poluída de Leonel que não se entregava. Nada. Encolheu-se, nenhuma fisgada de ereção, a sensualidade perdida com o vinho pelo ralo ou com a fumaça flutuando pelos ares da cidade. Vestiu as roupas lembrando-se de como Zineb se vestiu no primeiro dia de Leonel em Utrecht, a menina se escondendo atrás do corpo da mãe. Virou-se de perfil, escondendo a coxa direita sem notar que um espelho a refletia. Depois de recomposto, baixou a cabeça e disse *sorry*, o *sorry* genérico, capaz de dizer tanto e nada. O medo continuou pelas ruas, olho arregalado a cada sombra, e mesmo quando chegou em casa. Deitou-se enrolado no próprio corpo, sozinho, dessa vez em uma cama só para ele, a que Hicham fora obrigado a abandonar algumas horas antes (*ainda está quentinha?*).

IV

O inverno mudou a cidade. Não havia neve, mas o frio que se esgueirava pelos cantos do outono tomou de assalto as ruas e os corpos. Os ambientes da casa sem calefação tornaram-no um sujeito encolhido que procurava camadas e mais camadas de roupas e cobertas. A churrasqueira no quintal foi acendida algumas vezes, mas o fogo era soldado frágil. Encurralado, rendia-se. Na academia, começou a dar aulas de *spinning*, pedalando junto com os alunos, sem girar em falso a intensidade da bike, sem sair dela a pretexto de corrigir alguma postura. Aprendeu mais palavras básicas, juntava frases suficientes para comandar o grupo. Outras vezes misturava um inglês simples e lento e se virava com gestos. Era um modo de manter-se em atividade sem ter de enfrentar o frio das ruas. Não havia trazido roupas de corrida para o inverno, saíra de Utrecht sem acreditar que pudesse existir um Brasil gelado. Usaria a estrutura da academia para fazer treinos *indoor* até comprar roupas apropriadas. Vinte e cinco graus não faziam nenhum grande verão, mas eram suficientes para um mar de pessoas sem camisa, com *tops* e viseiras, tomar o Lepelenburg. O parque, que o impressionara nas primeiras caminhadas pela cidade, tinha agora um gramado seco com um coreto de gosto questionável perdido num canto. Os tênis encardidos (*como tua pele, que a polícia vê de longe*) carregavam a poeira suspensa do passeio. O Lepelenburg perdera o charme das árvores secas enfiadas no chão de neve. Mesmo pouco comum em Utrecht, a neve havia sido generosa na sua chegada. Fadilah caminhava a seu lado, mas estavam em silêncio. Não voltara a conversar com ela sobre a saída de Hicham e torcia para que os dias que passavam fossem suficientes para tornar o episódio uma lembrança distante. Também se calara com Gijs. Um *sorry about yesterday* no dia seguinte buscou cancelar o passado que, bem sabia, não iria embora, seria encerrado no corpo. Gijs murchou. Murchou de tristeza pelo fechamento de Leonel. Leonel julgou-o murcho porque Gijs conhecia seus segredos, porque o vira nu e vulnerável. O desdém de Gonçalo parecia ter aumentado. Perceber que Anne-Marije continuava a mesma, que seguia firme a produzir d*EU*s, contribuía para a certeza de que as mudanças de Gonçalo e Gijs não eram maquinações paranoicas. Se era capaz de notar que alguém ali não se alterara era porque as mudanças que via nos outros só podiam ser reais. Gijs teria contado tudo a Anne-Marije e a Gonçalo? A normalidade de Anne-Marije não seria disfarce para o receio? Teria Desimond contado a Bruna? Por que ela se calara tanto? Ela havia parado de dizer aquele *hi* suspirado, o *bye* lamentoso. Era um português sem graça que se ouvia, os olhos da menina mal levantados. *Hoy la he visto*, disse Fadilah, rompendo o silêncio. Distraído, Leonel pediu que repetisse. Que a tinha visto, disse de novo, acrescentando que era a primeira vez nestes muitos anos de Utrecht. Tinha certeza de que era ela, não confundiria nunca, mesmo cem anos depois ou com cem quilos a mais. De quem ela falava? Passavam na frente do Centraal Museum e Fadilah, sem responder, perguntou se Leonel já o havia visitado. Era o único que não tinha visto, fora até o Boijmans de Rotterdam e ainda não conhecia o principal museu de Utrecht, brincou, sem rir, fazendo-se desnaturado. Fadilah havia se arrependido de costurar as frases soltas e buscava outro rumo? Porque disse que pagaria as entradas se ele a acompanhasse na visita. Ele aceitou com um meneio discreto, tentando manter um silêncio propício para que Fadilah continuasse a conversa que havia começado. Em vez disso, ela perguntou se enfim falariam sobre o que Leonel achara de Rotterdam e o que o impressionara tanto no Boijmans. Ele conseguiu ser sucinto ao resumir a beleza da arquitetura da cidade e a incrível capacidade de se reerguer depois da destruição. Falou do pequeno memorial a Pim Fortuyn. Fadilah fez um ar de enfado, disse que certamente havia coisa melhor para admirar e se ele sabia – ela falava isso pela terceira vez, não se dava conta? – que a cidade fora a primeira na Holanda a eleger um prefeito muçulmano. Leonel disse que sim, que era muito bom ter um prefeito muçulmano esclarecido, de princípios iluministas, o que não deixava de ser uma contradição entre os termos. A bronca era sobre a conta cair toda no colo dos imigrantes, pois o prefeito era meio simplista na análise: integrem-se ou caiam fora desse país que não é de vocês. Fadilah riu da repetição quase literal de suas opiniões vinda da boca de Leonel. Acrescentou no entanto que se o prefeito fosse mesmo tão iluminista, poderia, a rigor, perguntar quem disse que o mundo sempre teve fronteiras. Tão iluministas que eram os holandeses, por que não faziam valer o pensamento de Rousseau, que amaldiçoou o primeiro sujeito que pôs uma cerca em volta de um pedaço de terra e afirmou que dali em diante ela tinha dono? A instauração de outra ordem assustava. Para eles era um caos, mas não entendiam que era uma ordem nova, ainda sem tradução para aquelas cabeças. De quem ela falava agora, de europeus ou de imigrantes? Fadilah abominava a pretensão de aplicar a *sharia* acima de qualquer outra lei humana, como se a *sharia*, insistia, não fosse obra humana. Aquilo era uma aberração, mas tão enterrada na cabeça dos homens que desenraizá-la equivalia a arrancar o cérebro junto. Não haveria mais vida. Por outro lado, ofendia-se com a arrogância dos extremistas ocidentais, que tratavam os imigrantes como cães mal adestrados: que se comportassem e ficassem quietos, limpassem as sujeiras, ganhassem suas misérias, apanhassem da polícia, fossem cuspidos na rua. Eram larvinhas que queriam escalar o topo da pirâmide e sugar o suprassumo do bem-estar social. Depois da breve risada de Fadilah e da fala que permitia ver a ponta de uma euforia, Leonel ameaçou se animar, mas freou no sentido duplo de uma frase. Fossem cuspidos na rua. Recebiam cusparadas na rua ou eles próprios eram cuspidos, expulsos de casa para a rua? A exemplo de Hicham? Podia ser uma indireta de Fadilah emoldurada no sorriso curto. O sorriso não traíra escárnio?

Em que gaveta emperrada se perdera a descontração? Continuaram conversando, mas sobre assuntos externos, ensaios, aulas na universidade, os problemas políticos, nada que envolvesse intimidade. Perguntar sobre o que tinha começado a dizer e interrompeu poderia ser indelicado. Resignou-se, aceitou a mudança de assunto, Fadilah pedindo de novo que ele falasse sobre o Boijmans. Em torno de um computador, alunos da academia resgatavam fotos da Copa do Mundo no Brasil, uma sequência de imagens que mostravam os pontos altos e os grandes fiascos. Stefan esticou o olho porque viu uma foto de Espanha e Holanda, o peixinho de Van Persie na Fonte Nova, nos cinco a um humilhantes. Um dos alunos contava ter estado naquele jogo e o quanto xingaram Diego Costa – e representava o grito do estádio, simulando a voz da multidão, Dieeego, viaaaado –, o cara que preferiu vestir a camisa da Espanha em vez da brasileira. Não teve perdão. Alguém disse que pelo menos ele tinha perdido de cinco a um e não de sete a um. E todos riram. O que importava, disse o que estava no jogo, era a zoeira. Depois ainda falaram de um pênalti mal marcado e a conversa tomou outro caminho. Stefan, atrás do grupinho que não o via, não entendeu quem xingava quem, por que riam tanto, mas animou-se com as imagens da partida. Se Machiel deixara de gostar de futebol, gostava ainda menos de Van Persie, que se casou com uma marroquina e se converteu. O futebol, e Machiel acentuava o ricto da raiva, havia se transformado numa corja de muçulmanos, originais ou convertidos, como Karim Benzema, Yaya Touré, Sami Khedira, Mesut Özil, Franck Ribery, Zidane. A Copa do Mundo no Brasil seria ainda pior, o enterro definitivo do futebol, era a avaliação de Machiel depois de ter lido no *De Volkskrant* que o torneio bateria o recorde de vira-casacas, pelo menos quarenta jogadores tinham trocado a nacionalidade só para defenderem as seleções de outros países.

Mas Stefan não conseguia odiar o futebol. Aproximou-se risonho, as mãos no ombro de dois rapazes, pronto para contar alguma vantagem sobre o golaço de peixinho e a goleada. Mas os ombros fugiram, o grupo dispersou, as caras se fecharam. Bruna observava, mas recolheu o olhar com pressa. Não havia muita palavra disponível para começar a conversa, a experiência no Boijmans tinha sido forte demais. Começou com generalidades baratas, de segunda mão enquanto se sentavam no café do Centraal Museum antes de começar a visita. Aquele verão dava sede, foi o melhor que conseguiu dizer Fadilah, ironizando de novo o verão dos holandeses. Para uma marroquina e que viveu tanto na Espanha, aquilo era enganação. Leonel lembrou de uma frase atribuída a Picasso, para quem não víamos a natureza como ela era, mas ela era como nós a víamos (*cruzes, erudição fora de hora*). Entrou em uma tentativa de discorrer sobre a subjetividade, mas se enrolou na língua. Riram (*ela deve ter rido de pena*). Bom ver Fadilah rindo. Leonel desistiu de Picasso e pulou para uma tela de Hieronymus Bosch, *The pedlar*, que viu no Boijmans. O corpo curvado de olhar indeciso entre a casa e a estrada. Fincar raízes ou seguir. Se seguir, para onde? *Si no sabes a dónde vas, cualquier camino sirve*. Não era Picasso quem falava, mas um coelho branco (*ela está tirando onda com a tua cara?*). Leonel contou que dez anos antes havia escrito um *Manifesto secreto contra a mediocridade* e que lamentava tê-lo extraviado. A carta tinha poesia e profundidade (*a usual supervalorização do que se perde*). Então *The pedlar*, uma obra pequenina, fragmento de um tríptico cujas demais peças haviam se perdido, o tocara, fosse pela aura de Bosch, fosse pela figura triste do sujeito hesitante antes de partir, calçando um borzeguim em um dos pés, sandália em outro, chapéu surrado que, era possível, serviria para pedir esmolas. A perna esquerda estava machucada. Para quem estava escolhendo a caminhada longa em vez da casa presa ao chão, pernas machucadas e calçados modestos eram o prenúncio das dificuldades. *¿Pero qué otra cosa podría hacer?* E que a casa estava em frangalhos, vidros quebrados, teto desabando. Fadilah ainda riu do detalhe que Leonel não percebera: alguém urinava nos fundos. O mijão pensava estar escondido, mas podia ser visto pelo mundo todo até hoje. No Boijmans,

Leonel teve ânimo de dizer ao mendigo indeciso de Bosch: coragem, tudo vai dar certo (*precisava de obra? E se em vez de pintura fosse um espelho? Ah, aí seria autoajuda*). Não tinha certeza se diria de novo. Encorajaria a vida ambulante? Ou anteciparia tanto a volta a ponto de sequer ir? Mas como sabê-lo? O chão, o teto podem ser os mesmos, mas a casa de que nunca se saiu não tem o mesmo gosto da casa a que se regressa. Fadilah disse ao Heráclito sentado à sua frente que dessa experiência ela não podia partilhar. Se o Picasso ela rebatia com o Coelho Branco, ao Heráclito ela contrapôs *Up, altas aventuras*, a casa voando suspensa por balões de aniversário. Obrigara recentemente Zineb a assistir à animação. Por Fadilah, o velho Carl Fredricksen e o menino escoteiro Russell não deviam ter voltado. Fadilah nunca mais havia pisado no Marrocos e que esse negócio de chão não a empolgava, a não ser como objeto frio de pesquisa – Leonel não acreditou. Importantes eram as pessoas, o que elas faziam umas das outras e de si mesmas. Ao mesmo tempo, outros chegavam e cumprimentavam-no com verdadeiro entusiasmo. Martha costumava levar doces, Pedro não era mais obeso e subia as escadas pulando degraus duplos, Mônica enxugara a gordura das ancas e culotes, os músculos havia tanto tempo escondidos ondulavam no abdômen. Eram os alunos que mais impressionavam, Martha pela constância, Pedro e Mônica pelos resultados reais e aparentes. A fila para ter aulas particulares com Stefan aumentava. Por outro lado, enfrentava silêncios e, mais que os silêncios, pequenos gestos de repúdio. Inveja por parte dos outros professores, que contaminava alguns alunos? Era provável. Érico vinha evitando conversas. Sabia que tinha um professor excelente no seu quadro, mas. Os outros que trabalhassem melhor, julgava Stefan. Os professores, para prender os alunos, davam mais atenção às interações sociais. Conversas, trocas de fotos, curtições em Facebook, Instagram, baladas. Faziam uma avaliação física de fachada e prometiam treinos individualizados que nunca fugiam da sequência básica igual para todos. Chegavam ao extremo do desleixo quando conversavam com o aluno sobre bobagens quaisquer enquanto o pobre fazia repetições com rapidez e nenhuma concentração. Não sabiam que era o tempo das repetições que importava e não a quantidade delas? Era preciso aprender a lentidão, abandonar a intuição primitiva de que exercícios rápidos traziam resultados rápidos. Pareciam não ter noção de como provocar as microlesões necessárias para a hipertrofia dos músculos. O principal descaso, Stefan continuava remoendo o espanto, estava na parte aeróbica. Sempre aquilo de mandar os alunos – até já aprendera o termo – fazer uma esteirinha. Tantos desistiam por achar que só o tempo longo de corrida enxugava o corpo. Pedro e Mônica, seus garotos-propaganda, tinham sessões de musculação e de exercícios aeróbicos que não passavam de uma hora e dez minutos. Faziam as repetições de modo correto e treinos aeróbicos de HIIT, o Treino Intervalado de Alta Intensidade, ou *High Intensity Interval Training*, ou *Hoge Intensiteit Interval Training*. Stefan ensinava-os a fazer o HIIT na esteira, na bicicleta, no elíptico e mesmo em casa, sem qualquer aparelho. Falava ainda sobre alimentação e pedia para os alunos fugirem dos suplementos artificiais, os verdadeiros eram naturais e estavam nas feiras livres. Isso era mais motivo de dor de cabeça para Érico, que via os alunos empolgados com o professor holandês, mas já enfrentara reclamações da nutricionista e da loja de suplementos – cuja dona era a própria nutricionista –, que atendiam dentro da academia. Talvez essas fossem as broncas que causavam a cisão, ostensiva ou silenciosa. Depois que o grupo se afastou, Stefan pôde ver que era Rubens quem comandava o mouse. Enquanto os demais se retiraram com o olhar baixo, Rubens levantou-se, esbarrou o ombro firme em Stefan e disse algo bem pronunciado, mas que ele não entendeu, jamais ouvira falar. O som era claro, o sentido nenhum. Foi até Bruna, ela ficou vermelha ao vê-lo caminhando na sua direção, as orelhas invadidas pelo rubor que escalava o pescoço. *Brrruna*, que é *panocu*? Ela disse que não sabia. E só. Ele perguntou *what the fuck* estava acontecendo. Foi a vez de Bruna não entender. Era sobre a *Torre de Babel* de Bruegel que ele falava. E da prepotência de querer alcançar os deuses. Mas não era isso que ele queria com o espetáculo solo que apresentaria no final de semana?, perguntou Fadilah. Leonel precisou de tempo e por fim disse que era ainda mais prepotente, pois pretendia ele ser alcançado pelos deuses. No chão. Faria Deus descer as escadinhas. Chegaram a falar de Rapunzel e de João e o pé de feijão. Riram outra vez, o clima melhorava. A explicação da tela, no Boijmans, dizia que a humildade fazia bem à espécie humana. A tela ainda o fazia ver a semelhança da torre de Bruegel com o coliseu. Fadilah disse que a história da torre também existia no mundo muçulmano, e que fora construída em Babil, destruída por Alá. Ele então dividiu os homens em setenta e dois grupos de línguas. E divididos estavam até hoje.

Ainda que eu falasse a língua dos homens e dos anjos, sem amor eu nada seria, Leonel disse em português e perguntou se Fadilah conhecia. Não só conhecia como sabia tratar-se de um trecho bíblico. Que os deuses, aliás, nem precisavam ter se dado ao trabalho de fazer a humanidade falar línguas diferentes, continuou. Ainda que falassem a mesma língua, não se entenderiam. Era trabalho extra, só para garantir.

Por falar em língua, Fadilah perguntou se ele tinha visto no Boijmans o estudo de Rubens para o *Martírio de São Livino*. Leonel disse que devia ter visto, mas não lembrava. São Livino teve a língua arrancada e atirada aos cães, seguiu Fadilah. Enquanto a humanidade não se entendia, os bons tinham a língua servida aos cachorros. No Boijmans estava só o estudo, a tela acabada ficava em Bruxelas. A cena era caótica e, nos céus, anjos e barbados mandavam uma tempestade para espantar os malfeitores. Lembrei, disse Leonel, é uma obra bárbara. *Sí, barbarie pura*.

Das lembranças em comum, ainda riram da *Última ceia*, de Jörg Ratgeb, uma obra inacreditável do início do século XVI em que uma mesa redonda desenhada em perspectiva tosca acomodava os apóstolos dispostos em volta. *Mucho más coherente, seguro*, disse Fadilah, que achava absurda a tela de Da Vinci, doze marmanjos sentados no mesmo lado da mesa. Foi só na hora da foto, brincou Leonel. O que também causou riso foi, na tela de Ratgeb, um apóstolo assoando o nariz. Riram tanto que custaram a voltar para a cena principal. Nela, Cristo anunciava a traição que sofreria e dava uma hóstia a Judas, enquanto a outra mão acariciava os cabelos de cachos dourados de um discípulo que parecia dormir em seu colo. Um cafuné divino, arrematou Leonel. Consultou o relógio, depois o celular. O trajeto era simples, bastava seguir pela Affonso Camargo até o tal Jardim Weissópolis. Desimond disse certa vez que a casa ficava perto do antigo autódromo, cujo muro ele chegou a pular duas vezes para assistir à *Stock Car*. Stefan perguntaria por um preto muito preto, haitiano, Desimond, que morava por lá. Seriam menos de oito quilômetros e o Google Maps sugeria ridículas uma hora e quarenta minutos. Faria o trajeto em meia hora, mesmo o frio apertando o peito, mesmo o trânsito, a garoa e as ruas desconhecidas. Precisava falar com Desimond, não bastava uma ligação, precisava olhá-lo nos olhos, pedir alguma luz ou alguma confissão, apoiar-se nele ou mesmo xingá-lo. Desde a feição ambígua na noite da *happy hour* dos mal-entendidos, Desimond não falou mais a respeito nem de Bruna nem de nada que pudesse lembrar paqueras, paixões, amor. Não havia problema se Desimond tivesse dito a Bruna que Stefan era gay. Que bom, poupava-se de um trabalho desagradável, já bastava a decepção de saber que não era Benjamin o autor dos bilhetes. A mudança de Benjamin para a noite, horário em que Stefan não trabalhava, tinha algo a ver com tudo aquilo? (*que já recomeçou a sentir mãos fortes pressionando o pescoço?*). Precisava ver Desimond, por que aquela folga estúpida justo no dia em que mais precisava dele?

Não se despediu de Bruna, passou direto ajustando o frequencímetro, apertando botões do relógio, o GPS pronto para ditar o trajeto. Os primeiros metros o relembraram, comprar roupas de frio. Via a gaveta em Utrecht onde estavam o gorro, as luvas, as mangas compridas e a calça de compressão. O corpo aquecido restabeleceu a rota das dúvidas. No fone de ouvidos preso às orelhas pela força do hábito, nenhum *Bearforce1*, apenas o som da respiração. *Weiss*, em alemão, era branco, isso ele sabia. Não teria dificuldades, portanto, de encontrar um preto em meio ao Jardim Weissópolis, jardim da cidade branca. O que seria um ponto preto num prato de leite? Desimond no Jardim Weissópolis. Duas imagens de barbárie, uma engraçada e outra absurda. *Children teasing dwarves* era uma verdadeira cena de *bullying* em pleno século, sei lá, não sabia de quando era a obra, mas devia ter uns quatrocentos anos. Depois de terminada a água, Fadilah pediu café e um pedaço de torta, que comia devagar. Com a boca cheia, fez gesto para que Leonel prosseguisse. E ele, já mais solto, ria enquanto falava das crianças zoando um anãozinho que se defendia com uma pedra na mão, pronta para ser atirada em alguém – parecia até já ter acertado um, que fazia cara de dor – enquanto os adultos assistiam às cenas com deleite. *Pero ¿por qué crees que esto es divertido?* E disse que essa moral tão crua era para ser típica do século dezessete, não do vinte e um. Ao ver crianças e anões em conflito, os adultos riam. Fadilah propôs substituir o anão por um gay. Ou por um sujeito fodido que veio de longe fugindo da miséria. Ou ainda pelo ambulante do quadro de Bosch, *The pedlar*, por quem Leonel sentira compaixão. Por Maria Madalena. Por uma mulher que desejava outro corpo que não o do marido. O mundo já se maltratava o suficiente. Seria à toa que pelo menos desde o século dezesseis a pedra arremessada era vista pelos esclarecidos como símbolo da estupidez humana? O mesmo Bosch pintara seus *De keisnijding*, ou *cutting stones*. O mais famoso era *The Extraction of the Stone of Madness* ou, também sugestivo, *The Cure of Folly*. Leonel tinha visto uma dessas telas no Boijmans, mas não era de Bosch, e sim de um tal de Van Hemessen, de quem nunca tinha ouvido falar e nem se lembrava do nome inteiro. Mas a imagem estava clara: um médico de óculos tentava retirar uma pedra incrustrada na testa de um sujeito enquanto um outro rezava ao lado da vítima. *¿Víctima? ¿Por qué cree que él era una víctima?* E Fadilah retomou a tese da violência como uma resposta eterna, como ação e reação que vinham do infinito e para ele caminhavam, citou o ouroboro, que Leonel não entendeu, e seguiu falando das hostilidades mútuas. Se, no Brasil, havia maus tratos e gente matando gente. A pergunta não esperava resposta. Uma estocada para perfurar os rins. Que não a levasse a mal, Fadilah pediu, quem não era perverso em alguma medida? Ela mesma acabara de ser. E planejara sê-lo ao convidá-lo para a visita àquele Centraal Museum. Leonel franziu a testa, não entendia. Por que o havia convidado para entrar? Estavam há quase uma hora no café de um museu falando das obras de arte de outro. Fadilah pagou a conta. *Quiero mostrarte algo*. Mas, antes, queria saber quem era violento na história. Era fácil culpar o anão, afinal era ele quem revidava com agressões físicas, era ele quem estava com a pedra na mão, e já tinha atirado uma. Os outros não tinham feito a ele nenhum mal visível. Leonel não se comoveu com a alegoria política de Fadilah, fechou-se na vergonha por ter visto graça no anão, por ter caído na armadilha tosca, a de que anões são sempre engraçados, sempre um número circense a garantir diversão. Riu da mesma coisa que seus vizinhos a dez mil quilômetros ririam. *No importa quién lanza las piedras primero. Lo que importa es que se tiran piedras todo el tiempo*. Mas o agredido precisava se defender, Leonel agora fazia esforço para proteger o anão, justificando-lhe as ações.

Como se seguissem caminhos opostos e se encontrassem do outro lado do mundo, Leonel e Fadilah percorreram raciocínios diferentes para buscar uma conclusão parecida. De nada adiantava ser tolerante em um mundo de intolerâncias. Uma suposta corrente do bem que oferecesse sempre a outra face para servir de exemplo da bondade não propagaria o bem. Antes, seria esmagada. Que país se desarmaria para dar bom exemplo, sem garantia de que outros também se desarmassem? A outra alternativa era o embate. *Entonces el enano le golpearía la cabeza a un niño y los otros, tal vez los adultos, lincharían al enano porque necesitarían defenderse. Y nosotros estamos luchando hasta hoy contra alguna agresión original de un tiempo perdido en el pasado.* A criança estava deitada no chão. Rodeada pelo pai choroso e por curiosos, ela recebia pouca atenção especializada, apenas palavras de conforto. Havia sangue na cabeça, mas não na calçada onde estava deitada. Stefan hesitou entre ajudar, o que implicaria pausar os dados da corrida, e seguir direto para cumprir a promessa de fazer o trajeto em meia hora. Encontrar Desimond de uma vez. Parou, afastou os curiosos, deixando o pai a seu lado. O modo rápido com que se abaixou e tomou o pulso da menina conferiu-lhe autoridade. O pai explicava que vira tudo, que o ciclista pedalava na via exclusiva para os ônibus e levou uma fechada proposital do motorista, desequilibrando-se e caindo na calçada. O ciclista se aproximou munido de um paralelepípedo e atirou-o no vidro do ônibus, parado no ponto. Partes da pedra ou do vidro, ele não sabia bem, atingiram sua filha. E eu também, disse, mostrando o ferimento pequeno na orelha e nos braços, usados para enlaçar a filha. A menina, com duas marias-chiquinhas nos cabelos, estava lívida, e não chorava. Beirava os cinco anos, mas respondia bem à luz do celular nas pupilas, os batimentos estavam acelerados, mas ainda assim normais para uma criança. Stefan perguntou se alguém ali falava inglês. Ninguém. Teve dificuldades para conseguir tirar da menina algumas respostas básicas para testar seu nível de consciência. O paralelepípedo, pedra-palavra de nome bonito usada para fazer coisas feias, não havia batido na cabeça da menina. Abriu a blusa pesada da criança em busca de um ferimento maior, palpou-lhe o corpo enquanto perguntava ok? ok? ok? Tudo parecia bem, e a ambulância já encostava para o atendimento. O ciclista havia fugido, os passageiros só falavam em pegá-lo, o motorista se justificava com raiva, que ali não era lugar de ciclistas, o filho da puta o desafiara. O suor esfriou no corpo e as articulações se enrijeceram. Lamentou, poderia ter passado direto, a menina não corria risco. Onde recuperar o ânimo para recomeçar a corrida? Na luz que Desimond poderia jogar sobre as sombras. O *chiaroscuro* sempre o interessou, o excesso de luz recebia como resposta sombras mais demarcadas, insistentes. A sombra ganhava força quanto mais a luz quisesse se impor. Provocava, zombeteira: quanto mais luz, mais sombra. E se a luz desistisse, derrotada, a sombra abraçava tudo, na soberania da escuridão. Perguntou se a tela não lembrava Caravaggio.

O espaço do Museum Centraal não era grande, mas guardava muitas obras, de instalações contemporâneas a esculturas e pinturas de outros tempos. Seria um passeio demorado visitar todas as salas. Precisava preparar o corpo, dEUs se revelaria no domingo. Gijs já conseguira as licenças, Anne-Marije as quinze lunetas – dEUs *would be anywhere. Or He would be seen from anywhere?* Não acoplaria câmeras às lunetas, não nessa primeira experimentação, mas deixaria caderninhos para o público registrar impressões. A Leonel caberia ensaiar. Passara as últimas semanas alternando idas ao estúdio e ao Wilhelminapark, avaliando seu canto, a amplitude do seu horizonte e vendo policiais e estátuas. Agora estava ao lado de Fadilah, que não parecia interessada em uma visita completa ao museu. Passou rapidamente pelas obras até parar na frente de uma. E estaquear. Foi dali que saiu a sugestão, se o quadro não lembrava Caravaggio. Era uma tela espremida no corredor, que só se deixava ver de perto. *Decoronation – an allegory on violence, after Baburen*, era de 2003 e pintada por Frans Franciscus. *Se trata de una reinterpretación de la obra de Dirck van Baburen, artista aquí de Utrecht, que pintó la coronación de espinas de Jesús. Baburen es de la escuela de Caravaggio y vivió en el siglo XVII. El trabajo de Baburen está a pocos metros de aquí, en el Museo de Catharijneconvent. A ti, que te gusta el* chiaroscuro, *debes ya haberlo visto*. Que lá, os homens puseram uma coroa de espinhos em Cristo. Aqui, que Leonel visse por si mesmo.

O *Catharijneconvent* foi o primeiro museu visitado por Leonel. Na época, ainda final do inverno, ele abrigava uma exposição temporária sobre as bruxas de Bruegel. *De heksen van Bruegel*, tentou dizer em holandês. Enquanto a indicação do audioguia avisava que a cultura holandesa não podia ser separada do cristianismo, as plaquetas ao lado das telas falavam que as bruxas eram tema muito presente na Holanda. Leonel cogitou aliciar Fadilah fazendo um comentário irônico sobre cristianismo e caça às bruxas, mas preferiu dizer que não lembrava da tela de Baburen. Fadilah parecia ter visitado a cabeça de Leonel. Disse ter se divertido na exposição das bruxas, mas não com as bruxas e sim com os holandeses que se divertiam com as bruxas, riam como se elas fossem coisa do passado e sua caça fosse resultado de uma mente atrasada e supersticiosa. Depois voltou à tela de Franciscus na frente deles e ressaltou que o artista – *sí, era contemporáneo, pero lo que hacía era arte de verdad* – aproveitava muito bem a técnica do *chiaroscuro* usada por Caravaggio e Baburen. Leonel devia revisitar o convento para ver a coroação que originou a descoroação que agora estavam vendo. E então calou-se. Mas não saía do lugar. À medida que o Jardim Botânico ficava para trás, o asfalto se deteriorava e o mato crescia mais livre por entre pedaços soltos da calçada. A continuação da Affonso Camargo se chamava Ayrton Senna. Lado a lado, a via férrea o acompanhava, a buzina sempre pesada do trem mais lento que os pedestres. Sequer os cães, soltos, se animavam a correr atrás. Correram atrás de Stefan. Que lugar era aquele? Atravessaria a linha férrea para entrar no matagal de onde brotavam casinhas? Impossível encontrar Desimond. À direita, o mato e um rio sujo, o autódromo desativado se anunciava pouco mais adiante. À esquerda, uma rua sem pavimentação levava a quarteirões de casas pequenas. O frio ria com maldade: se diminuir o ritmo, pego você. O corpo branquíssimo nos trajes de cores berrantes – Asics laranja, camiseta verde limão – não podia parar e nem sabia aonde ir. No plano mental que desenhara, chegaria a um lugar de casas iguais, dois ou três quarteirões pelos quais poderia correr sem perguntar nada a ninguém, procurar a esmo sinais de Desimond através das janelas. Já havia feito isso tantas vezes na adolescência, nos conjuntos de casas iguais de Utrecht. Era mais dos seus joguinhos com prêmio imaginário. Ali havia um emaranhado de ruas possíveis, à esquerda, à direita, mais adiante, qualquer opção o faria cair em ruas iguais com casas diferentes, cada uma construída do jeito que dava, peças em cima de outras peças, telhados baixos de materiais diversos, janelinhas tristes. Talvez devesse voltar, mas antes ligaria para Desimond. A bateria era suficiente para a ligação e, quem sabe, para ditar o caminho de volta, embora acreditasse sair dali sem GPS. Desimond não atendeu. Stefan vivia uma versão contemporânea de *Hans en Grietje*. Outras eram as selvas. Dois sujeitos apareciam de assalto, um deles com adaga numa das mãos, a outra com um soco-inglês pronto para o ataque, o braço na posição do golpe iminente. Vestia um agasalho cinza-claro e tinha uma bandana amarrada no topo da cabeça para conter a cabeleira. A mão que segurava o soco inglês usava um grande relógio dourado, cabelo e barba formavam um só desenho e contornavam sobrancelhas espessas. O outro não tinha armas. Com o cavanhaque fino pendurado no queixo e um brinco de argola na orelha direita, ele se preocupava em arrancar o que podia da vítima, um travesti pardo de vestido rosa bastante curto. Enquanto a faca do primeiro cortava as alças da bolsa Louis Vuitton, o segundo arrancava-lhe a peruca e o colar cujo pingente, um crucifixo, estava prestes a despencar junto com as contas do colar. A própria vítima tentava evitar que caíssem, mão estendida em direção à cruz, grande demais na proporção dos outros objetos. Leonel olhava a nesga de calcinha branca entre as pernas abertas do travesti, preenchida por um volume que não era feminino. Fadilah permanecia em silêncio, imóvel, olhando. Leonel via ainda o salto direito quebrado, a sandália escapando-lhe dos pés, e lembrou-se de quando, criança, correu da ira do pai com um dos chinelos enroscado entre os dedos errados, o outro abandonado na fuga, a cabeça sangrando pelos cacos da estátua de Santo Antônio. A tela falava tanto de circunvoluções íntimas e eram elas que afetavam Leonel. Mas o título exigia que o olhar cobrisse o quadro com outra camada. Como lembrou Fadilah, aquela era a releitura de uma obra que retratava a coroação de Cristo com espinhos. Se Cristo havia sido ironicamente coroado, agora Frans Franciscus mantinha o sarcasmo para falar da descoroação como perda do que dava identidade. A descoroação retirava do travesti símbolos de poder da sociedade de consumo. A presença de jovens marroquinos – Fadilah disse que eram marroquinos, mas Leonel não achou nada que indicasse isso – atacando um travesti ainda podia ser vista como a união de duas forças – ou fraquezas: o fundamentalismo religioso e a pobreza material, que os fazia não apenas agredir o que os ofendia, mas roubar símbolos da cultura inimiga, como o crucifixo e a bolsa-fetiche. Se era essa a integração possível, quis perguntar Fadilah, e recuperar a história de Hicham. Mas outra vez calou-se. Leonel não conseguia alcançar todas as nuances, eram demasiadas. Ficou no círculo de sua história íntima e de Cristo, entre o eu e o deus. O travesti apanhava porque era travesti, porque tinha uma Louis Vuitton, porque carregava símbolos cristãos? Dentro da bolsa, que já tinha uma das alças cortada, Leonel conseguiu ver óculos escuros, espelho, um maço de cigarros, celular e fósforos. Espalhados no chão, mais cigarros e dois preservativos fora da embalagem, que pareciam usados. A descoroação estava também no salto quebrado e na peruca arrancada, loira no estilo Marilyn Monroe. Ao fundo, o sol avisava que, de novo, nasceria atrás da silhueta escura dos prédios, na cidade distante. A lua minguava.

    O ano fora o motivo do riso. O travesti com seios do tamanho de duas laranjas e coxas grossas também despertaria o riso sádico. Quantos não ririam daquela descoroação? A intolerância da cordialidade brasileira, olhando em retrospectiva, não deixava de ser um motivo pelo qual havia se mudado. Chorou, desorientado. Quando o dia começava a antecipar seu fim atrás da cortina grossa de nuvens, o GPS disfarçou olhando para os lados, pedindo um tempo para recalcular a rota, até admitir: perdera contato com os céus, eram os céus e os satélites que cochichavam em seus ouvidos, ele somente um psicografador eficiente. A garoa caía com agulhadas frias no braço, na nuca. Ligou outra vez para Desimond. Dessa vez atendeu, cumprimentando-o com a simpatia habitual perturbada pela voz de Stefan a contar que estava no Jardim Weissópolis – *slightly lost*, na voz embargada. As perguntas foram tantas e Stefan só sabia dizer Weissópolis. Que olhasse para o nome de alguma rua na placa, que soletrasse para ele, e que diabos estava fazendo naquele frio, com chuva. Stefan não sabia de que placa Desimond falava. Stefan entrou em um bar para ouvir melhor e se proteger da garoa, os tacos de sinuca ficaram imóveis, em riste, a cinza dos cigarros caía da boca, bituca grudada nos lábios. Havia muitos pretos como Desimond ali, haitianos dividindo espaço com fregueses antigos. Quase todos os pretos falavam inglês, dos brancos nenhum. Precisava carregar o celular, se podia usar uma tomada. Podia. Idiota: onde o carregador? Voltou-se para fora, olhou a placa com o nome do bar, soletrou-o para Desimond. O celular emudeceu, a bateria havia acabado, ele mostrava o iPhone para os bebuns, se alguém não tinha um daqueles com o carregador. Ficou à espera sem saber se Desimond ouvira as últimas palavras. Com cinco reais no bolso da bermuda, pediu café com leite. Quinze minutos depois, Desimond entrou no bar, um guarda-chuva de pontas estragadas o impedia de molhar ao menos a cabeça. Alguém já havia jogado um cobertor nas costas de Stefan. Desimond prometeu que traria o cobertor no dia seguinte, ajudou-o a se levantar e saíram caminhando por ruas enlameadas, os poucos carros espirrando neles a água das poças, o barro. Ficaram perambulando, ainda que no final do dia o pequeno calor arrefecesse. Foram os últimos a sair do museu e Leonel decidiu por fim que não ensaiaria. Por sugestão de Fadilah, entraram no eLe Tapas, ela sempre queria vinho espanhol quando sentia o coração apertado. Desceram as escadas íngremes do Oudegracht, era a primeira vez nos seis meses de Utrecht que Leonel via as águas tão de perto (*o nível da água é sempre o mais baixo*). Fadilah ia na frente, meio torta pelos degraus pequenos.

O eLe Tapas tinha uma decoração *kitsch* nas paredes e no teto em arco. *Un kitsch Almodóvar*, segundo Fadilah. Pequenas lâmpadas penduradas em varal fizeram Leonel evocar os arraiais juninos do Brasil. O teto do ambiente ao lado era forrado por cravos vermelhos, as flores de ponta-cabeça brotavam da laje. Espalhados pela parede, fotos com apresentações de dança flamenca. Rostos antigos congelados no momento da glória, a tentativa de parar o tempo em algum auge. Fadilah falou espanhol com o garçom. Por prudência, Leonel não quis vinho e só aceitou a taça de sangria porque Fadilah garantiu que era mais fraca do que a água do Oudegracht. E comeu uma salada de tomates. Quando chegou um grupo de holandeses, Fadilah grunhiu. Disse que escolhera a Holanda, entre tantos motivos, porque queria sossego. Não podia imaginar o quanto eram barulhentos. Falou isso gritando em espanhol ao garçom, que ria.

É porque precisava beber, se não teria ido à mesquita. Não ao espaço de culto, mas ao Kebap Factory, um restaurante *fast-food* que a mesquita abrigava no térreo e que Leonel já conhecia, tinha acompanhado Fadilah uma vez e gostado de saber que o frango de seu *Tavuk sis wrap* tinha sido abatido com a cabeça voltada para Meca.

Mas ela precisava beber um vinho espanhol, só por isso arrastou Leonel para o eLe Tapas. Talvez ele conseguisse abrir a caixa de segredos da mulher que o espicaçava e ainda assim, ou por isso, o atraía. Que maldade planejara e a quem se referia quando, no início da tarde, falou de uma mulher que não via há tanto tempo? O primeiro mistério dizia respeito a ele e assim não achou indelicado perguntar. *Tu maldad con el enano ha evitado la que yo planeaba hacerte. Por eso me he quedado callada en el museo. Gracias.* Foi só o que disse, encerrando o assunto. Depois avisou, como se precisasse: ele havia perdido o ensaio. Que sim, que deixaria para amanhã. E Fadilah: se poderia levá-la até o Wilhelminapark para mostrar como seria o espetáculo. Ele não esperava um pedido daqueles, ela insistiu, que queria outra vez tentar entender a sua dança e a arte contemporânea. Mas, e ela ria, queria ir agora, era beber o vinho, comer aquela comida pouca e ir. Leonel disse que, se o assunto era arte contemporânea, então faltava falar do que mais o impressionara no Boijmans. Contou em detalhes a instalação de Desniansky Raion, *The Cyprien Gaillard*. Fadilah só disse que aquilo podia ser tocante, mas nunca arte. *Ah, los contemporáneos.*

Leonel ria mas receava que a alegria fosse momentânea, que não resistisse muito tempo quando o palco ficasse vazio, sem as distrações diárias, com o fundo imutável escuro e triste, o pensamento e suas névoas espreitando da coxia. Repetiu (*o contemporâneo repetindo fórmulas?*), era impossível captar todos os sinais que o mundo dava e que a falta de sentido podia estar na cegueira e na surdez de quem deveria ver e ouvir, não necessariamente no objeto de onde os sentidos emanavam. Fadilah não confessou, mas não tinha entendido nada.

Quatro taças de vinho depois, na saída do eLe Tapas, ela insistiu outra vez para que fossem ao Wilhelminapark. Leonel abraçou-a com carinho e deu novo rumo ao trajeto, o verão enganava, já passava das nove da noite, que iriam fazer no parque escuro? Que Deus via todas as pessoas, mesmo na escuridão, ela disse. Que o deus dela *matava* a todos, mesmo à luz do dia, a resposta talvez tenha vindo agressiva demais, desproporcional. Que quem matava não era um deus, mas os homens. E que o fundamentalismo dos outros era sempre mais perigoso. Se Leonel por acaso sabia que um tal bispo Edir Macedo – ¿Has oído hablar de él? – havia levado duas mil pessoas em Haia para o lançamento de um tal *Niets te verliezen – nada que perder*. Sucesso absoluto. E onde ficava Deus naquilo?, Leonel respondeu perguntando. Aquilo era vulgar mas inofensivo. Enganava mas não matava (*como a tua arte*), dava dor de cabeça mas não a cortava. Fadilah suspirou. Quando chegaram, seis negros os espreitavam acomodados como podiam na casa pequena. Sofás rasgados e colchões no chão, dobrados, serviam para sentar de dia e dormir à noite. Desimond não assimilava o encontro entre personagens de dois mundos diferentes. Pretos e branco. Já havia falado aos amigos, até com certo sarcasmo, sobre o holandês gay e, depois, sobre o episódio dos mal-entendidos e das saias justas. Agora ele o trazia para dentro de casa, segurando-o pela cintura. Quando se apresentaram, um deles perguntou a Desimond, em crioulo haitiano e com feição grave e respeitosa, se Desimond havia trocado Isabelle pelo loirão. E se eles eram os sete anões pretos e enfim a Branca de Neve chegava ao Weissópolis para fazer justiça ao nome do bairro. Os demais precisaram segurar o riso, as mesmas caras sérias anuíam com a cabeça, como se condoídas com a situação.

Stefan a custo prendeu o embrulho no estômago, o cheiro de mofo o penetrava. Uma televisão falava sozinha mostrando um pregador com a Bíblia chacoalhando na mão alvoroçada, a outra balançando a cabeça de um fiel até derrubá-lo no chão. Uns comiam na sala, o prato de papel alumínio deixava escapar o arroz e o feijão. Desimond, olhando os grãos brancos e pretos espalhados sobre o piso de cimento bruto, relembrava os tempos de professor e teorizava, dessa vez em silêncio, sobre determinismos. Depois explicou, a morada era provisória, queria ir para a pensão dos haitianos no Largo da Ordem, ou para a da praça Tiradentes – alguém gritou que a pensão da Rua do Rosário estava fechada fazia tempo. Ou mesmo para o Chile. *Ton nom est Souffrant, mon ami*, um amigo disse voltando os olhos para a televisão. Ofereceram comida, Stefan agradeceu mas recusou. Cobertor nas costas, olhava para os cantos da casa na busca vã de um espaço para conversar com Desimond a sós. Os amigos sabiam inglês e se intrometeriam, no mínimo escutariam tudo. A língua usada como refúgio se via a céu aberto na jaula de poucos metros. Stefan pegou o guarda-chuva e envolveu Desimond em seu cobertor, pedindo desculpas aos amigos e levando-o para a porta. Barragem rompida, um coro de risadas desabou. Já do lado de fora, os dois, pouco protegidos da chuva pelo beiral da casa, pingos grossos caindo a alguns centímetros do nariz. Difícil se mexer sem se molhar, sem molhar o cobertor que Desimond prometeu devolver.

Havia dito algo a Bruna? Podia falar a verdade, até agradeceria, que mundo era aquele que ainda não tinha percebido que ele era gay? Desimond se enrolou, veio com a história de sempre, as pessoas prestavam atenção só nas palavras estrangeiras, sem perceber, e tal, quer dizer, o jeito do falante, não eram capazes de reconhecer um gay em outra língua. Perdiam-se, deslumbravam-se com a beleza, talvez o corpo – se fosse branco, Desimond teria enrubescido –, e se esqueciam de que, de que podia não gostar, assim, de mulher. E do nada falou alguma coisa em árabe. Logo em seguida, em espanhol, perguntou se sabia o que era aquilo. Claro que não sabia. Era um trecho do Alcorão, dizia que Aqueles que praticarem o bem, sejam homens ou mulheres, e forem fiéis, entrarão no Paraíso e não serão defraudados, no mínimo que seja.

Zineb estava em casa e desviou os olhos, mas até por isso podia-se perceber que havia chorado. Estava tarde, a menina assustou-se com a demora da avó. Na presença de Leonel, apressou-se em colocar o manto.

O dia havia sido marcante. Tinha visto seu amor de trinta anos atrás. Fadilah sabia somente que Ingrid era holandesa, nunca que fosse de Utrecht. Se soube, não lembrava, não entendera. Mas pela manhã, parada à porta da Broese, ela estava lá na seção de romances. Folheava um livro de Fatema Mernissi com mãos que Fadilah conhecera bem. Os dedos enrugados apesar de gordos ficavam dentro de anéis dourados. Chegaria por trás pousando a mão direita na interseção ombro e pescoço, descendo pelo braço até a cintura. A poucos metros, o corpo daquela senhora de costas se alternava com o corpo de trinta anos passados, de uma jovem que tinha olhos para todas as nuances de uma Fadilah ainda assustada com a vida no Ocidente. Perguntou a Leonel se ele, como artista e estudioso do corpo, conseguia saber o que um corpo moldado por leis islâmicas destilava de conflitos e castrações. Se para qualquer mulher muçulmana o corpo já era objeto de vergonha – um pedaço de carne a ser resguardado dentro das roupas sob o risco de apedrejamento –, o que dizer de um corpo cujo desejo mirava outras mulheres? Fadilah se abria e Leonel estava pronto para dizer que o corpo não era apenas objeto de estudo. O corpo era sujeito e podia carregar tatuados os perigos que representava. Se antes se acusaram de fundamentalistas, agora Leonel queria mostrar que a violência sofrida por ele na infância estava à altura das humilhações de que Fadilah fora vítima. E ele ainda era obrigado a carregar no corpo a humilhação do castigo. Ela já havia dormido tantas noites com Leonel, conhecia a cicatriz, mas não a história que a envolvia. Ele contou tudo com um alívio que o fez chorar no colo de Fadilah. Falou ainda de Gijs, da noite no *coffeeshop*, da desgraceira toda. Era a vez de Zineb testemunhar o choro de Leonel enquanto a menina passava pela sala. Fadilah voltou às palavras do Alcorão, *el creyente, varón o hembra, que obre bien, entrará en el Jardín y no será tratado injustamente en lo más mínimo*. Era esse o versículo da surata 4 que ousara tatuar nas costas, mesmo a tatuagem sendo proibida pelas leis islâmicas. E para quê? Falou enquanto levantava o vestido. Logo acima da calcinha, nas costas: para que a mensagem ajudasse a apagar as marcas da usurpação. Pediu que Leonel visse bem, que apalpasse a tatuagem. Havia ali uma pele mal pavimentada, textura irregular. Quando Fadilah tinha treze anos, um tio a viu brincar com um amigo de um modo que foi considerado muito íntimo, e jogou ácido no seu corpo. O que acabava de dizer era inacreditável, ele só queria saber de se desculpar por ter dito a Bruna que Stefan era gay, mas a menina suspirando de amor, achou por bem, com todo o jeito, dizer que ela enfim desistisse, que ali ela não conseguiria nada. Disse ainda que Bruna brigou com ele e se recusou a acreditar, xingando-o com toda a escala de palavrões, dos pornográficos aos racistas. E que aprendeu mais cinco palavrões. Stefan balançava a cabeça, Desimond não estava entendendo, não havia problema algum em ter falado, o problema era o que Desimond dissera depois, sobre a repercussão que aquilo estava tendo. Que merda era aquela de pichação também na academia? Ninguém havia falado para ele. O muro amanhecera pichado com gringo bixa. Mas a pichação no muro de casa não havia sido antes de Bruna saber?, e Stefan parou, não entendia mais nada de nada. Desimond continuava calado, a fisionomia séria no cacoete do meio sorriso. Imaginava os companheiros dentro da casa, que, sabia, sequer respiravam. Deviam estar com os ouvidos grudados na parede, na porta, a menos de trinta centímetros. Era capaz de ouvir a respiração trancada em cada um.

As provocações entre as academias rivais continuavam e agora colocavam Stefan no centro de uma briga que nunca fora dele. Uma foto de Stefan, a boca aberta em gargalhada, recebeu moldura rosa e o desenho de um pênis perto da boca. Já tinha sido bloqueada mas rodou algum tempo pelo Facebook. A academia estava passando vergonha. Então não era verdade que ninguém tinha percebido. O pessoal da luta estava putíssimo, incluindo Érico, que cogitava dispensá-lo e ainda não tinha feito isso por causa dos alunos entusiasmados que sequer desconfiavam das rixas que rolavam na internet, nos muros, nos corpos. E havia briga marcada com o grupo rival, Desimond continuou. Tinha hora, lugar, próximo domingo, à tarde, praça Santos Andrade. Já haviam entrado em contato com outras academias da região e organizavam uma guerra, iriam encurralar os inimigos, fariam sair de todos os cantos um exército. Falava-se em mais de quinhentas pessoas salivantes prontas para a porrada.

Da imobilidade à agitação, Stefan disse que queria voltar para casa. Era loucura, a parada do ônibus estava longe, o frio o deixaria doente e era perigoso andar nas ruas àquela hora. Desimond o recolheu, propôs um banho, ali todos dormiriam logo para acordar cedo no dia seguinte.

O banho gelado em um chuveiro de pingos escassos, a toalha já úmida – isso explicava por que Desimond gastava tanto tempo no chuveiro da academia? –, os suores encalacrados grudando no colchão rasgado. Onde o espaço para dormir senão entre aqueles pretos amontoados? Stefan era o exemplo mais bem-acabado de corpo estranho, sua brancura, os pés para fora das cobertas, mas como dobrar os joelhos sem encostar em alguém? Pensava em seu país de calefações e confortos. Alguns resmungaram, depois cederam. O que ia pela cabeça de cada um dos haitianos, segredo comum mas não partilhado, era que no meio deles havia um gay. Meses, talvez anos sem uma aventura erótica que não fosse solitária. Contiveram-se, ajudados pelo cansaço e pela vigilância mútua. Dormiram pesado, menos Stefan: passou a noite ouvindo os roncos dos homens e as vozes que cruzavam sem parar os céus de sua cabeça (*que ele o protegeria, não o abandonara nem um instante, até agora ficava velando seu sono*). Já na madrugada, antes de ir para o quarto, Fadilah disse que, depois de tudo o que revelaram um ao outro, d*EU*s só faria sentido se fosse dançado nu.

Leonel, no dia da apresentação de d*EU*s, fim de tarde de um domingo com sol, viu outra vez no *Manifesto secreto* *contra a mediocridade*, ou na versão imaginária que guardava dele, um concentrado da sensibilidade humana. O manifesto era sua profissão de fé na vida e no trabalho com a dança, reivindicava para si autoria dos passos, recusando-se a seguir modelos (*nada mais que um romântico tardio, retardado*). Na dança e na vida. Recordava pouco a menção rancorosa aos vizinhos, não desconfiava que os rabiscos nasceram do ato banal de uma raiva incontida. O manifesto concreto não existia mais. Foi, e o destino pode ter senso de humor, incinerado dentro de uma churrasqueira. Mas se o objeto se foi, ficou a ideia manipulável cuja verdade Leonel julgava preservar. Agora acreditava na fidelidade da memória. Em vez de ir para o Wilhelminapark apresentar dança, era um lutador de vale-tudo indo para o octógono, seu coliseu, sua babel. Curitiba não tinha virado palco do UFC? Sentia-se um de seus representantes. Dançar d*EU*s ganhava ares de mistificação e Leonel não conseguia se convencer de que aquele era somente um trabalho como outro, como tantos. Superestimava-o, que havia atravessado o oceano para mostrar o corpo, integralmente, no centro de dança contemporânea mais importante do mundo. Perdeu-se em grandiloquências. Alguém lhe disse que para falar bem em público era necessário imaginar a plateia nua. Ele não veria plateia alguma e quem estaria nu era ele. O octógono é maior que todos os já vistos. Sequer tem oito lados, apenas quatro, mas toma um quarteirão inteiro onde latejam centenas de lutadores. Em lados opostos do quadrado estão, frente a frente, dois ícones da paisagem urbana da cidade: o prédio histórico da Universidade Federal do Paraná e o Teatro Guaíra. No Teatro, domingo de frio enfarruscado, o Balé Guaíra e a Orquestra Sinfônica do Paraná apresentarão *Romeu e Julieta*. Stefan comprou ingresso, mas não estava interessado em arte. Ele não acreditava, queria afastar a imagem e a um só tempo vê-la com os olhos próprios, como a criança que tapa o rosto com as mãos e olha entre os dedos: a academia em que trabalhava arregimentara centenas de alunos de outras partes do Alto da XV, do Cabral, do Batel. Estavam prontos para um massacre. Ainda faltavam muitos minutos para Romeu e Julieta se suicidarem, mas os preços populares fizeram o público chegar cedo, as portas se abriram logo e Stefan se viu subindo a escadaria, o tapete vermelho. Não entrou na plateia. Foi até o hall do segundo balcão e ficou olhando a Santos Andrade através da grande janela de vidro. Do outro lado da praça, a escadaria da universidade abrigava andarilhos e poucas famílias que saíam com seus filhos, encasacados, balões em punho, maçãs do amor. Ali embaixo, sob os pés, taxistas conversavam e fumavam tranquilos, uma das mãos desenluvada para segurar o cigarro. De frente para Stefan, já na praça, a máscara de bronze sorria olhando o teatro. Pombos faziam cafuné nos cabelos metálicos. Da boca saíam línguas de fogo, olhava para cima, o céu. Leonel logo desviou o olhar da estátua e de suas labaredas, receio de descobrir nelas alguma luneta escondida ou de engatar um pensamento obsessivo em Hicham (*já pensou as crianças da escolinha aí de novo, vendo agora o pardo pelado se chacoalhando à toa? Você agrada menos que uma estátua, triste, hein?*). Muita gente no Wilhelminapark aproveitava o gramado amplo. O canto em que Leonel dançaria estava isolado e as lunetas tinham sido dispostas em locais dispersos e distantes conforme o ângulo favorecesse a plateia, fazia parte do jogo, e ele entrou no parque sem procurá-las.

No teto da Capela Sistina, Michelangelo fez Deus e o homem se olharem nos olhos, os dedos indicadores não deixavam claro se criador e criatura se aproximavam ou se afastavam para sempre. Naquele Wilhelminapark, quantos olhos observariam seu corpo? Dois, dez, quarenta, duzentos, nenhum? Importava saber-se observado? Era como dançar no escuro. Não. O escuro não deixava a dúvida. Dançaria o extremo da relação com o outro, mesmo ignorando, ou talvez por causa disso, a sua existência. Dançaria movido pela fé? Escondeu a mochila entre os arbustos. Combinou com Anne-Marije e Gijs, às oito horas tiraria as roupas naquele chão do mundo que lhe cabia (*e onde fez Hicham não caber mais*) e começaria a dançar, performar, o que quer que fosse. Anne, Gijs e Gonçalo, mais dois bailarinos de outro coletivo, transitariam entre as lunetas, deixando o público à vontade. Algumas pessoas corriam numa das esquinas. Não era uma corrida esportiva ou de quem busca alcançar um ônibus. Corriam com a força da adrenalina, olhando para trás. Como se extravasassem os bueiros, grupos de quarenta, cinquenta pessoas em marcha concatenada. Como nos *flash mobs*, quem zanzava pela praça também começou a participar da festa tirando das roupas *tchacos*, soqueiras, correntes. Aleijões espalhados por ruas e praças de Curitiba havia aos montes, mas muitos deixavam instantaneamente de sê-lo, milagre, ao retirarem barras de ferro de dentro das calças, por toda a extensão da perna. Não havia um uniforme que identificasse a qual bando cada brigador pertencia, os rostos e as roupas insinuavam as diferenças. Os grupos da periferia não foram ingênuos, muniram-se de armas e de homens, vinham sobretudo do calçadão, da universidade. Os rivais vinham pelos lados do teatro. Mas a batalha não era entre a ciência e a arte.

Difícil estimar quantas pessoas dispostas a lutar, mas Stefan participava de corridas de rua com trezentas, quinhentas, às vezes mais de mil. E pelos cálculos apressados ali se encontravam prontos para o tropel cerca de mil jovens, equilibrados em número e munições. Havia quem procurasse falhas nas calçadas para retirar pedras soltas. As ripas dos bancos eram chutadas até ceder, viravam armas possíveis, os parafusos mostrando as pontas. Stefan olhou em volta e viu que ninguém entrava na plateia, Julieta e Romeu esperavam para começar sua tragédia. Foi ficando pressionado por cotovelos que se aglomeravam. Ouvia as narrações e os comentários dos lances, a grande vidraça era tela de TV. E lá embaixo o vale-tudo prometia.

Um sujeito estava nu.

Oito horas em ponto e o corpo começou sua dramaturgia (*seu drama*). Leonel ficou uns bons minutos parado, só respiração, a dança acalmava o corpo, os movimentos eram internos. O mesmo corpo cotidiano assumia formas que mudavam o estar no mundo. Um corpo diligente que dança não fica parado do mesmo modo que fica no dia a dia. Manter os olhos fechados não era o mesmo que dançar no escuro. Nunca havia dançado nu. Concentrava-se na respiração, nas contrações e distensões do abdômen. Apesar de parado, o ar entrava com esforço. Não havia outro aspecto a perceber que não a sua entrada difícil, e o vento fresco do cair da tarde arrepiou o corpo. Aproveitou a brisa para um pequeno movimento, recuperando as improvisações feitas nos últimos dias de Brasil, plantas dos pés firmes no chão e, pronto, todo o corpo se movia, monolítico no início, sem heterogeneidades, cabeça, tronco, pernas e braços eram bloco único.

Conforme a ventania, só dentro dele, os braços começaram movimento independente, e o tronco se curvou, a cabeça lançada em uma diagonal incomum. Já ia longe do repertório de movimentos cotidianos, ninguém mais o confundiria com um mero louco nu (*agora era um bailarino louco nu*). O equilíbrio, na base fixa dos pés, ameaçava ceder. Deu uma abridela nos olhos para não cair no lago, seria ruim terminar com dEUs se afogando junto aos patos. O desequilíbrio iminente e Leonel conseguiu pensar em Fadilah. Que bastava andar para provar equilíbrios e desequilíbrios. Eles são tantos, o corpo em si mesmo, o corpo em relação aos espaços e aos tempos, o corpo que resiste ao desequilíbrio da doença, o corpo que ama e briga, o corpo do outro. Os braços, galhos leves, batiam forte no tronco conforme ele girava. Os galhos não se comandavam, tinham perdido o poder do movimento voluntário, à mercê do vento e da força centrífuga que os fazia chicotearem o corpo-tronco. O corpo que briga, esmurra outro corpo, e conversaram tanto sobre obras de arte, como não era arte?, e veio inteiro, de novo, o vídeo que o deixara calado no trem, na volta de Rotterdam.

A videoinstalação *Cyprien Gaillard*, de Desniansky Raion, foi montada em uma estrutura que obrigava o espectador a escalar redes encordoadas. Suspensas, faziam o público se deitar sobre as cordas, suporte instável. Aquilo era desequilíbrio, Fadilah. Gangues se enfrentavam numa grande pancadaria, socos e pontapés, chutes e agarrões. O vídeo se conduzia por uma música eletrônica que também aumentava de intensidade junto com os golpes. A primeira pedra, um *petit-pavê* da calçada, foi atirada de um lado para o outro. O chafariz desligado, mas o tanque estava cheio de água, perto de um ipê – amarelo! – que se esquecera do inverno. A florada escondia os galhos e, excessiva, se derramava pelo chão. Outra pedra voltou, em resposta. Os grupos ficaram um tempo se olhando, a linha de frente de um a quatro ou cinco metros da linha de frente do outro. Mediram-se. Com o frio as primeiras bordoadas doeriam mais. Temeram-se, talvez. O corpo vigilante, a coreografia típica dos lutadores, alternando os pés de apoio, saltitantes fazendo pequenas danças, braços de boxeador defendendo da boca do estômago ao rosto. Outros seguravam as barras de ferro como a uma espada de Darth Vader, as ripas dos bancos eram a lança pré-histórica que mantinha a distância das bestas-feras, incapazes de sonhar utensílios. Os *tchacos* rodopiavam e um rapaz acertou o próprio rosto, ficando fora de combate antes do combate, o nariz cheirando o próprio sangue. Risos na plateia. A distância entre as linhas de frente foi diminuindo. Dado o chute original, ou o pontapé inicial, a fuzarca começou, estava aberta a temporada de caça. Não havia qualquer técnica na luta que começava. Talvez os octógonos permitissem, no mano a mano, algum raciocínio de golpes. Não era o caso da multidão que se espremia, se chutava, socava, encoxava. As barras acertavam quem estava atrás, às vezes companheiros de time, os *tchacos* se enroscavam. Pedras tinham utilidade enquanto os grupos estavam distintos e distantes, impossível fazer o movimento da pedrada com o adversário a dez centímetros do nariz. Era erguer a mão e levar um soco. Ao serem agredidos, alguns conseguiam desviar as ripas e as seguravam numa das pontas, fazendo com o inimigo um cabo de guerra meio ridículo. As armas foram sendo abandonadas e era o corpo quem agia sozinho. Joelhadas, cotoveladas, chutes, socos – as soqueiras conseguiam algum êxito. Um contingente não conseguia penetrar a malha do engalfinhamento. Estes, aí sim, aproveitavam as ripas jogadas no chão para atingir os rivais que também estavam fora do bolo. Havia pequenos núcleos com brigas mais individualizadas. À medida que as roupas se rasgavam, Stefan julgava ver sangue no chão branco da praça. Estava longe, difícil distinguir. Os taxistas em frente ao Guaíra debandaram, a escadaria da Universidade ficou vazia e quando a primeira viatura chegou não soube o que fazer. Os policiais discutiam entre eles e gritavam com um rádio. Vários foliões, já sem os capotes pesados, vestiam uniformes de clubes: alguns pertenciam à mesma torcida organizada, mas estavam em lados diferentes na briga. Ou então membros de organizadas rivais se encontravam lutando do mesmo lado. Tudo indistinto, a batalha original ganhou outros contornos, rascunhou às pressas novo mapa de rivalidades e já se viam pessoas da mesma academia emboladas no chão, a camisa vermelha tingida pelo verde úmido da grama, a camisa verde ensopada do sangue rubro. Houvesse um daltônico no meio do bando e o que faria? Stefan repassou aos pedaços a conversa com Machiel na volta do encontro fracassado em Londres. Mais uma vez não conseguia entender como a Liga Inglesa de Defesa, a EDL, era formada em boa parte por *hooligans*, gays e judeus, que não toleravam o islamismo, ao mesmo tempo em que boa parte dos gays era antissemita e repudiada pelos *hooligans*. Se houvesse um grupo da EDL na Santos Andrade, em quem gostariam de bater? Havia casos em que judeus e muçulmanos lutavam juntos contra a secularização de uma Europa que coibia casos de circuncisão e matança ritual de animais. O que fariam ali, naquela praça de guerra? Outras duas viaturas que vinham oferecer reforço aos policiais perdidos também não conseguiram, nem tentaram, enfrentar os grupos, os guardas municipais cercavam a praça como se aquilo tivesse alguma utilidade. O corpo se debatia, os pés cediam, nunca havia dançado daquele jeito, a música de Koudlam para o vídeo de Desniansky Raion surgia limpa nos ouvidos, *See you all*, e Leonel batia no próprio corpo, na ausência de inimigos próximos. Ele não vestia vermelho nem azul, como as gangues filmadas no *Cyprien Gaillard*, estava nu, mas o movimento convulso já se dava de punhos fechados, uma multidão ali dentro da cabeça e era essa cabeça que Leonel tentava socar. Sem controle. Seria ensaiado?, perguntaria Anne-Marije a Gijs, se estivessem assistindo. Mas eles não assistiam. Tentavam deixar as lunetas à mostra para que o público do Wilhelminapark as tomasse nas mãos e visse a performance. Ninguém fazia isso. Gonçalo e os dois bailarinos convidados estavam sentados na grama fumando cigarros, pouco se importando. Duas meninas muito jovens chegaram perto das lunetas, mas a primeira a apontou para a amiga e caíram na gargalhada, tomando a caderneta para desenhar um coração com dois nomes dentro. De bermuda e chinelos, um dos policiais que abordaram Leonel na tarde em que Hicham se fazia estátua estava com um menino. Eles apontavam a luneta para as árvores, atrás de passarinhos. Foi o menino quem pegou a caderneta para mostrar ao pai que já sabia escrever o nome. Anne-Marije torcia para que Gijs estivesse em um lado do parque com público mais interessado, e já se culpava, deveria ter trabalhado com a luneta fixa. Gijs estava constrangido esperando que os outros tivessem mais sorte. A pedido de Leonel, não deveriam ficar chamando o público. Mas, então, como atraí-lo? Gonçalo agora fazia palhaçadas dando giros de balé clássico na própria grama, arrancando riso dos outros dois, que o viam de longe. Feliz com o sucesso da comédia, gritou *Romeo en*

Julia, mas eles não conseguiram ouvir, continuaram rindo por inércia. Um deles pegou a luneta e apontou para Gonçalo, que fez careta e estendeu o dedo médio. Riram mais. A noite começou a afastar as pessoas do parque. Anne-Marije já preparava o que dizer: que havia sido ótimo, muita gente tinha passado pela luneta onde estava, mas não se empolgou com a caderneta. Não tinha coragem de dizer que d*EU*s não existiu. Numa última tentativa, com o público do parque minguando, ignorou os pedidos de Leonel e chamou pessoas para olhar na direção do artista que dançava esgueirado entre arbustos. Alguns aceitaram o convite, mas ficavam um tempo curto demais, saíam rindo sem graça, sem saber o que dizer, desconcertados. Já era uma reação possível, pensou Anne-Marije, que ligou para Gijs, pediu para que ele fizesse o mesmo, que chamasse o público e mostrasse para onde deveria olhar. A reação foi a mesma, as pessoas miravam mas não entendiam nada. Um rapaz entre os convidados largou a luneta perguntando se era uma pegadinha. Anne-Marije olhou através da lente, Gijs, do lado oposto, fez o mesmo, buscando o bailarino sem plateia. Os olhos de ambos se encontraram. No lugar onde Leonel deveria estar dançando com d*EU*s não havia ninguém. Quando a barbárie pode salvar vidas? Romeu e Julieta já deveriam ter-se envenenado, mas apareceram no saguão do segundo piso, figurinos e sapatilhas, para assistir ao espetáculo da Santos Andrade. Não morreriam, Capuletos e Montéquios veriam a batalha da praça e ficariam aliviados por terem seus filhos fora do palco, espectadores sem protagonismo. O grande vidro do Teatro Guaíra não comportava mais ninguém, a tela plana não era suficiente para todas as telas dos celulares que fotografavam e filmavam o interminável plano-sequência, filme mudo. Quando a polícia de choque chegou, em número adequado de homens e viaturas, já havia boas dezenas de corpos no chão, no tanque do chafariz a água vermelha. Pensou no sangue jorrando da garganta de Machiel. Helicópteros da polícia e da imprensa paravam no céu agora escuro, repórteres pelos flancos buscavam as imagens melhores. Uns corpos caídos se moviam, outros estavam entregues. Faltava-lhes um cigarro nas mãos para que lançassem a pergunta para o corpo ao lado, se havia sido bom. A máscara que sorria para o teatro se iludia, espantada com a gente na vidraça olhando para ela. O espetáculo não aconteceu. O espetáculo havia acabado sem que ninguém assistisse. Se ele aconteceu ou não, importava? A nuvem que saía dos sprays de pimenta turvou a multidão, que não sabia mais quem ajudar e quem deixar para trás pisando em cima. *See you all*, a música que regia o vídeo de Desniansky Raion, tinha letra indistinguível além do primeiro verso. Leonel preocupou-se naquela tarde em Rotterdam, o inglês ainda precisaria melhorar. Mas toda vez que recuperava a música no youtube, mesmo com a língua menos arisca, não passava do primeiro verso, *I can see you all* e tudo se perdia entre palavras emendadas, sobrepostas, babel de um homem só. Os lutadores se dispersavam e levavam um pouco da briga para outros cantos, brasa espalhada de um fogo que se extinguia. Alguns escaparam por um lado em que a polícia não agiu, e já caminhavam com tranquilidade, conversando como se passeassem no fim da tarde de domingo. Errar é vagar sem rumo, sem portos nem âncoras. Eram quase onze horas da noite em Utrecht. Quase seis da tarde em Curitiba e o público criava coragem para sair, excitado como nunca público algum saiu de um teatro. A noite cobriu o dia, caiu o pano. Leonel andava por ruas desconhecidas em direção ao sul da cidade. Deu meia-volta, andou dez passos, tornou a mudar o rumo, o sul era seu norte, onde ficava o norte no Polo Norte?, norte rimava com morte, mas preciso ser bravo e forte, tudo posso naquele que me fortalece, e um delírio o atingiu como rede de caça, embolando-se nele, que andava sem camisa pelas ruas já frias, as calças sem cuecas, os pés descalços, a mochila esquecida entre o arbusto e o lago. *I can see you all,* cantava o primeiro verso e o restante era sibilado, la-ra-ra-ri. *Am I hot?* Simulou gestos de luta, a posição do boxeador em frente a uma árvore. Era impossível continuar. Nem todas as experiências cabiam dentro de um homem, ninguém suportava tanta carga. Que isso ficasse para as estátuas do Paço da Liberdade, com seus braços fortes, que isso fosse encargo das estátuas que sustentavam com a cabeça o peso da fachada no Winkel van Sinkel. O concreto suportava. A carne e o osso eram frágeis, não aguentavam a concretude do mundo. Maior que o peso da concretude era o peso de suas emanações sorrateiras, do que se desprendia e flutuava. Não podia continuar naquela academia, impossível ser ele, Stefan Bisschop, um dos centros daquela guerra a que acabara de assistir. Ele, centro de alguma coisa? Não, não podia ser. As academias já se provocavam havia tanto tempo. Bastaria sair do trabalho ou teria de sair da cidade era a pergunta que se colocava. Apalpou os bolsos da calça, as chaves estavam com ele. Havia coisas importantes no escaninho. Um par de tênis, fones de ouvido, uma toalha de rosto, o *squeeze*. Não fossem os tênis, deixaria tudo lá, mesmo os fones. Mas não podia, não queria, eram os tênis que tinha ganhado de Machiel. Domingo à noite seria bom ir até a academia, tudo vazio, bastava desativar o alarme, pegar suas coisas e nunca mais voltar. Parou no meio da rua erma. Repetiu movimentos que havia executado no Wilhelminapark. Quem o assistia? Alguém à espreita? A cicatriz ardia ferroando a pele (I can see you all), conhecia toda a sua geografia, cada detalhe, onde a pele havia se rasgado mais, o esbranquiçado dos cantos, as marcas dos pontos que ficaram vários dias costurando a carne, tatuagem de arame farpado, suas garatujas corânicas. Se sangrasse inteiro antes de morrer e tivesse a sorte de estar voltado para Meca, estaria salvo. *Halal food*. Caminhava devagar, o suor rorejava sem explicação. Aproveitava os arrepios que o corpo propunha e dançava-os. A cada calafrio, uma continuação voluntária dos movimentos, uma dança. A rua continuava vazia, nenhum espectador, expectativa nenhuma. Quis uivar, mas mudou de ideia, ah, a língua portuguesa, brasileira sambando na boca a cada fonema, e cantou alto O luar, Do luar não há mais nada a dizer, A não ser que a gente precisa ver o luar, Uma vez que existe só para ser visto, Se a gente não vê não há. Não estava louco porque não tinha plateia. Quem o julgaria? Os motoristas ainda estavam presos dentro dos carros, umas latarias amassadas, os grupos escapando por cima dos automóveis. A praça Santos Andrade era uma *rave*, luzes piscantes das ambulâncias, viaturas da polícia e do corpo de bombeiros. Os jornais ao vivo, caminhões-estúdio e antenas, os microfones entrevistando feridos durante o atendimento. Duas ou três frases que dessem uma pista valeriam ouro. Para Stefan, não havia mais nada a ser visto. Se não tivesse visto, nada haveria, mas era tarde, os olhos entupidos. Estava na rua de casa, porém passou reto, fechou o casaco enterrando o queixo na gola alta, apertou a chave da academia entre os dedos, ergueu o capuz para escapar do frio e esconder o rosto. Subiu a ladeira em direção ao Alto da XV, a mesma em que fora derrotado por um rapazote – nunca mais o vira, agora que estava pronto para atropelá-lo. Era preciso cortar todos os vínculos com aquele lugar. Sair do vazio e voltar para o mundo? Alcançou lugares ocupados por pessoas, esses seres estranhos. Via-os pela primeira vez, era tarde, eram poucos, hastes inferiores que se desequilibravam e se reequilibravam para ir de um lugar a outro enquanto as hastes superiores balançavam sem função aparente. Em Utrecht, não importava a direção que se tomasse, o Oudegracht estaria sempre esperando. Era lá que Leonel estava, a torre enfastiada na dureza da indiferença. A poucos metros um carrinho de papeleiros carregava três crianças que brincavam com caixas de ovos vazias. Enquanto caminhava, balbuciava a combinação de números para desativar o alarme, repetia e repetia, ocupar a cabeça. O dia seguinte seria estranho para os que sobreviveram e escaparam da prisão. Encontrariam os antigos companheiros, em quem bateram e de quem apanharam. A graça do cenário não era libertadora. Quando soube da morte de Machiel, ficou sem gravidade, astronauta levitando na própria cabeça enevoada, fazendo ilações menores, perdido em raciocínios minúsculos, sem importância mas obsessivos, reiterando imagens incompatíveis, para então tudo desabar sobre o peito – as emanações sorrateiras da concretude do mundo. Não demoraria para tudo desabar sobre o peito outra vez. O alprazolam estava em cima da cadeira que lhe servia de criado mudo. Cada coisa em seu lugar, a estabilidade dos objetos o comoveu. Em breve estaria longe de tudo (*que de quase tudo*). Podia distanciar-se de qualquer ponto menos do ponto que era o próprio corpo. Mesmo o corpo que delira ainda é ele, mesmo o corpo rasgado ainda é ele. *Hei, você, o que está fazendo aí na rua desse jeito?* Os canteiros de flores coloridas junto aos postes de iluminação arremessavam suas sombras. Leonel olhou para trás e viu apenas vultos. De lá viera a pergunta ríspida? Quem? Policiais?

Leonel andou mais rápido, e mais rápido até correr pelo Oudegracht, descendo as escadarias que levavam ao canal. Outra vez no nível das águas. Se fossem policiais, se policiais o estivessem perseguindo, não entrariam nas águas do canal e encharcariam os uniformes. Não molhariam seus documentos e armas. Andavam armados os policiais de Utrecht? A água do canal era suja, viscosa pelo combustível dos barcos que navegavam por ali. O gosto talvez misturasse o óleo dos motores com as fezes dos patos. As braçadas de um afobado são sempre espalhafatosas e a urgência do ar é preenchida pela água. Que busca sempre o ponto mais baixo. O canal tem poucos metros de largura. Os policiais atirarão? Mas eles poderiam cruzar o canal atravessando as pontes. Leonel: olhos para todos os lados. O que faz nadando no meio do Oudegracht ele não sabe, pensa que sabe, não sabe o que pensa. Atrás de qual poste estariam? Aquelas árvores abanando os braços. Mal entrou pelo portão e levou a primeira pancada na nuca. Caiu ouvindo, amortecida no zumbido, a expressão de outrora, *panocu*, seguida de outras ainda mais incompreensíveis, os ouvidos abatidos o traíam. Uma corrente enlaçou seu pescoço e os braços foram imobilizados com agilidade. Mesmo o corpo forte de Stefan não conseguiu reagir, estava entregue desde o primeiro golpe. Com o pescoço garroteado e os braços presos numa chave bem executada, tinha a cabeça fixa para a frente enquanto o levavam para dentro da academia. Na pequena raiva mergulhada na ubiquidade do medo, desejou que Ahmed aparecesse para salvá-lo, a faca (*se podia ser a mesma*) cortando em tiras a pele daqueles que o seguravam e o jogavam na escuridão da sala de *spinning*. Mas Ahmed não aparecia, blefava. Um requinte de sadismo fez os agressores ligarem o globo de espelhos. E a *playlist* de Stefan começou a tocar. Jogado no chão, Stefan ainda viu o teto estrelado, os pequenos feixes de luz emanando do globo, rasgando o escuro. A sequência de golpes durou todos os quatro minutos e vinte segundos de Bearforce1, *Give a bit of mmh to me, And I'll give a bit of mmh to you, You look like you're lots of fun, Open up your lovin arms, Watch out here I come, come, come, come, come, come, come, come, ba da ba la, You spin me right round baby, right round, like a record baby, right round, round round. See you all, I can see you all*, cantava baixinho, pingando, o queixo trêmulo, em cima da castanheira-da-Índia que ficava ao lado da estátua, a sua estátua sensual, que mostrava a coxa direita insinuada sob o vestido de tecido fino, moça, Leonel a chamava baixinho, moça, olha aqui, você tem uma cicatriz nessa coxa direita? A luz da praça era jogada na estátua, deixando Leonel, o apagado, no escuro. Olhou para baixo, *see you all*, a sombra dos policiais não fazia ronda por ali, a altura da árvore, como havia subido? Lá embaixo, perdida no chão da praça, a inscrição no mármore, cuja tradução ele sempre esqueceu de perguntar, *Vandaag – Homoseksualiteit. Mannen en vrouwen kiezen in vrijheid*. Depois, disposto na perpendicular, *18e eeuw – Sodomie. Barend Blomsaet en 17 andere mannen werden in Utrecht veroordeeld en gewurgd. Hun daden verzwegen*. O Leonel Silva, o silva, a selva, o macaco que dançava pelado agora subia em árvores difíceis para mãos e pés humanos. E ficava confortável lá. Depois do banho nas águas do Oudegracht, o aconchego de uma castanheira-da-Índia, sem sombra de policial, só o vazio da praça que pegava no sono, a madrugada vendo morrer o movimento dos homens. Estava a sós com os calafrios, as calças molhadas grudando no corpo. Era sangue. Se escorresse dos ouvidos, o perigo era maior. Eram apenas dentes quebrados. O sangue vinha do supercílio, do nariz e da boca. O braço direito não conseguia se mover e no esforço para liberar o esquerdo todas as dores se agitavam. Tocou um dos ouvidos, a umidade era urina, não sangue. Era urina o banho quente no final. O visgo agora ressecado do sêmen era sentido na barba mal despontada. O duelo do corpo, que reagia com dor à vontade de vomitar, deixava Stefan à margem, limite. O corpo, sem espaço para a vontade, decidiria se o vômito atropelaria a dor ou se a dor seria capaz de freá-lo. Estava sozinho, eles já haviam saído havia muito tempo, o sêmen, a urina, os golpes saíram todos daqueles homens em pouco mais de quatro minutos, o tempo da Bearforce1. Todo o restante da *playlist* continuou tocando com Stefan sozinho, a escuridão deixava mais bonitas as luzes do globo. Stefan conhecia bem sua *playlist*. Depois de uma versão remix do *Boerenplof*, com que animava os alunos ao representar o gringo das danças folclóricas, a última música começava, era animadinha demais para os alongamentos, ele sabia disso, mas mantinha os alunos felizes para enfrentar o resto do dia. Ela pedia para Stefan bater palmas se ele estivesse se sentindo como em uma sala sem telhado, *Because I'm happy, Clap along if you feel like a room without a roof*. Se pudesse, bateria palmas porque se sentia mesmo em uma sala sem telhado, as luzes do globo em queda livre no céu de laje branca, o branco de todas as cores. Cada ponto uma estrela cadente se oferecendo para realizar os pedidos do mundo. O corpo doía demais para que pudesse bater palmas. O céu da noite sem estrelas choveu na madrugada de Utrecht e tornou a molhar Leonel, que passou a noite no alto de uma castanheira-da-Índia esperando a polícia passar, a banda passar, a vida.

V

Mind your step era o que ficava repetindo a esteira rolante do Schiphol. Não se lembrava de ter ouvido a recomendação na chegada. Talvez os ouvidos não estivessem preocupados com premonições, a voz automática a disparar o aviso quantas vezes fossem necessárias às pessoas que precisavam sair das esteiras. *Mind your step*. Voz de Coelho Branco, teria alguma sugestão em vez de apenas alertar? O que fazer com os passos? Ainda entre Utrecht e o aeroporto, o trem que deslizava sobre os trilhos contrastava com a alma de asperezas. Asperezas com asperezas até podiam dar origem ao improvável: lixa na parede arisca gera lisuras insuspeitadas. Mas a suavidade dos trilhos não conseguia abrandar nada. Era, ao contrário, riscada por vergonha e, difícil, saudade. O exílio no tempo era outro tipo de perturbação. Tão evidente, agora assumia ares de surpresa. Ao voltar para seu espaço, bastaria dizer que resolvera sumir um pouco, um curso na Holanda, enriquecer a experiência e o currículo. A cabeça e o corpo estavam arejados, o fazer artístico alimentado, além disso a apropriação de outros modos de fazer dança ajudava o corpo brasileiro a olhar a si mesmo, a se entender como um corpomídia (zzzzzzz). Até havia apresentado seu solo, teve uma equipe a produzir dEUs, e riria com os amigos (*que amigos?*). Fotos não faltavam para mostrar o estúdio, a cidade, o gramado onde dançara, os amigos que fizera, o namorico. Chegou ao aeroporto de Guarulhos com bastante antecedência, o voo para Amsterdam saía só à noite e lá estava Stefan, mais interessado em fugir do que em chegar. Esperaria o dia todo, não importava, quatrocentos quilômetros eram suficientes para separá-lo de Curitiba, epicentro do lugar nenhum. Curitiba havia ficado para trás, separada do mundo pela neblina. As malas pesadas já haviam sido despachadas e sempre aparecia alguém cordial para ajudá-lo com as muletas. Acomodado na lanchonete, carregava a mochila com o computador. Depois de meses evitando e até lutando contra o desejo de reabrir a pasta de fotos, cedeu fácil à vontade de ver Ahmed. Se buscava através dos seus olhos uma vingança contra os usurpadores, se buscava xingá-lo por ter sido abandonado, não sabia. Os olhos que derramavam ódio e provocação, as sobrancelhas da ira, os caninos ostensivamente à mostra, o punho vigoroso, talvez Stefan quisesse reconstruir a seu modo o passado, enxergando na força de Ahmed um protetor que aparecesse para ajudá-lo a lamber feridas. O vingador. Mas ao abrir as duas fotos, o que viu foi um rapaz assustado. Onde a sobrancelha desafiadora, os caninos prontos para morder? E o sorriso de sarcasmo? A foto em que Ahmed aparecia – seria mesmo ele? – olhando para a lente de Stefan mostrava um rosto tão distante que nem conseguia ter certeza se olhava para a câmera. Nenhuma voz mais o habitava, perdera-se no vazio sem eco. Quase trinta anos e nenhum leme nas mãos. Escrevera uma carta conclamando a fundamental importância de se apossar do destino, montar nele e segurar suas rédeas com firmeza, fazer as tantas curvas sem cair, sem ser pisoteado. Tirar a cabeça para fora da água sempre que a correnteza quisesse levá-lo, a viscosidade do Oudegracht ainda na língua. A urina, o sangue e o sêmen não sairiam, por mais que tenha passado a se lavar em intervalos muito curtos.

No mesmo dia, fim da tarde, estaria de volta ao Brasil. Talvez Stefan devesse, ao desembarcar em Amsterdam, procurar outro canto, pelo menos até os ferimentos diminuírem. No abraço final em Desimond, ambos chorosos, poucas palavras eram possíveis. O sorriso se restringia ao cacoete. No entanto, nem na despedida o haitiano poupou o discurso, lembrando a Stefan que todos ali, no fundo, eram parentes, mesmo os muitos diferentes um dia tiveram ancestrais comuns. Se eram primos até dos ornitorrincos e dos pés de couve, o que dizer dos humanos entre si? Fadilah, abraçada a Zineb, jogava sobre Leonel os olhos negros de brilho molhado. Mais uma despedida. De quantos Fadilah já se despedira? Disse que não era à toa que até as outras galáxias fugiam de nós, e que se o paraíso for um só para toda a gente diferente que há no mundo, será um inferno. E lançaram o último dos tantos sorrisos tristes. Desimond lembrou que eram como a linha de ônibus Interbairros, sem ponto final, não podiam parar, e a cada volta andando em círculos a paisagem sempre mudava um pouco. E ainda tinham muito combustível para queimar. No mesmo instante Fadilah dizia que não adiantava, que se tudo desse certo – e que a desculpasse por contar o fim do filme – mesmo assim todos morreriam. Zineb, em gesto inesperado, deu-lhe um abraço de corpo inteiro e Leonel acolheu-a, adotou o abraço como o grande souvenir da temporada estrangeira. Ainda sentia o corpo quente da menina agora que estava com o cinto afivelado ouvindo o burburinho da língua portuguesa no voo diurno, as gargalhadas, as opiniões, os pés nas poltronas, os deslumbramentos. Todos corpos à deriva, cemitério pronto para a força dos acasos. Ao menos teria sua casa, o inquilino havia saído. Se era difícil andar, ficar sentado o tempo todo também doía. Stefan previa um voo difícil, de dores, anti-inflamatório e benzodiazepina. Precisou se levantar para reposicionar o corpo, era a vez de as outras partes doerem para aliviar as que até então gritavam. Manquitolando pelo aeroporto de Guarulhos deixou-se levar de um lado a outro por escadas e esteiras rolantes, atrapalhando o mundo que parecia saber aonde ir.

Não acreditava que o trem de pouso do avião o estava colocando novamente no Brasil. Havia fracassado? Por embarcar em poucas horas de volta à Holanda deveria se considerar um perdedor? Se tivesse escolhido a França? Se estivesse na Tailândia? Se a preguiça o tivesse feito desistir de ir à Casa Hoffmann no dia em que conheceu Gonçalo e Anne-Marije? Se Ahmed tivesse tropeçado antes do primeiro golpe? Se Preto Silva tivesse bebido mais uma dose e chegasse em casa com o Santo Antônio devolvido ao lugar? Se não tivesse seguido o corredor que fora até a academia? Se não conversasse com homens-estátua? E se a mãe tivesse escolhido a marroquina?

A vida teria ido para outros futuros.

Dos outros futuros, nenhum. Não era fácil costurar relações e que elas tecessem malha confortável, aconchego mínimo. Porque o outro, paraíso possível, era o inferno provável.

Os últimos ares de Europa se dissiparam quando as portas do avião foram abertas, a multidão em pé se amontoava nos corredores. Os últimos ares brasileiros se infiltravam com dificuldade entre as costelas doídas. Sentou-se ainda um pouco, teria acesso à fila preferencial, a gentileza de todos os olhos voltada para o sujeito de pernas cambaias.

A mala tinha o mesmo tamanho da viagem de ida, nenhuma lembrancinha tangível na bagagem. Leonel caminhava com calma, tentando adiar todas as chegadas. Subiu para tomar um café, uma cerveja, e comeu. E bebeu de novo, outra cerveja, outro café. Levantaram-se. Só depois de horas ali parado, olhou o monitor com as partidas internacionais, o voo para Amsterdam decolaria em breve, sem atrasos. Mas seguiu para o embarque nacional, Curitiba – era isso mesmo? – o esperava. Um pouco impaciente, as muletas atrapalhavam os movimentos, o joelho doía demais, o tratamento perdido, onde o cartão de embarque, ali, *espere, wait, wacht*. Ao voltar os olhos do monitor e seguir caminho, esbarrão e susto: batera em um sujeito de muletas, que contraía o rosto na dor contida. As costas foram as que mais sofreram na queda, que órbita fazia aquele corpo distraído que o derrubara? Estendeu a mão para ajudá-lo. As mãos que o ergueram eram mais fortes do que o corpo esguio e suave deixava supor. Que língua falar? A dos muitos gestos e das poucas palavras, ombros encolhidos no sinal claro das desculpas, estava tudo bem, não se preocupasse.

Agradeço a leitura dos originais feita por Camie van der Brug (e suas contribuições importantes a respeito de língua e cultura holandesas), Caetano Galindo, Carol Bensimon, Christian Schwartz, Diego Zerwes, Giovani Kurz, Gladis dos Santos, Guilherme Gontijo Flores e Paulo Venturelli. Agradeço ainda a Natalia Nuñez, que revisou palavras e expressões em espanhol.

O fragmento citado na página 51 é o parágrafo inicial da crônica "A história sem fundo", do escritor curitibano Luís Henrique Pellanda, publicada no Jornal Gazeta do Povo em 18 de junho de 2014. A ilustração brevemente descrita é de Alberto Benett.

Este livro foi composto em Fairfield para a Editora Moinhos,
em papel pólen soft, enquanto *Redemption Song*, de Bob Marley, tocava.
Era sexta-feira. Um dia a mais.
Era setembro de 2019.

*

O Brasil sofria.